JO THOMAS

Sommerküsse und Limonen

D0269916

Weitere Titel der Autorin:

Ein Sommer in Galway
Ein Sommer wie kein zweiter
Das kleine Château in den Hügeln
Sommerglück und Honigduft
Ein Sommer voller Schmetterlinge

Über die Autorin:

Jo Thomas arbeitet seit vielen Jahren als Journalistin für verschiedene englische Radiosender. Ihr Debütroman, *Ein Sommer in Galway,* wurde in England zu einem Bestseller und unter anderem mit dem RNA-Joan-Hessayon-Award ausgezeichnet. Jo Thomas lebt mit ihrem Ehemann und ihren drei Kindern in Vale of Glamorgan.

JO THOMAS

Sommerküsse und Limonen

Roman

Aus dem Englischen von
Gabi Reichart-Schmitz

lübbe

Dieser Titel ist auch als E-Book erschienen

Vollständige Taschenbuchausgabe

Deutsche Erstausgabe

Für die Originalausgabe:
Copyright © 2019 by Jo Thomas
Titel der englischen Originalausgabe: »My Lemon Grove Summer«
Originalverlag: Headline Review.
An imprint of Headline Publishing Group, London

Für die deutschsprachige Ausgabe:
Copyright © 2021 by Bastei Lübbe AG, Köln
Textredaktion: Anita Hirtreiter, München
Einband-/Umschlagmotive: © shutterstock: Liliya_K |
© Anastasia Lembrik | cosmicanna | Loguna | aleksa_ch | Eleor
Umschlaggestaltung: Manuela Städele-Monverde
Satz: two-up, Düsseldorf
Gesetzt aus der Arno
Druck und Verarbeitung: GGP Media GmbH, Pößneck
Printed in Gemany
ISBN 978-3-404-18447-7

1 3 5 4 2

Sie finden uns im Internet unter luebbe.de
Bitte beachten Sie auch: lesejury.de.

Liebe Leserinnen und Leser,

ich heiße Jo Thomas. Zunächst einige Informationen zu meiner Person. Seit vielen Jahren arbeite ich als Journalistin für verschiedene englische Radiosender, zum Beispiel für BBC Radio 5 und später auch für The Steve Wright Show *auf Radio 2. Im Jahr 2014 schrieb ich meinen Debütroman,* Ein Sommer in Galway, *der sich zu einem E-Book-Bestseller entwickelte und unter anderem mit dem* RNA-Joan-Hessayon-Award *2014 und dem Festival of Romance Best Ebook Award 2014 ausgezeichnet wurde. Es folgten die Romane* Ein Sommer wie kein zweiter, Das kleine Château in den Hügeln, Sommerglück und Honigduft *sowie* Ein Sommer voller Schmetterlinge.

Falls ihr meine anderen Romane gelesen habt, wisst ihr, dass ihr euch auf eine Geschichte über Essen und Liebe mit einer guten Portion Sonne und einem Spritzer Spaß sowie auf Charaktere gefasst machen dürft, in die ihr euch hoffentlich verlieben werdet. Falls ihr neu in meiner Welt seid, herzlich willkommen! Ich hoffe, ihr werdet bleiben!

Ich war einmal in einem meiner Lieblingsrestaurants in Apulien in Süditalien, wo ich mein zweites Buch, Ein Sommer wie kein zweiter, *schrieb. Nach dem Essen kam der Restaurantbesitzer an unseren Tisch und brachte Gläser für alle und eine Flasche Limoncello mit, diesen wunderbaren italienischen Zitronenlikör. Er holte sich einen*

Stuhl und fragte mich, was für Bücher ich schriebe. Er sprach kein Englisch, und ich konnte nicht viel Italienisch, aber irgendwie erklärte ich ihm, dass meine Bücher von Essen und Liebe handelten, weil ich immer schon fand, dass die beiden eng miteinander verbunden sind. Er wiederum erzählte mir, dass sich sein ganzes Leben um die Lebensmittel dreht, die er mit seiner Familie auf seinem Land anbaut, in seiner Küche zubereitet und dann auf den Tisch bringt. Mit ausgebreiteten Armen deutete er auf den Olivenhain, der uns umgab, zeigte auf den forno *in der Küche, wo das Holzfeuer munter flackerte und Rauch aus dem Kamin aufstieg, und schlug dann mit der Hand auf den blank gescheuerten Holztisch,* la tavola. *»Für die, die wir lieben«, sagte er und legte sich die Hand aufs Herz. Und genau so ein Buch möchte ich schreiben: über die Lebensmittel, die wir anbauen, um sie zuzubereiten und auf den Tisch zu bringen – für die, die wir lieben. Also, schnappt euch einen Stuhl, und setzt euch an meinen Tisch!*

Wenn ihr mehr über mich, meine Romane und meine jüngsten Abenteuer erfahren wollt, findet ihr mich unter www.jothomasauthor.com, bei Facebook www.facebook.com/JoThomasAuthor oder bei Twitter @jo_thomas01. Meldet euch bei mir, ich würde mich sehr freuen, von euch zu hören.

Liebe Grüße
Jo x

Für meinen Sohn Billy, weil er mich zum Lächeln bringt,
und in Erinnerung an seinen Freund Luca,
der ihm bewusst machte, wie wichtig die Fähigkeit ist,
andere Menschen zum Lachen zu bringen.

Und für Janice Symons, eine inspirierende Frau,
die mir beigebracht hat, dass eine Mama immer Mama bleibt,
gleichgültig, woher ihre Kinder kommen
oder wohin sie gehen.
Manchmal reicht eine flüchtige Begegnung mit einem Menschen,
um eine Veränderung im Leben zu bewirken.

Großvater Potts in *Tschitti Tschitti Bäng Bäng* sagte: »Sag niemals Nein zu einem Abenteuer. Sag immer Ja, sonst wirst du ein sehr langweiliges Leben führen.«

Familie ist das, was man daraus macht …

1. Kapitel

»Er ghostet dich? Echt jetzt? Schon wieder?!«, sage ich laut. Ich blicke auf das Display meines alten Handys und hoffe, dass der Typ, mit dem ich mich am Donnerstagabend zum dritten Date getroffen habe, sich doch noch melden wird. Als würde ich darauf warten, dass gleich mit einem Knall ein Flaschengeist in einer Wolke aus blaugrünem Rauch auftaucht und mir das Gesicht meines idealen Partners zeigt. Sein Online-Profil klang so toll, und auch bei unseren Verabredungen machte er einen netten Eindruck. Ich hatte geglaubt, er könnte der Richtige sein. Aber in diesem Fall ist nicht Aschenputtel vor dem Märchenprinzen davongelaufen, sondern offensichtlich hat der Märchenprinz vor mir die Flucht ergriffen … wieder mal.

Anscheinend habe ich es mir zur Gewohnheit gemacht, auf der Dating-App immer wieder einen Mr. Perfect auszuwählen, der nach einigen Treffen zu dem Schluss kommt, dass ich nicht seine Miss Perfect bin. Ich bin es leid, schließlich bin ich fast vierzig! Sollte ich nicht inzwischen einen Mann, Kinder, ein Heim und einen Hund haben? Ist es nicht das, was das Leben uns allen verspricht?

»Er ghostet dich?«, wiederholt Lennie. »Bist du schon wieder an so einen geraten?«

Ich nicke und werfe nochmals einen Blick auf mein Handy. Und noch einen, bevor ich mir die Niederlage endgültig eingestehe. »Ja, auch der Typ ist abgetaucht!« Während die Worte in mir nachhallen, trinke ich einen großen Schluck von dem warmen, leicht süßen Rosé. »Igitt, dieser Zinfandel schmeckt ja grässlich!« Ich verziehe das Gesicht und sehe mich an der provisorischen Bar nach einem anderen Getränk um. Doch zur Wahl stehen neben dem Zinfandel nur warmer Chardonnay oder ein ebenso wenig gekühlter Shiraz. Von allen dreien würde ich garantiert heftige Kopfschmerzen bekommen. Der kleine Partybereich, in dem wir uns befinden, ist nicht einmal ein richtiger Raum, sondern lediglich eine durch einen Vorhang abgetrennte Ecke eines Veranstaltungssaals. Ein großes Fenster bietet einen Ausblick über die Bucht und die Stadt. Nebenan ist eine Hochzeitsfeier in vollem Gange. Die Discobeleuchtung ist durch den Trennvorhang zu erkennen und erhellt die kahle, düstere Ecke, in der wir stehen.

»Ehrlich, Zelda, ich fasse es nicht, wie jemand so gemein sein kann! Wie oft ist es dir nun bereits passiert, dass dich jemand einfach ghostet?«

Ich seufze. So läuft das heutzutage. Wenn man an jemandem doch nicht interessiert ist, taucht man einfach ab. Alle suchen das Gleiche, aber kaum jemand findet es. Allerdings scheine ich tatsächlich ein Händchen dafür zu haben, mir immer wieder die falschen Männer auszusuchen. Ein, zwei oder höchstens drei Verabredungen, dann – wenn ich gerade denke, es könnte sich etwas entwickeln – werde ich ohne ein Wort fallen gelassen und fortan ignoriert. Das tut weh. Ich erfahre nie, ob es an mir liegt, denn ich glaube jedes Mal, aus der Sache könnte etwas werden, während die Typen anderer Meinung sind. Ich habe keine Ahnung, was ich falsch gemacht haben könnte. Ich weiß bloß, dass es schon wieder passiert ist.

»Und was gibt es bei dir Neues?« Ich nehme einen Schluck von dem schlechten Wein. »Wie läuft es zwischen dir und Bridget? Gibt es nicht eine Art Regel, dass man keine Kollegen aus derselben Firma daten soll?«

»Nein, zwischen Bridget und mir ist nie was gelaufen.«

»Gibt es sonst jemanden?«

Unangenehm berührt schüttelt er den Kopf.

»Dieser Markus, dein Chef, der wäre doch ein guter Fang. Aber ich wette, er ist vergeben.«

»Er ist frisch getrennt, glaube ich. War wahrscheinlich nichts Ernstes. Anscheinend ist er nicht auf eine feste Beziehung aus, also vergiss es.« Lennie trinkt einen Schluck Wein. Er wirkt seltsam nervös, aber ich habe keine Ahnung, warum. Ganz sicher hat er etwas auf dem Herzen, doch ich weiß nicht, was es ist. Bei der lauten Musik ist es zwecklos, ihn danach zu fragen, denn man versteht kaum sein eigenes Wort und kann gar nicht richtig denken!

Ich folge seinem Blick durch den beinahe leeren Raum. Lennies Gesicht wird von den blinkenden Lichtern von nebenan pink angestrahlt. Das Büfett ächzt, als erwarte es den Ansturm Hunderter von Partybesuchern. Stattdessen sind wir nur eine Handvoll, einschließlich einiger gelangweilter Kinder, die zwischen den Stühlen Fangen spielen.

»Wir haben doch gesagt, wir bleiben bloß eine Stunde«, schreit Lennie mir ins rechte Ohr. Er wirkt genervt.

»Aber es ist kaum jemand hier. Wir können nicht einfach verschwinden; sie würde es mitbekommen.« Ich lehne mich zurück und nicke in Lydias Richtung. Sie ist eine alte Freundin aus Collegezeiten. Was heißt Freundin: Wir waren eigentlich bloß eine Gruppe, die sich vor über zwanzig Jahren jeden Mittag in der Mensa zum Essen getroffen hat. Doch Lydia hält mit uns allen fleißig über Facebook Kontakt, obwohl wir uns jahrelang nicht gesehen und auch nichts gemeinsam haben.

Ich betrachte die anderen Gäste, die Lydias vierzigsten Geburtstag feiern. Ein paar Kollegen aus der Schule, an der Lydia unterrichtet. Sie haben ihre Kinder mitgebracht. Eine von Lydias Schwestern mit Familie; die andere konnte an diesem Wochenende nicht. Dann die Collegefreunde – also Lennie und ich. Ein Gefühl drohenden Unheils überkommt mich. Ist das alles? Ist es das, was die Zukunft für mich bereithält? Einen halb leeren Partyraum, ein Büfett und eine Reihe geladener Gäste, von denen die meisten nicht auftauchen?

Wieder werfe ich einen Blick auf mein Handy, nur für den Fall, dass Mr. Inhaber eines Maschinenbauunternehmens tatsächlich Mr. Right ist und mir mitteilen will, dass im Büro die Hölle los war, sein Handy-Akku leer war und sein Audi auf dem Weg zu mir eine Reifenpanne hatte. Aber nein. Nichts. Nur ein leeres Display, das mir alles sagt, was ich wissen muss. Ich stoße einen langen Seufzer aus.

»Lass uns abhauen«, sagt Lennie.

»Das geht nicht. Wenn wir verschwinden, ist kaum noch jemand da. Wir haben versprochen zu kommen.«

»Aber wir sind ja hier, wir haben uns blicken lassen. Jetzt lass uns gehen und etwas halbwegs Anständiges zu trinken auftreiben.« Er deutet mit dem Kinn auf mein Glas. »Du hasst Zinfandel! Und ich wette, dass deine Füße dich in diesen Pumps umbringen. Ich weiß, du liebst Schnäppchen, aber du solltest keine Schuhe kaufen, die nicht richtig passen, bloß weil sie günstig sind.«

Ich muss lachen – er kennt mich einfach zu gut. Meine Zehen können es kaum erwarten, aus diesen roten Vintage High Heels mit den weißen Punkten befreit zu werden. Ich versuche immer, hohe Absätze zu tragen, um dadurch meine geringe Körpergröße auszugleichen. Lennie überragt mich und sorgt dafür, dass ich mich noch kleiner fühle. Er ist groß und schlank und hat dunkles Haar, das er gerne mit Gel zurückstreicht, damit es zu den korrekten Anzügen passt, die er bei der Arbeit trägt; ohne Gel sehen seine Haare immer aus, als wäre er gerade erst aufgestanden. Seit Kurzem trägt er keine Kontaktlinsen mehr, sondern eine Designerbrille mit dunklem Rahmen, mit der er wie eine jüngere Ausgabe von Jeff Goldblum aussieht. Ich muss Lennies strahlendes Lächeln jedes Mal unwillkürlich erwidern. Ich dagegen habe leuchtend rot gefärbtes Haar und benutze einen passenden Lippenstift. Meine Figur könnte man als rundlich bezeichnen oder – wie Lennie es umschreibt, wenn er mich aufheitern will – als kurvenreich. Ich persönlich finde mich zu kurvenreich.

»Wir können nicht abhauen«, wiederhole ich. »Außerdem kann ich es mir nicht leisten, irgendwo anders hinzugehen. Nicht bei dem Gehalt, das ich jetzt verdiene, nachdem ich als Geschäftsfrau gescheitert bin.« Ich arbeite als Verkäuferin in der Abteilung Damenbekleidung eines großen Kaufhauses, wo es viele Regeln zu befolgen gilt. Man muss sich immer ein- und ausstempeln und an die Kleidervorschriften halten. Diese ganzen Unternehmensrichtlinien sind eigentlich mein schlimmster Albtraum, und dann auch noch diese miese Bezahlung.

»Du vermisst deinen Laden, hab ich recht?« Er legt den Kopf schief und betrachtet mich.

»Ich habe ihn geliebt.« Ich gebe mir Mühe, damit meine Stimme nicht zittert. »Er war mein Traum.« Aber ich bin nicht gut darin, meine Gefühle zu verbergen. Wenn ich glücklich bin, weiß es jeder, und wenn nicht … na ja, auch das kann ich nicht verbergen.

»Ich weiß«, erwidert Lennie sanft. Und er weiß es tatsächlich. Wir sind seit unserer Collegezeit befreundet, wo wir auch

Lydia kennengelernt haben. Er studierte Architektur, in der Hoffnung, einmal tolle Häuser zu entwerfen. Meine Fächer waren Schauspiel und Fotografie. Doch Lennie wurde kein Architekt. Er ging zwar zur Uni, machte aber ständig Party und verlor gänzlich das Interesse an seinem Studium. Schließlich wurde er Immobilienmakler; er sagt immer, dass er trotz allem in der Baubranche tätig ist, doch ich weiß, dass es nicht das Richtige für ihn ist. Er macht sich gerne Gedanken darüber, wie Häuser verändert und umgebaut werden können, um sie zu verbessern. Zeit mit Immobilienbewertungen zu verschwenden ist im Grunde nicht sein Ding. Allerdings gehört zu seinem Job ein schickes Auto, und er muss jeden Tag einen Anzug tragen, worauf Valerie, seine Mutter, sehr stolz ist.

Mein Traumjob wäre es gewesen, beim Fernsehen tätig zu sein, entweder als Requisiteurin, Maskenbildnerin oder Regieassistentin. Ich glaube, weil ich geradezu süchtig nach Schwarz-Weiß-Filmen aus den Fünfzigerjahren bin. Am liebsten wäre ich Audrey Hepburn in *Ein Herz und eine Krone*. Wie glamourös! Doch es gelang mir nicht, etwas zu machen, mit dem sich Geld verdienen ließ. Schließlich gab ich den Traum auf, in der Filmbranche zu arbeiten, nachdem ich in einem Diner im amerikanischen Stil in einer billigen Nylon-Uniform kellnern musste, während ich auf meine große Chance wartete.

Als Lennie irgendwann die Idee hatte, ich solle einen Secondhandladen eröffnen, packte ich die Gelegenheit beim Schopf. Der Besitzer einer Tierhandlung in der High Street ging in den Ruhestand. Lennie sollte die Räumlichkeiten fotografieren und das Geschäft zur Verpachtung anbieten.

Der Tag der Schlüsselübergabe war wahrscheinlich der schönste in meinem bisherigen Leben, denn ich war überglücklich, meinen eigenen glamourösen und von Hollywood inspirierten Laden für Secondhandkleidung und Sammlerobjekte zu haben. Ich würde meinen Audrey-Hepburn-Traum leben.

Lennie und ich hatten im späten Teenageralter und mit Anfang zwanzig ganze Nächte damit verbracht, uns immer wieder *Ein Herz und eine Krone* anzusehen. Zu der Zeit wohnte ich bei ihm und seiner Mutter, die mich bei sich aufgenommen und sich um mich gekümmert hatte. Zu unserem privaten Filmprogramm gehörten auch *... denn sie wissen nicht, was sie tun* und sämtliche Filme mit Marilyn Monroe. Ich würde gerne behaupten, ich sähe aus wie Marilyn Monroe, aber es stimmt nicht. Nicht wirklich. Allerdings trage ich sehr gerne Tellerröcke mit breiten Gürteln, womit man mich oft auf der Arbeit aufgezogen hat, weil ich mich nicht an den Dresscode gehalten habe. Ehrlich, ich bin fast vierzig! Es ist, als wäre ich noch mal in der Schule. Ich schlinge mir auch gerne ein Tuch ums Haar, was beinahe einem Disziplinarvergehen gleichkommt. Ich nehme es ab, wenn ich zur Arbeit komme, und binde es gleich wieder um, sobald ich fertig bin. Dabei stelle ich mir vor, dass ich am Arm meines eigenen Gregory Peck hinausstolziere.

Ach, wie romantisch das ist! Aber vielleicht ist genau das mein Problem. Ich bin eine unverbesserliche Romantikerin – vielleicht gibt es das, wonach ich Ausschau halte, nur im Kino. Ich hoffe ständig, in der Spielfilmversion meines Lebens aufzutreten, und bin offensichtlich im Schneideraum auf dem Boden gelandet.

»Die Brillenkette Superspecs zieht in die Räumlichkeiten auf der High Street, wo bisher der Gemüsehändler war«, sagt Lennie, der nun aus Langeweile mit seinem Handy spielt. »Und Buster's Burgers wird ebenfalls kommen.«

»Na ja, die kleinen unabhängigen Geschäfte werden aussterben, wenn die Pachten weiter erhöht werden. Die Wucherpreise können sich dann hauptsächlich nur noch Ketten leisten«, erwidere ich und spüre, wie sich mir die Nackenhaare aufstellen. Als ich nach meinem Glas greife, zittere ich unwillkürlich vor Wut und verschütte ein bisschen Wein. Ich frage mich, ob diese Gefühle wohl irgendwann einmal nachlassen werden.

»Eines Tages bekommst du wieder einen Laden«, meint Lennie und blickt mitfühlend von seinem Display auf.

»Ich bin einfach immer noch so wütend.« Ich spüre, wie mein Gesicht brennt. »Ich meine, ich schrieb schwarze Zahlen. Ich konnte meinen Lebensunterhalt bestreiten, und dann war da ja auch noch der Onlineshop ...«

Lennie betrachtet mich liebevoll. Er hat das schon tausendmal gehört, seit ich mein Geschäft vor zwei Jahren aufgeben musste. Vor zwei Jahren! Die Zeit vergeht wie im Flug! Und wenn der Tag, an dem ich die Schlüssel erhielt, der schönste in meinem Leben war, so war der schlimmste Tag jener, an dem ich sie zurückgeben musste. Der Laden war mein absoluter Traum. Na ja, zumindest war es ein Anfang. Ich stellte mir vor, dass ich expandieren und erfolgreicher werden würde; ich größere Räumlichkeiten für die Möbel und Sammlerstücke bekäme, auf die ich mich zunehmend konzentriert hatte.

»Du fühlst dich ungerecht behandelt«, sagt Lennie und lächelt. Ich habe keine Ahnung, was daran lustig sein soll. Ich betrachte meinen Rosé, nicke und hoffe, dass meine Wut eines Tages verschwinden wird. Man hat mir meinen Traum und meine Zukunft gestohlen. So fühlt es sich für mich an.

Ich hole tief Luft, um mich wieder zu fangen, und sehe mir Lydia und ihre Geburtstagsgäste an. Das trägt nicht gerade dazu bei, meine Stimmung zu heben. Wer würde zu meiner Party kommen, wenn ich eine gäbe? Ich habe weder Kinder noch sonstige Familie. Es gibt nur mich ... und Lennie und Valerie.

Mit meiner Mutter habe ich bereits seit vielen Jahren keinen Kontakt mehr. Ihr Leben war ein einziges Chaos. Wir haben uns einige Jahre nach unserem Bruch getroffen, jedoch kaum Gemeinsamkeiten gefunden. Danach sind wir eine Weile sporadisch in Verbindung geblieben, doch schließlich ist das Ganze im Sande verlaufen. Ich habe auch nicht das Bedürfnis, sie zu sehen. Ihr Leben ist immer noch das reinste Chaos, und ich wollte damit nichts mehr zu tun haben.

Es war Valerie, die mir den Halt gab, nach dem ich mich sehnte. Sie war unsere Busfahrerin, als ich die weiterführende Schule besuchte, und wir haben uns auf Anhieb gut verstanden. Ich saß in dem Kleinbus immer ganz vorne und übernahm die Regie über das Radio oder den CD-Player. Sie erkannte sofort, wenn ich einen schlechten Tag gehabt hatte, und wenn ich mal nicht im Bus war, sah sie nach, ob ich vielleicht nachsitzen musste. Im Handschuhfach lag stets ein Notfallschokoriegel für jene Tage, an denen ich getadelt wurde, weil ich meine Hausaufgaben nicht gemacht oder etwas verloren hatte, unkonzentriert war oder die Beherrschung verloren hatte und zum Direktor zitiert wurde, um mich zu beruhigen. Ich habe mich nie richtig eingefügt, doch Valerie war immer für mich da.

Nachdem ich von der Schule abgegangen war, ließ ich mich mit den falschen Leuten ein. Mein Leben geriet aus den Fugen, und als ich am absoluten Tiefpunkt angekommen war, war es Valerie, die ich anrief. Sie kam sofort und fand mich auf einer Bank in der Stadt. Sie verfrachtete mich in ihr Auto und nahm mich bei sich zu Hause auf. Anfangs beäugten Lennie und ich uns eher misstrauisch, doch bald entwickelte sich eine Bindung zwischen uns, als wir gemeinsam aufs College gingen und zudem feststellten, dass wir beide Tee und Toast in Valeries kleiner Küche liebten. Wir wurden beste Freunde.

Irgendwann bekam ich das Gefühl, ich sollte ausziehen, und zog in eine Studenten-WG. Heute wohne ich immer noch zur Miete. Die Immobilienpreise in unserer Gegend sind sprunghaft angestiegen, und ich weiß nicht, ob ich mir jemals etwas Eigenes leisten kann. Sogar Lennie ist schließlich wieder zu seiner Mutter gezogen, um Geld zu sparen.

Somit habe ich bisher in meinem Leben nichts und niemanden vorzuweisen. Ich meine, wenn man Anfang zwanzig ist, glaubt man, noch alles vor sich zu haben. Man lässt es richtig krachen und ist überzeugt, dass das Leben in den Dreißigern Gestalt annehmen wird. Dann wird man dreißig und erwartet, dass sich alles von selbst ergibt – berufliche Entwicklung, Partner und Kinder. Wie konnte es passieren, dass es für mich nie dazu gekommen ist, genauso wenig wie bei meiner Mutter? Ich bin neununddreißig – fast vierzig! – und wohne zur Untermiete bei einer älteren Dame namens Maureen, die eine ellenlange Liste mit Vorschriften und einen Kater namens Henri hat, der in meinen Kleiderschrank pinkelt, wenn ich die Zimmertür offen lasse.

Ein paar Jahre lang gab es Nathan in meinem Leben – und ich dachte, alles entwickelt sich in die richtige Richtung. Doch meine Beziehung mit ihm zerbrach an einem unseligen Wochenende in Westwales, als ich ihn mit der Kellnerin des Pubs im Bett erwischte. Meine Dreißiger habe ich mit der ständigen Suche nach dem Glück verbracht, das wir für einen Teil des natürlichen Lebenskreislaufes halten. Ich hielt fortwährend Ausschau nach dem richtigen Mann, nach dem richtigen Job, nach dem richtigen Haus. Dann dachte ich, ich hätte mein Glück gefunden – mit dem Laden, der kleinen Wohnung darüber und dem Balkon mit Blick auf die High Street, den ich mit Geranien bepflanzt hatte. Es fehlte nur noch der perfekte Partner. Und dann war schlagartig alles futsch.

Ich möchte nicht wie meine Mutter werden. Ich möchte ein ausgefülltes Leben. Ich möchte eine große Familie haben, um mit ihr zusammen meinen vierzigsten Geburtstag zu feiern, außerdem gute Freunde und loyale Kunden; stattdessen kann ich froh sein, ein paar Arbeitskollegen und ein paar Collegefreunde zu haben, die ich eigentlich kaum kenne.

Ich seufze aus tiefster Seele. »Es ist so deprimierend!«

»Was denn?«, fragt Lennie, der immer noch mit seinem Telefon beschäftigt ist, zerstreut.

»Das hier! Das Leben! Na ja, eigentlich der Mangel an Leben ...«, stöhne ich. Mein Busen in dem V-Ausschnitt-Sweatshirt hebt und senkt sich. »Wenn mein Leben jenseits der vierzig so weitergeht ...«

»Muss es nicht.« Er strahlt über das ganze Gesicht. »Wir könnten alles haben und diejenigen sein, die dafür sorgen, dass es funktioniert ...«

»Was meinst du?« Ich runzele die Stirn. Ich sehe keine Chance, dass mein Leben sich schlagartig vor meinem gefürchteten vierzigsten Geburtstag ändert.

»Ich meine ...« Er muss schreien, um sich verständlich zu machen. Die Musik hat einen Gang zugelegt; Lydia versucht, die Party in Gang zu bringen. »... den Pakt!«

»Den was?«

»Den Pakt aus Collegezeiten, erinnerst du dich?«

Ich schüttele den Kopf und rücke näher zu ihm hin. Es tröstet mich, so einen guten Freund zu haben, der selbst bei all den Rückschlägen an meiner Seite ist.

»Ich meine, keine abgebrochenen Kontakte mehr! Keine Jagd auf Mr. Perfect mehr!«

Ich bin immer noch verwirrt. Ich blicke zur Tür und hoffe, dass mein Date aufgetaucht ist, und Lennie glaubt, dieser Mann wäre der Richtige für mich. Aber ich sehe bloß, dass einige Gäste gerade gehen. Ich bin sauer auf mich, weil ich auch nur eine Sekunde lang geglaubt habe, dass Mr. Right doch noch gekommen ist, um mein Herz im Sturm zu erobern. Ich bin fast vierzig! Es ist Zeit, mit diesem Unsinn aufzuhören. Es ist Zeit, aufzuhören, an die Liebe auf den ersten Blick zu glauben. Es handelt sich dabei um einen Mythos, der von selbstgefälligen, verheirateten Menschen verbreitet wird, die meinen, sie hätten den Schlüssel zum Glück. Dabei ist ihr Leben genauso banal wie das aller anderen Menschen.

»Wovon redest du, Lennie? Bitte versuch um Himmels willen nicht, mich mit jemandem zu verkuppeln! Obwohl eine arrangierte Ehe vielleicht gar nicht die schlechteste Idee ist. Ich meine, wenn du losziehst, um den perfekten Partner für mich zu finden, kriegst du das bestimmt viel besser hin als ich momentan.« Ich lächele gequält.

»Ganz genau!« Lennie strahlt.

»Was? Das ist nicht dein Ernst!« Das Lächeln erstirbt auf meinen Lippen.

»Ich schlage nicht vor, dass wir für uns gegenseitig Partner suchen sollen, nein.«

»Was denn dann?«

»Erinnerst du dich nicht?« Auf einmal wirkt er nicht mehr ganz so überzeugt. »Was wir damals im College gesagt haben?«

Plötzlich fällt es mir wieder ein. »Wie bitte? Du meinst …?«

»Den Pakt«, beendet er den Satz für mich.

»Den Pakt!« Ich werfe den Kopf zurück, lache laut und genieße das Gefühl. Lennie schafft es immer, mich zum Lachen zu bringen. Ich betrachte meinen treuen Freund und lächele liebevoll. Aber Lennie erwidert mein Lächeln nicht. »Du meinst das ernst!« Ich umklammere mein Glas und reiße die Augen auf.

»Warum nicht? Ist doch sinnvoll. Es war der perfekte Pakt.«

Ich starre ihn an, dann hebe ich mein Glas und leere es in einem Zug. »Wenn wir bis zu unserem vierzigsten Geburtstag nicht den Traumpartner gefunden haben, heiraten wir beide und führen gemeinsam ein zufriedenstellendes Leben«, sage ich mit immer noch weit aufgerissenen Augen und einem Hauch von Begeisterung.

»Genau! Wir können alles haben. Mr. und Mrs. Zufrieden! Das ist der perfekte Plan.«

»Meinst du das im Ernst? Du willst den Pakt durchziehen?«

»Warum nicht? Die Frage ist, ob du es auch willst.«

Ich sehe mich in dem leerer werdenden Partyraum um, als hätte mir gerade jemand einen Ausweg aus dieser jämmerlichen Veranstaltung vorgeschlagen; einen Ausweg aus der Misere des Onlinedatings; einen Ausweg aus dem Ladenhüterdasein auf einem sehr hohen und zudem äußerst staubigen Regal.

2. Kapitel

»Der Pakt«, sage ich langsam und fühle mich sofort in meine Teenagerzeit zurückversetzt. Britney Spears, die im Hintergrund *Oops! ... I Did It Again* singt, trägt ihren Teil dazu bei. Es ist ein Song, der mich anscheinend mein ganzes Leben lang verfolgt. Ich sehe den schlaksigen Teenager Lennie vor mir stehen. Dasselbe alberne Grinsen im Gesicht. Dieselben zu Berge stehenden Haare, die sich erfolgreich gegen jede Bändigung wehren.

»Ja, der Pakt.« Er lächelt so strahlend, als hätte er die Lösung für all unsere Probleme gefunden und als wäre es schon immer so einfach gewesen.

»Wir waren siebzehn, knapp achtzehn.« Ein Lächeln zuckt um meine Mundwinkel; ich erinnere mich so lebhaft daran.

»Aber wir hatten recht! Seien wir doch ehrlich, es wird nicht passieren: Da draußen gibt es keinen Mr. und keine Miss Right für uns. Sonst wären wir ihnen bereits längst begegnet.«

»Ja, aber ...« Ich sehe, wie ein weiteres Paar die Party verlässt – ein Kind klammert sich an den Fußknöchel des Vaters, ein zweites kuschelt sich zusammen mit einem abgewetzten Stoffhasen in die Arme der Mutter – und empfinde Neid. Ich hätte so gerne Kinder gehabt. Einen großen Familienesstisch. Ich hätte auch gerne kochen gelernt, aber Spaghetti Carbonara für eine Person war nie wirklich verlockend. Stattdessen lebe ich schon seit Jahren von Ofenkartoffeln mit verschiedenen Füllungen.

Lennie unterbricht meine Gedanken. »Wir haben immer gesagt, wir wären das perfekte Paar, wenn wir scharf aufeinander wären!«

Wir müssen beide lachen, dann hören wir abrupt auf und sehen uns an. Plötzlich legt sich ein Hauch von Ernsthaftigkeit über uns. Könnte ich mich in Lennie verlieben? Ich betrachte sein vertrautes Gesicht. Ich kann mir nicht vorstellen, ihn nicht in meinem Leben zu haben. Er weiß alles über mich: wie ich mich fühle, wie er mich aufheitern kann. Er weiß sogar, wie ich meine gekochten Eier mag: ins kalte Wasser legen, erhitzen und ab dem Siedepunkt drei Minuten kochen lassen! Aber ein Paar? Könnten wir ein Paar werden? Könnte ich ihn so sehen? Es gibt kein Feuerwerk, keine sprühenden Funken, und ich fühle mich nicht wie magnetisch angezogen von seinen Lippen, seinen Hüften; es gibt kein brennendes Verlangen, meine nackte Haut an seiner zu spüren, wie mit meinem Date neulich abends. Aber mein Date weiß nicht nur nicht, wie ich meine Eier haben mag, er ruft mich nicht mal zurück! So etwas würde Lennie nie tun. Lennie meldet sich praktisch täglich bei mir, und zwar mindestens einmal, manchmal sogar öfter. Er schickt mir alberne Textnachrichten. Er denkt ständig an mich … und ich an ihn. Nachdenklich kaue ich auf meiner Unterlippe. Vielleicht kann man doch nicht alles haben …

»Ich glaube nicht, dass man alles haben kann, Zelda.« Er spricht aus, was ich gerade denke, und bestätigt damit, was ich so an ihm liebe. »Sieh mal, manche Beziehungen kommen einem für einen kurzen Moment wie das Nonplusultra vor – wie ein Burger, wenn man richtig hungrig ist, aber eine Stunde später hat man schon vergessen, dass man ihn gegessen hat. Andere Beziehungen sind wie eine langsam gegarte Mahlzeit. Die Zutaten sind am Anfang ziemlich gewöhnlich, doch je länger sie vor sich hin köcheln, desto köstlicher wird das Gericht und desto länger hat man etwas davon.«

Ich sehe Lennie an. Er hat gründlich darüber nachgedacht, so viel ist sicher.

»Aber …« Mein Verstand versucht, die umherwirbelnden und miteinander kollidierenden Gedanken zu ordnen und zu verstehen. »Wir sind noch nicht vierzig! Na ja, ich jedenfalls noch nicht. Ich hab noch drei Monate!«

Lennie sucht meinen Blick und hält ihn fest. Ich werde rot.

»Es wird nicht passieren, Zelda; es gibt keinen Mr. und keine Miss Perfect. Besser geht's nicht. Wir verstehen uns prima. Wir mögen die gleichen Dinge. Zwar streiten wir uns ab und zu, aber wir sind immer füreinander da. Wir sind Mr. und Miss Perfect … besser geht's wirklich nicht.«

Wieder beiße ich mir auf die Unterlippe. Da ist was dran, denke ich. Dennoch bin ich nicht sicher, ob mir die Idee gefällt.

»Du und ich … ein gemeinsames Leben und eine eigene Familie«, sagt er.

»Eine Familie?« Das Wort bleibt mir fast im Hals stecken: eine letzte Chance auf das, was ich immer wollte. Als ich schaudere, schlüpft er aus seiner Jacke und legt sie mir um die Schultern. »Eine richtige Beziehung?«, hake ich nach. »Wie Freund und Freundin?« Ich möchte sichergehen, dass ich genau verstehe, was er meint.

Er nickt leicht. »Es könnte ein bisschen dauern, bis wir uns daran gewöhnen … auf diese Weise zusammen zu sein, aber wir bekommen es bestimmt hin.« Sein Gesicht wirkt offen und ehrlich.

»Aber …«, ich kann kaum glauben, dass ich das sage, »wie? Wie könnte es funktionieren? Du kannst nicht zu mir ziehen. Und du wohnst noch bei Valerie. Aber wir sind doch beide erwachsen und sollten unser eigenes Zuhause haben. Selbst wenn wir beschließen würden, ein Paar zu sein, würde sich nichts ändern. Wir haben beide kein Geld für eine eigene Wohnung.« Ich spüre, wie die Frustration wieder von mir Besitz ergreift. »Ich bin pleite, man hat mich aus dem Geschäft gedrängt. Bei den Preisen kann ich mir nicht mal eine weitere Runde Getränke leisten.«

Doch Lennie strahlt über das ganze Gesicht. »Ich möchte dir was zeigen. Lass uns von hier verschwinden.«

Er schnappt sich eine Flasche Prosecco von einem Tisch in der Nähe, ergreift meine Hand und zieht mich mit sich zum Notausgang. Als wir die kühle Nachtluft spüren, lachen wir beide wie zwei Teenager. Wir setzen uns auf die Hafenmauer, und er hält mir sein Handy hin. Das Display wird hell. Ich mache es mir bequem und schlüpfe aus meinen Schuhen.

»Familien, Paare und Alleinstehende – egal ob berufstätig oder im Ruhestand – gesucht, die in eine idyllische sizilianische Hügelstadt ziehen wollen, subventionierte Mieten und Startkapital inklusive«, lese ich langsam und fahre mit dem Finger unter den Wörtern entlang, damit die Seite nicht gleich wieder verschwindet.

»Denk mal drüber nach«, sagt Lennie. »Sonne und Meer ... und anständiger Wein! Wir könnten uns beide Arbeit suchen und hätten das Startkapital und ein Haus ganz für uns allein. Das ist es, was sie anbieten. Ich habe es in den Nachrichten gesehen. Es ist ein Neubeginn.«

»Aber wir sind keine Familie ... nicht mal ein Ehepaar.«

»Nein, aber wir können es werden ... denk an den Pakt! Das ist es, Zelda! Das ist unsere Chance ... « Er wirft einen Blick zurück zur Party. » ... zu verhindern, dass wir so enden! Am vierzigsten Geburtstag nur eine Handvoll Bekannte vorweisen zu können.« Wir sehen beide auf den Hafen hinaus. Könnte das tatsächlich unsere Chance sein? »Und ich könnte das Geld weiß Gott gebrauchen. Wegen der Unsicherheit rund um den Brexit kaufen die Leute derzeit keine Häuser. Die Provisionen sind auf einem absoluten Tiefstand.«

Ich nehme ihm das Telefon aus der Hand und lese die Anzeige ein weiteres Mal.

»Das klingt fast zu schön, um wahr zu sein. Wo ist das noch mal?« Ich kneife die Augen zusammen und versuche zu lesen.

»Auf Sizilien!« Seine Augen funkeln. »Denk drüber nach, Zelda.«

»Aber womit sollen wir unseren Lebensunterhalt verdienen?«

»Womit wir wollen!« Er strahlt. »Wir können uns Arbeit suchen, wenn wir angekommen sind. Uns umsehen, was sich so anbietet. Egal was. Vielleicht brauchen sie Englisch sprechende Immobilienmakler. Aber ich würde nehmen, was kommt. Und du könntest wieder ein Geschäft aufmachen. Ein kompletter Neubeginn.« Seine Begeisterung ist ansteckend. »Wenn nicht jetzt, wann dann, Zelda? Überleg es dir. Du könntest an deinem vierzigsten Geburtstag alles haben: ein Zuhause, ein neues Geschäft, einen Mann an deiner Seite ... und das Ganze in der Sonne. Deinen ganz persönlichen Audrey-Hepburn-Film!«

Ich nehme ihm die Flasche Prosecco aus der Hand, trinke einen Schluck und dann noch einen. Dabei betrachte ich die Lichter in der Bucht von Cardiff und stelle mir vor, es wären die Lichter von Sizilien.

»Ich würde gerne Ja sagen ...«, sage ich und blicke vor mich hin.

»Warum tust du es dann nicht?«, fragt er. Ich höre das Lächeln in seiner Stimme.

»Weil ich das immer tue – Ja sagen, ohne die Dinge gründlich zu durchdenken. Im Affekt handeln. Genau das war es, was mich im Leben jedes Mal wieder in Schwierigkeiten gebracht hat.«

»Diesmal ist es anders, Zelda! Ich bin es! Wir haben immer gesagt, dass wir es tun würden. Wenn du genauer drüber nachdenkst, wirst du feststellen, dass wir es unser ganzes Leben lang geplant haben. Es ist nichts Impulsives an der Sache.«

Wieder sehe ich ihn an. Er könnte recht haben. Doch was, wenn nicht? Was wäre, wenn … was wäre, wenn …

Auf einmal vibriert das Handy in meiner Tasche. Während ich danach suche, froh über die Ablenkung, nimmt Lennie die Flasche und trinkt einen Schluck, ohne den Flaschenhals abzuwischen. Das ist doch schon mal ein guter Anfang, denke ich. Als er lächelt, weiß ich, dass er das Gleiche tut wie ich: Er betrachtet die Lichter und stellt sich vor, wir wären auf Sizilien. Vielleicht ist das die beste Idee, die er je hatte.

Ich werfe einen Blick auf mein Handy, und mein Schmunzeln ist plötzlich wie weggewischt.

»Wer ist es?«, will Lennie wissen.

»Mr. Perfect von neulich.« Ich erinnere mich mit trügerischer Erregung an unsere letzte Verabredung.

»Soll das ein Witz sein? Der, der dich ignoriert und sich in Luft aufgelöst hat?«

»Hm!« Ich nicke und lese die Entschuldigung.

Lennie trinkt noch einen Schluck Prosecco. »Du hast die Wahl, Zelda. Wenn es das ist, was du willst, dann mach es. Oder«, er nickt in Richtung der Lichter über der Bucht und stellt sich offensichtlich immer noch unsere potenzielle gemeinsame Zukunft vor, »da ist Sizilien. Du, ich und ein ganz neues Leben, in dem Menschen, die sich in Luft auflösen, der Vergangenheit angehören. Wo Loyalität und geteilte Träume wichtig sind. Wie gesagt, wir planen das eigentlich schon, seit wir uns kennen. Es ist nicht so verrückt, wie du glaubst. Du und ich, Zelda – das Dream-Team!«

Mein Handy vibriert erneut.

Wollen wir uns später treffen?

Mein Daumen schwebt über dem Display und wartet darauf, was er schreiben soll.

Ich betrachte die Nachricht. Könnte dieser Typ der Richtige sein?

Und dann poppt eine weitere Nachricht auf.

Es muss ja nichts Ernstes werden. Wir können einfach einen One-Night-Stand haben oder vielleicht eine Affäre, was meinst du?

Schweigend forme ich die Worte mit den Lippen, und dann wird mir eines schlagartig klar: Ich bin eindeutig nicht in der Lage, meinen Mr. Right zu finden. Ich stopfe das Handy in die Tasche zurück und nehme Lennie die Flasche aus der Hand.

»Du hast recht. Warum sollen wir unsere Zeit mit Versagern verschwenden? Wir sind nette Menschen, stimmt's? Wir haben ein bisschen Glück verdient. Wie du bereits gesagt hast, wir planen es praktisch schon unser ganzes Leben lang.«

»Genau!« Er strahlt wieder.

Ich denke an die Männer, die ich über diese verdammte App kennengelernt habe und mit denen ich so viel Zeit verschwendet habe, nur um dann geghosted zu werden. Die Fehler, die ich begangen habe, während ich auf den perfekten Partner gewartet habe – und die ganze Zeit war Lennie genau hier. Der liebe, loyale Lennie. Mein Freund, mein bester Freund. Natürlich ist er es, mit dem ich mein Leben verbringen sollte.

Ich hole tief Luft. »Wir machen es!«, sage ich und spüre den vertrauten Adrenalinschub, der durch impulsive Entscheidungen hervorgerufen wird, den Gefühlsüberschwang und die Aufregung, weil ich nicht weiß, welche Folgen die Entscheidung haben wird. Ich hebe die Flasche, proste Lennie zu – »Auf den Pakt!« – und trinke die billige Plörre, denn diesmal ist Lennie mit an Bord. Wir tun das gemeinsam, genau so, wie wir es vor all den Jahren geplant haben.

»Auf den Pakt!«, erwidert Lennie. »Und auf einen anständigen Wein!« Wir legen beide die Köpfe in den Nacken, lachen laut und genießen die Erleichterung und die Begeisterung, die unsere Entscheidung mit sich bringt. Wir jagen keinen Hirngespinsten mehr nach. Es ist Zeit, sich mit dem Hier und Jetzt zufriedenzugeben, mit dem, was die ganze Zeit schon direkt vor unserer Nase lag. Unser gemeinsames Leben fängt nun an, und ich empfinde prickelnde Erregung in der Magengrube. Ich sehe Lennie an und hoffe, dass es der Beginn des Feuerwerks ist, das sich mit der Zeit einstellen wird.

Ich bin sicher, die richtige Entscheidung getroffen zu haben. Ich hatte einen Traum, und der Traum ist unbemerkt an mir vorübergegangen. Ich muss die Gelegenheit beim Schopf packen und aus dem Trott ausbrechen, in dem ich feststecke. Ihr gierigen Stadträte, die ihr die Mieten auf der High Street in die Höhe getrieben und mich aus dem Geschäft gedrängt habt; ihr Männer, die ihr den Kontakt abgebrochen habt; ihr Filialleiter, die ihr dafür sorgen wollt, dass ich mich kleide wie alle anderen – ich tue das wegen euch!

Ich bin aufgeregt und habe Angst, fühle mich aber gleichzeitig seltsam befreit. Eine große Last wurde mir von den Schultern genommen. Ich habe gefunden, wonach ich gesucht habe, und es war die ganze Zeit direkt vor meiner Nase. Kein spontaner Entschluss; wie Lennie sagt, haben wir das schon unser ganzes Leben lang geplant. Wie das langsam gegarte Gericht wird unser Leben perfekt werden!

3. Kapitel

Ich sehe mich ein letztes Mal in dem Zimmer um, das während der vergangenen zwei Jahre mein Zuhause war – seit ich meinen entzückenden Laden und die Wohnung verloren habe. Damals hat Lennie dafür gesorgt, dass mein Traum wahr wurde, und jetzt wird er es wieder tun. Ich muss unwillkürlich lächeln, als ich an Lennie denke. Er ist immer für mich da und muntert mich auf, wenn es nötig ist.

Ich mustere das schmale Bett, auf dem mein Koffer liegt. In Untermiete zu leben war nicht unbedingt das, was ich mir im Alter von Ende dreißig vorgestellt habe. Aber nun werde ich wahrscheinlich doch noch alles bekommen, wovon ich immer geträumt habe. Mein eigenes Heim, meine eigene Haustür, vielleicht wieder einen eigenen Laden, Unabhängigkeit von anderen und obendrein Sonne ohne Ende.

Ich kontrolliere zum wiederholten Mal, ob sich mein Reisepass und meine Bordkarte auch wirklich im Handgepäck befinden. Organisationstalent gehört nicht zu meinen Stärken, doch ich bin fest entschlossen, nichts zu verlieren und auch nicht zu spät zu kommen. Ich habe einen riesigen Koffer, den ich im Discounter erstanden habe. Er wirkt nicht sonderlich robust, aber er muss ja auch nur diese eine Reise überstehen.

Der Blick in den Spiegel jagt mir einen Schrecken ein. Ich werde mich schminken, sobald wir ankommen, es allerdings jetzt mitten in der Nacht zu tun fühlt sich irgendwie nicht richtig an. Ich ziehe mein Tuch hervor und schlinge es mir um den Kopf. Dann binde ich mir meine Strickjacke um die Hüften, schleiche aus meinem Zimmer und weiche der Katze aus, die auf dem Treppenabsatz sitzt und mich anstarrt, als wolle sie mich verurteilen.

So leise wie möglich zerre ich meinen Koffer die Treppe hinunter und meide die knarrende Stufe – es ist die zehnte von unten. Auf keinen Fall will ich Maureen aufwecken und mir erneut anhören, wie dämlich sie unsere Idee findet. Sie ist nicht dämlich! Na ja, vielleicht doch. Aber es ist eine Chance, etwas aus meinem Leben zu machen. Eine zweite Chance, mich weiterzuentwickeln. Ein eigenes Zuhause zu haben. Es stört mich nicht, wenn es lediglich so groß wie ein Schuhkarton sein sollte. Ich möchte mir nur nicht mehr die Wohnung mit jemand anders teilen müssen ... abgesehen von Lennie natürlich. Von jetzt an gibt es Lennie und mich bloß noch als Paar.

Wieder empfinde ich Erleichterung. Ich bin nicht mehr zu haben. Es wird noch eine Weile dauern, bis ich mich daran gewöhnt habe, aber ich freue mich darüber.

Obwohl schon Ende Mai ist, ist es draußen kalt und dunkel und unangenehm feucht.

Was, wenn er nicht auftaucht? Was, wenn er kalte Füße bekommen hat? Was, wenn ihm plötzlich klar geworden ist, dass er sein Leben doch nicht mit mir verbringen will, dass dort draußen jemand sein könnte, der besser zu ihm passt?

Gerade als Panik in mir aufsteigen will, biegt ein Taxi in die Straße ein. Ich sehe, wie die Lichter auf mich zukommen. Ein Seitenfenster fährt herunter. Lennie lächelt mich an. Immer pünktlich. Immer da. Ich hätte nie an ihm zweifeln sollen.

»Sieht so aus, als bräuchtest du eine Mitfahrgelegenheit«, sagt er grinsend.

Ich spiele mit und antworte: »Zufällig ja.«

»Hast du dir ein schönes Ziel ausgesucht?«

»Das habe ich tatsächlich: Ich ziehe nach Sizilien!« Als ich die Worte laut ausspreche, wird das Ganze plötzlich real. Ich muss unwillkürlich kichern.

Mir ist ganz schwindelig vor Aufregung und Nervosität. Aber nicht genug, um meinen Drang zu bremsen, zu unserem Ziel aufzubrechen. Nachdem unsere Bewerbung in Sizilien als Paar akzeptiert worden war, kündigte ich das Zimmer bei Maureen und meinen Job und verbrachte die vergangenen Wochen damit, alle davon zu überzeugen, dass die Idee richtig gut ist. Nur Valerie, die entzückt war, dass Lennie und ich endlich zusammenkamen, musste nicht überzeugt werden. Sie sagte, sie hätte immer schon gehofft, es würde eines Tages dazu kommen. Allerdings findet sie, wir sollten nur ein Sabbatical einlegen und nach einem Jahr wieder nach Hause zurückkehren.

Lennie steigt aus dem Taxi, öffnet den Kofferraum und verstaut meinen Koffer neben seinem. Als er mich ansieht, überlege ich, ob ich ihn jetzt küssen soll. Offensichtlich denkt er dasselbe. Wir beugen uns beide vor, doch in der letzten Sekunde entscheide ich mich für unsere übliche Umarmung, während er mich auf die Wange küssen will und schließlich meinen Oberkopf erwischt. Ich küsse die Brusttasche seiner Jacke, dann lösen wir uns ungeschickt voneinander. An den Feinheiten müssen wir später noch arbeiten. Ich war immer schon ein Tollpatsch – das behauptet Lennie jedenfalls –, aber wenn wir eine Familie gründen wollen, müssen wir mit den Grundlagen beginnen und lernen, uns richtig zu küssen. Aber das wird bestimmt noch, sage ich mir.

Als der peinliche Moment vorbei ist, hält er mir die Autotür auf, und ich lächele. Wir können wieder ganz wir selbst sein.

Ich werfe einen letzten Blick auf das Reihenhaus und sehe Maureen hinter dem Vorhang stehen. Während das Taxi die Straße Richtung Flughafen entlangfährt, fühle ich mich wie eine Gefangene, die ihre Zellengenossin zurücklässt. Ich bin so froh, auszusteigen und meine Freiheit zu finden.

Im Flugzeug versuche ich zu schlafen, doch ich durchlebe immer wieder diesen etwas unglücklichen Kuss. Ich frage mich, wie es sein wird, wenn wir tatsächlich miteinander schlafen. Einmal zu Collegezeiten haben wir in betrunkenem Zustand rumgefummelt, als wir uns nach einer Party ein Bett geteilt haben. Anschließend haben wir uns darauf geeinigt, dass wir zu viel getrunken hatten und das Ganze ohnehin eine schlechte Idee gewesen wäre. Warum sollte man eine sehr gute Freundschaft aufs Spiel setzen? Aber irgendwie hat das Thema immer im Raum gestanden. Die Leute nahmen an, wie wären zusammen oder würden irgendwann ein Paar werden.

Nach dem Rumfummeln im betrunkenen Zustand schlossen wir den Pakt. Und jetzt sind wir hier. Vielleicht können uns auch diesmal ein paar Drinks auf die Sprünge helfen. Das und der Sonnenschein auf Sizilien. Bestimmt klappt es auch im Bett, wenn wir erst mal angekommen sind und die Anspannung von uns abgefallen ist. Ich brauche kein Feuerwerk und wilde Leidenschaft; ein bisschen Spaß ist völlig ausreichend. Ich betrachte Lennies vertrautes Profil – er schläft gerade, und sein Kopf rollt leicht zur Seite – und versuche, mir ein paar sexy Gedanken zu machen. Als es nicht funktioniert, schiebe ich es auf meine Müdigkeit. Ich lehne den Kopf gegen seine starke, breite Schulter und schließe die Augen.

Als ich aufwache, weist der Flugkapitän gerade die Crew an, zur Landung ihre Sitzplätze einzunehmen.

»Bitte öffnen Sie die Blende«, fordert die Flugbegleiterin mich auf ihrem Weg durch den Gang auf. Ich gehorche und werde sofort von der strahlenden Morgensonne geblendet. Als meine Augen sich an die Helligkeit gewöhnt haben, sehe ich hinaus und hole tief Luft. Der eindrucksvolle Buckel des Ätna füllt das ganze Fenster aus, als wäre er der Mittelpunkt eines Fotos. Groß und stolz steht er da – es ist, als blicke er auf seine Untertanen herab. Dabei stößt er kleine Rauchwolken aus, die sich wie eine weiße Krone um seinen schneebedeckten Gipfel schmiegen.

»Wow!«, stoße ich hervor und spüre Lennies Gewicht, als er sich vorbeugt, um ebenfalls einen Blick auf den Vulkan zu erhaschen.

»Wow, in der Tat!«, sagt er, als wir schließlich auf sizilianischem Boden landen, um unser neues Leben miteinander zu beginnen.

Als wir durch die Glasschiebetür in den Ankunftsbereich treten, fühle ich mich, als tue sich eine völlig neue Welt vor mir auf, was die Schmetterlinge in meinem Bauch bestätigen. Wir bleiben neben unseren Koffern stehen, betrachten die Menschen mit den Schildern in den Händen und suchen nach unseren Namen. Wir blicken auf ein Meer von Sonnenbrillen, auf Köpfen, auf Stirnen und in Ausschnitten von Pullis. Überall sind glänzende Sneaker mit Plateausohlen zu sehen, und trotz des strahlenden Sonnenscheins tragen alle Leute Mäntel oder Steppjacken. Für uns wirkt es wie Hochsommer, doch den Sizilianern sind die Temperaturen dafür eindeutig noch nicht warm genug. Überall in der Ankunftshalle bellen kleine Hunde, die sich auf den Armen ihrer Besitzer befinden, und der Duft nach heißem Kaffee und süßem Gebäck lässt meinen Magen laut knurren.

Auf keinem Schild können wir unsere Namen entdecken.

»Was, wenn das Ganze ein Riesenschwindel ist?«, platzt es aus mir heraus. Schlagartig werde ich von Zweifeln und Ängsten erfasst.

»Bis jetzt hat uns niemand um irgendwelche Zahlungen gebeten«, entgegnet Lennie besonnen. Er hat recht, denn niemand hat Geld von uns verlangt. Ganz im Gegenteil: Sie wollen uns dafür bezahlen, dass wir uns hier niederlassen. Einen Einmalbetrag bei unserer Ankunft und ein weiterer in drei Monaten, falls wir beschließen hierzubleiben. Außerdem müssen wir nur eine symbolische Miete für ein Haus zahlen.

Ich betrachte die Freunde, Familien und Kollegen, die sich zur Begrüßung küssen, und werde wieder von Glücksgefühlen überwältigt. Auf jeden Fall muss ich mehr Übung im Küssen bekommen!

»Ich schreibe eine Nachricht an die Nummer von unserem Kontakt, damit wir erfahren, was los ist«, erklärt Lennie. »Warum organisierst du nicht Kaffee und was zu essen?« Er nimmt ein paar Euro aus seinem Geldbeutel.

»Okay. Ich zahle es dir zurück«, antworte ich und nehme das Geld. »Sobald wir das Startgeld kriegen.« Maureen hat mich beinahe finanziell ruiniert, als ich mein Zimmer gekündigt habe. Angeblich stand im Vertrag, dass ich für alle möglichen Kosten aufkommen muss, zum Beispiel für die Reinigung des Teppichs und der Vorhänge.

»Nicht nötig«, sagt Lennie und legt mir seinen langen Arm um die Schulter. »Wir sind ein Paar, ein Team. Was mir gehört, gehört auch dir!« Er strahlt, und ich erwidere sein Lächeln. Der

Gedanke, dass wir ein Team sind, vermittelt mir ein wunderbar wohliges Gefühl.

Als ich mit zwei starken schwarzen Kaffees zurückkehre und in ein warmes, frittiertes Schmalzgebäck beiße – gefüllt mit süßem, cremigem Ricotta und Schokostückchen –, fühle ich mich, als wäre ich im Himmel. Für Lennie habe ich ein Stück Ciambella mitgebracht, der einem Gugelhupf gleicht. Er liebt Süßes. Die Sizilianer sind eindeutig Schleckermäuler!

»Hier.« Ich reiche ihm seinen Kaffee und die Papiertüte mit seinem Kuchen. »Aber zuerst musst du das hier probieren.« Ich halte ihm mein Schmalzgebäck hin, und er beißt hinein. Warmer Ricotta quillt seitlich aus dem Gebäck und bleibt in Lennies Mundwinkeln kleben.

»Oh!« Entzückt verdreht er die Augen. »Das allein war schon die Reise wert!«, sagt er mit dem Mund voll Schokolade und Frischkäse.

»Und, was gibt es Neues?«, will ich wissen und hole mir mein Gebäck zurück. »Ach, ich habe noch was mitgebracht«, füge ich hinzu, nehme zwei Flaschen Orangensaft aus der Tasche und gebe ihm eine davon.

»Ich habe mit dem Bürgermeister telefoniert. Er hat sich entschuldigt, weil er aufgehalten wurde. Er ist gleich da. Ich habe ihm gesagt, wir warten draußen. Er hat die Fotos aus unserer Bewerbung und wird uns erkennen. Also können wir ein bisschen Sonne tanken, während wir frühstücken.«

Wir balancieren unsere Kaffeebecher, die fettigen Papiertüten und die Servietten, während wir unsere Rollkoffer nach draußen in den strahlenden Sonnenschein ziehen. Unvermittelt bleiben wir stehen und wechseln einen langen Blick, weil wir es kaum fassen können, dass wir tatsächlich hier sind. Vor uns ragt der Ätna auf, groß und stolz, und ich nicke dem Vulkan grüßend zu, während wir uns auf einer Bank niederlassen und unser Gebäck, den Kaffee und den Orangensaft zu uns nehmen. Schon jetzt habe ich das Gefühl, alles würde so laufen, wie ich es mir erhofft habe.

»Lennie, Zelda! *Mi dispiace! Mi dispiace!*«

Wir heben beide die Köpfe, die wir in den Nacken gelegt haben, um die Sonne zu genießen – mit Sonnenbrillen und geschlossenen Augen. Lennie schiebt seine Sonnenbrille auf die Stirn, wie die anderen Männer es hier tun. Na bitte! Wir sind praktisch schon Einheimische! Ein Mann in einem dunkelblauen Anzug und leichten Hemd, dessen oberster Knopf offen steht, und mit einer locker gebundenen dunklen Krawatte weicht den fahrenden Autos aus und läuft mit großen Schritten auf uns zu. Sein Gesicht ist braun gebrannt, um die Augen und zu beiden Seiten seiner großen Nase hat er tiefe Falten.

»Herzlich willkommen!« Munter streckt er uns die Hand entgegen, und wir stehen auf, um ihn zu begrüßen. Er ergreift meine Hand, schüttelt sie energisch und küsst mich auf beide Wangen. Ich gehe mit der Situation sehr souverän um. Als wäre es mir vorherbestimmt, hier zu sein. Danach begrüßt der Mann Lennie auf die gleiche Weise; er wirkt etwas befremdet, versucht sich aber sofort anzupassen und macht bei dem zweiten Wangenkuss ein lautes Kussgeräusch. »Willkommen, Bürger von Sizilien!« Der Mann lächelt so warm wie die Sonne und streicht sein graues Haar glatt. »Es tut mir leid, dass ich zu spät bin. Es gab … ein paar Probleme. Aber kommt bitte mit.« Er deutet auf den Parkplatz. »Ich bringe euch in den Ort … zu eurem neuen Zuhause.«

»Welche Probleme denn?«, hake ich nach.

Er wirkt plötzlich erhitzt, seine Stirn glänzt im Sonnenlicht.

Dann zaubert er ein breites Lächeln aufs Gesicht. »Ach, nichts, was nicht gelöst werden kann. Nun, bitte ...« Er geht voran zu seinem Wagen, und während wir ihm folgen, zwinkert Lennie mir rasch zu und grinst.

Das Auto, ein staubiger silberner Fiat, weist zahlreiche Dellen auf. Nicht gerade das, was ich erwartet habe. Nicht angemessen für einen Bürgermeister, denke ich, aber er hat schließlich gesagt, dass er wegen irgendwelcher Probleme aufgehalten wurde. Vielleicht hat ja sein Wagen gestreikt, und der hier ist geliehen.

Zügig verlassen wir den Flughafen und fahren auf die Autobahn. Ich sehe meine neue Welt vorbeihuschen. Schließlich verlassen wir die Autobahn und setzen die Fahrt auf schmaleren Nebenstraßen fort. Überall entdecke ich gelbe Blüten, die an überhängenden Zweigen neben und oberhalb der holprigen Straßen wachsen.

»Was ist das für eine Pflanze?«, frage ich, als meine Neugier überhandnimmt. Ich möchte alles über meine neue Umgebung erfahren.

»Ätna-Ginster«, antwortet der Bürgermeister. »Er wächst hier auf Sizilien und außerdem auf Sardinien. In sonnigem und offenem Gelände auf kargen, steinigen Böden.«

Der Jasmin-ähnliche Duft weht zusammen mit dem Straßenstaub ins Auto. Ich sehe zum Ätna hinauf, der die ganze Zeit im Blickfeld ist, als würde er jede unserer Bewegungen beobachten.

»Da drüben auf den Feldern wächst Wilder Fenchel. Daraus kann man großartiges Pesto machen«, erklärt er und zeigt auf die steinigen Hügel, die mit leuchtend grün-gelben Pflanzen bedeckt sind. Und trotz des köstlichen Frühstücks läuft mir bei dem Gedanken an Pesto aus Wildem Fenchel das Wasser im Mund zusammen.

Wir fahren durch einige Orte – ich sage zwar fahren, doch eigentlich ist es eher wie eine Autoscooter-Tour oder vielmehr eine Schachpartie, bei der alle Fahrer ihre Spielzüge geheim halten, während sie Kreisverkehre und Kreuzungen passieren. Entlang der schmalen Straßen parken Autos, deren Hecks stolz auf die Fahrbahn ragen, sodass andere Fahrzeuge ständig in Schlangenlinien fahren müssen. Außerhalb der Ortschaften gibt es Felder mit Orangen- und Zitronenbäumen in geraden Reihen, wohl gehegt, und lassen die ganze Region wie Gold glänzen.

Je höher sich die Straße Richtung Ätna windet, weg von der Küste, desto vernachlässigter sehen die Straßenschilder aus. Nach etwa einer Stunde erreichen wir schließlich ein alt aussehendes Dorf. Die Mauern verfallen allmählich, die Zitronenhaine sehen ebenso heruntergekommen aus wie die Straßen und Häuser. Sie sind sich selbst überlassen, wie es aussieht, verwildert und aufgegeben. Pinien und Palmen gedeihen Seite an Seite neben riesigen Feigen- und Walnussbäumen, die ihre Zweige über die verblichenen lachsrosa Häuser breiten. In diesem an den Berghang geschmiegten Örtchen hält niemand an, alle fahren weiter. Außer uns, wie es scheint.

»*Benvenuto!*«, ruft der Bürgermeister strahlend. »Willkommen in Città d'Oro!«

Lennie und ich tauschen einen Blick, während wir uns beide fragen, ob das ein Scherz sein soll. Es sieht ganz anders aus als auf den Fotos, die man uns geschickt hat. Und ich bin sicher, dass sogar das Lächeln des Bürgermeisters verblasst, als er unsere Reaktion im Rückspiegel beobachtet. Autos fahren auf der schmalen Kopfsteinpflasterstraße an uns vorbei und verlassen den Ort auf der anderen Seite so schnell wie möglich.

»Sie fahren rauf zum Ätna und zu den Weinbergen weiter oben«, erklärt der Bürgermeister lahm. Doch ich erkenne, dass niemand Interesse hat, einen Zwischenstopp in Città d'Oro einzulegen. Warum sollten sie auch?, denke ich, als ich aussteige und mich in der Straße, an der wir parken, umsehe. Es ist düster und kühl. Auf beiden Seiten stehen Häuser mit vorspringenden Balkonen, und am anderen Ende ragt der Ätna auf.

»Unser Lebensmittelladen«, verkündet der Bürgermeister und deutet auf das einsame Geschäft unter einer ramponierten grün-weißen Markise. Eine Frau mit langem, welligem hennarotem Haar kommt heraus und starrt uns an.

»Ciao!«, rufe ich, hebe grüßend die Hand und lächele.

Sie reagiert nicht, sondern schiebt eine andere Person ins Haus zurück, eine Person, die laut protestiert und eindeutig nicht damit einverstanden ist. Aus dem dunklen Inneren ist der Gesang eines Kanarienvogels zu hören. Langsam lasse ich die Hand sinken und drehe mich um. Die ein oder andere Gardine bewegt sich leicht, doch niemand kommt aus den Häusern.

Der Bürgermeister sucht offensichtlich nach weiteren interessanten Dingen, die er uns zeigen kann. »Geradeaus befindet sich unser Dorfplatz, die Piazza«, erläutert er, »und da oben seht ihr unsere Kirche und das Rathaus.«

Mein Blick wandert weiter den Hang hinauf. Ganz oben am Ortsrand steht ein großes rotes Anwesen, das stolz über den anderen Häusern thront.

»Und gibt es auch einen Markt?«, frage ich hoffnungsvoll.

»Leider nicht, nicht mehr.«

»Oh.«

»Diese Pflastersteine sehen aus, als wären es Lavasteine«, meint Lennie, der aufmerksam die abgenutzte Straße und die Mauern mustert.

»Ja, in der Tat«, antwortet der Bürgermeister, der sich auf alles Positive stürzt. »Und wir haben ein Restaurant, ein sehr gutes. Es kommen nicht viele Gäste, aber es öffnet, wenn wir reservieren ...« Er verstummt und zuckt mit den Schultern, da ihm offensichtlich die Begeisterung und die Energie ausgehen. »Mehr haben wir momentan nicht zu bieten«, fügt er hinzu. Ich frage mich, ob ihm bewusst ist, dass er den letzten Satz laut ausgesprochen hat.

Dann betrachte ich den schlechten Zustand des Ortes – die baufälligen Mauern und Terrakottadächer, die Fensterläden mit der abplatzenden grünen Farbe, die verwilderten Zitronenhaine – und frage mich, was ich erwartet habe. Alle haben gesagt, es wäre zu schön, um wahr zu sein. Und es sieht so aus, als hätten sie recht behalten. Alles wirkt bedauernswert vernachlässigt; vermutlich hat der Bürgermeister Leute wie uns angeheuert, um dem Ort neues Leben einzuhauchen. Aber ich kann mir beim besten Willen nicht vorstellen, dass man dieses Städtchen wiederbeleben kann. Es sieht aus, als wäre es schon eine ganze Weile tot.

»Kommt, ich bringe euch zu eurer Unterkunft. Es ist das Haus meiner Familie«, sagt der Bürgermeister, als wir wieder ins Auto steigen. »Il Limoneto. Da könnt ihr euch niederlassen.«

Erneut betrachte ich die ruhigen Straßen, die verfallenden Gebäude, die geschlossenen Läden und frage mich, ob ich hier jemals zu Hause sein kann. Maureen und die anderen hatten recht. Das Ganze ist wahrscheinlich wieder eine meiner Schnapsideen. Ich bin müde, mir ist heiß, und ich habe keine Ahnung, worauf wir uns da eingelassen haben.

Als der Wagen über das Kopfsteinpflaster holpert, legt Lennie seine Hand auf meine. Mit dieser Geste möchte er mich beruhigen, was mir auf jeden Fall sehr willkommen ist. Rechts von uns liegt die Piazza, von der aus Steinstufen nach oben zur Kirche führen. Diese Stufen sind so abgenutzt, dass die Füße, die über Jahrzehnte hinweg hinauf- und hinuntergestiegen sind, Vertiefungen hinterlassen haben. Die Kirche mit ihrer großen Messingglocke ist riesig und steht direkt neben dem Rathaus.

Am Ende der Hauptstraße nehmen wir eine scharfe Kurve von beinahe hundertachtzig Grad und fahren in die Richtung zurück, aus der wir gerade gekommen sind, hinaus aus dem Ort. Dabei passieren wir eine Reihe unbewohnter Häuser, von denen aus man einen wunderbaren Blick über das sich an den steilen Hang schmiegende Dorf bis zum Meer hin hat.

Schließlich verlassen wir die mit Schlaglöchern übersäte Straße und biegen in einen unbefestigten Weg ein. Der Wagen hüpft und schaukelt hin und her. Ich umklammere Halt suchend Lennies Hand. Auf beiden Seiten sehe ich auch hier verwilderte Felder, ich glaube, es handelt sich um Zitronenbäume. Dazwischen wachsen Wildblumen, und ein Baum ist von einer Glyzinie überwuchert, die schon seit Jahren dort wachsen muss. Diese Zitronenbäume sehen ganz anders aus als jene, die wir auf der Fahrt von der Küste herauf passiert haben. Vielleicht handelt es sich um eine Art biologische Landwirtschaft, denke ich flüchtig, doch ich bin zu sehr damit beschäftigt, mich am Haltegriff über der Tür festzuklammern, um nachzufragen.

Nachdem wir vor einem verrosteten Tor angehalten haben, steigt der ein wenig angespannt wirkende Bürgermeister aus, entriegelt die Torflügel und öffnet sie. Als wir weiterfahren, fällt mir auf, dass die Zitronenhaine zu beiden Seiten des Weges von Elektrozäunen umgeben sind. An den Zaunpfosten befinden sich kleine Aufkleber, die ich jedoch während der Fahrt nicht lesen kann.

Schließlich halten wir vor dem Bauernhof an.

»Willkommen in Il Limoneto!«, sagt der Bürgermeister mit einer einladenden Handbewegung. Offensichtlich war das Haus einmal in einem sonnigen Gelb gestrichen. Jetzt sieht es aus wie der Rest des Ortes, verblasst und vernachlässigt, wie ein alternder Filmstar, dessen Glanzzeit der Vergangenheit angehört.

Langsam steigen wir aus. Meine Knochen und Gelenke sind von der Fahrt durchgerüttelt und fühlen sich an, als müssten sie sich erst wieder zusammenfügen.

Der Bürgermeister hebt meinen Trolley aus dem Kofferraum und besteht darauf, ihn ins Haus zu tragen. Drinnen strahlen die abgenutzten, aber ausgesprochen sauberen Terrakottafliesen eine wunderbare Kühle aus. Vor uns steht ein großer Holztisch, der beladen ist mit Kuchen und Torten, Käse und kaltem Braten, einer Schüssel mit Orangen und einer weiteren mit Zitronen. Die Limonen sind dick und leuchtend gelb und ruhen auf einem Bett aus grünen Blättern. Doch den meisten Raum nehmen die Kuchen und Torten ein; die Sizilianer mögen in der Tat süße Speisen.

»Bitte schenkt euch ein Glas Wein ein, und esst etwas. Ich habe ein paar Termine.« Wieder streicht er sich nervös übers Haar.

»Danke, äh, Signor, äh ...«
»Bitte nennt mich Giuseppe.«
»Giuseppe«, sagen wir beide und lächeln.
»Wir sind jetzt eine Familie und gehören zur selben Gemeinde«, fährt Giuseppe fort. Er breitet die Arme aus, doch ich trete nicht vor, um ihn zu umarmen. Das wäre mir seltsam vorgekommen. Wir gehören nicht zu seiner Familie und sind auch gerade erst eingetroffen. »Nach meinen Terminen hole ich den Rest unserer Neubürger vom Flughafen ab. Ich komme später noch mal vorbei. Ruht euch aus, und esst etwas«, fordert er uns wieder auf. »Viel Spaß!« Damit dreht er sich um und verlässt das Haus.

Lennie und ich mustern die Küche mit den dunklen Holzmöbeln und dem sich biegenden Tisch, dann sehen wir uns an.

»Wow!«, sagen wir einstimmig. Ich grinse und versuche mich erneut an einer Umarmung, als wären wir ein richtiges Paar. Diesmal erwische ich seinen Arm – ich bin einfach nicht daran gewöhnt. Wir haben uns immer schon berührt, haben uns untergehakt, wenn wir unterwegs waren; er hat mir die Füße massiert, wenn ich wieder mal unbequeme Schnäppchenschuhe gekauft hatte. Und ständig zerzaust er mir die Haare, für ihn ein Zeichen der Zuneigung. Ich dagegen finde es lästig. Die Sache mit dem Umarmen ist neu für uns, doch für ein Paar gehört das eben dazu, finde ich. Wir müssen üben, Übung macht den Meister, sage ich mir, während ich mich in unserem wunderbaren neuen Zuhause umsehe.

»Als es hieß, wir bekämen eine eigene Unterkunft, habe ich mir nicht so was hier vorgestellt!«, rufe ich aus.

»Nein, ich dachte, sie weisen uns eines dieser heruntergekommenen Häuser zu, an denen wir vorbeigefahren sind. Dieses Haus wird fantastisch, wenn man ein bisschen Arbeit reinsteckt!«, erwidert er – er hört sich an wie ein Immobilienmakler, der gerade ein richtiges Juwel gefunden hat.

Ich glaube, ich kann hier glücklich werden, in der Tat sehr glücklich! Wer auch immer an unserer Entscheidung gezweifelt hat und unseren Plan für eine Schnapsidee hielt, lag vollkommen falsch.

»Es muss einen Haken geben!«, sage ich plötzlich. »Du sagst ständig zu mir, wenn etwas fast zu schön klingt, um wahr zu sein, dann ist es in der Regel auch so.«

»Ich gebe es ja nur äußerst ungern zu«, entgegnet er grinsend und zuckt mit den Schultern, »aber vielleicht hatte ich unrecht!«

Ich lege in gespieltem Entsetzen die Hand auf die Brust. »Du? Unrecht? Ich kann mich nicht erinnern, wann du zuletzt unrecht hattest, nicht seit unserem letzten Trivial-Pursuit-Spiel. Nachdem du verloren hattest, hast du geschworen, das Spiel nie wieder zu spielen – von da an durfte es bloß noch Twister sein. Und dabei gewinnst du immer, weil du längere Arme und Beine als deine Mutter und ich hast!«

Wir befinden uns wieder auf vertrautem Terrain. Die Sache mit den Umarmungen ist eine neue Welt, die wir erst noch erkunden müssen. Vor allem, wenn wir den nächsten Schritt tun und miteinander schlafen wollen.

Lennie fängt an, Schranktüren zu öffnen und den Inhalt der Schränke zu inspizieren. »Vielleicht ist der Ort der Haken«, meint er. »Hier ist überhaupt nichts los. Nicht mal die Touristen halten an, sondern fahren einfach nur durch.«

Er hat recht. Die kleine Stadt, besser gesagt das Dorf, hat nicht viel zu bieten. Doch ich bin nicht hergekommen, um Teil einer großen Gemeinschaft zu werden – ich möchte einen Laden gründen, online, wenn es sein muss, und ein Zuhause für

Lennie und mich schaffen. Vielleicht haben wir ja doch den Jackpot geknackt.

Lennie findet zwei Gläser und schenkt uns Wein ein.

»Lass uns essen.« Er lässt den Blick über das Festmahl auf dem Tisch wandern.

»*Benvenuto!* Herzlich willkommen! Tretet ein!«

Giuseppes Stimme lässt uns aufschrecken. Wir sind auf dem Sofa in der großen offenen Wohnküche eingenickt, mein Kopf ruht an Lennies Schulter. Nach dem köstlichen Mittagessen, zu dem es einen wunderbaren Rotwein gab, haben wir einen Rundgang durch das Haus gemacht. Im Obergeschoss gibt es fünf Schlafzimmer, außerdem weitere zwei Doppelzimmer draußen in der umgebauten Scheune. Lennie schlug vor, wir sollten jeder ein Zimmer aussuchen und uns ausbreiten. Warum nicht, wenn so viel Platz zur Verfügung steht? Wir haben ja noch keine Familie … noch nicht.

»Wir müssen nichts überstürzen«, sagte er, und ich war zugegebenermaßen erleichtert. Ich war ganz seiner Meinung, denn ich wollte nicht das Gefühl haben, dass wir unbedingt schon heute Abend miteinander schlafen sollten. Wir bekommen noch nicht mal das Umarmen hin. »Wir nehmen uns einfach Zeit«, fügte er hinzu. »Es wird sich ganz natürlich von selbst ergeben.«

Wieder mal bin ich dankbar für seine besonnene Art. Ansonsten hätte ich mich einfach hineingestürzt und wahrscheinlich alles vermasselt. Danach würde er bestimmt kein zweites Mal mit mir ins Bett gehen wollen! Vielleicht war das auch mein Fehler bei der Suche nach Mr. Right. Sich Zeit zu lassen ist vernünftig. Wenn wir allerdings ein Baby haben wollen, sollten wir eventuell doch nicht zu lange warten. In meinem Alter sollte man sein Glück nicht herausfordern. Wenn es nicht klappt, wäre mir auch ein Nest allein zusammen mit Lennie genug.

»Lernt eure neue Familie kennen!« Jetzt höre ich Giuseppe lachen, und Lennie und ich begreifen gleichzeitig, dass wir Gesellschaft bekommen haben. Hoffentlich klopfen sie beim nächsten Mal an, denn ich bin nicht daran gewöhnt, dass jemand einfach so hereinspaziert. Ich habe noch nie irgendwo gelebt, wo man die Tür offen lässt. Und was diese »neue Familie« angeht – das klingt, als würde Giuseppe von einer Kommune sprechen!

»Lennie, Zelda, darf ich vorstellen.« Giuseppe steht an der doppelflügeligen Tür, die auf den Hof führt. Er ist von einer Personengruppe umgeben, als wäre er ein Fremdenführer.

Wir springen auf und stoßen beinahe die halb vollen Weingläser um, die wir auf dem Boden abgestellt haben. Dabei versuchen wir, nicht so auszusehen, als hätten wir zum Mittagessen Wein getrunken und wären daraufhin eingeschlafen, obwohl genau das passiert ist.

»Hi, ich bin Tabitha«, sagt eine Frau in meinem Alter, vielleicht ein bisschen jünger, mit einem recht vornehmen Akzent. »Meine Mum liebte die TV-Serie – was soll ich sagen?«, fügt sie hinzu.

Aha, *Bewitched – Verliebt in eine Hexe,* die amerikanische Sitcom. Eine Hexe heiratet einen Normalsterblichen und versucht, eine normale Hausfrau zu sein. Tabitha war ihre Tochter. Meine Mutter sagte immer, sie hätte geglaubt, ich wäre als Hexe geboren worden. Manchmal glaubte ich es sogar selbst. Während meiner Zeit im Kinderheim wünschte ich mir oft, ich könne tatsächlich hexen und mich an irgendeinen anderen Ort beamen – Hauptsache, weg.

Wenn also Tabithas Mum die Serie liebte und meine sie kannte, müsste Tabitha ziemlich genauso alt sein wie ich. Sie trägt einen Hut mit Leopardenprint, eine dunkle Sonnenbrille, trotz der Hitze einen voluminösen Schal, eine Jeans im Destroyed-Look und Doc Martens. Über die muskulösen Schultern hat sie lässig eine Lederjacke geworfen. Eine kleine Rockerbraut. Steif schütteln wir uns die Hände.

»Dieses Haus ist sehr … rustikal!«, sagt sie.

»Ja«, antworte ich. Was hat sie im ländlichen Sizilien anderes erwartet? Ich finde das Haus fantastisch! Okay, es müsste mal renoviert werden, aber es hat jede Menge Potenzial. Ich stelle fest, dass ich wie Lennie denke, und muss lächeln. Es gefällt mir, wir sind uns einig. Ich brenne darauf zu erfahren, was Tabitha hier will, offensichtlich allein. Doch ich schaffe es, nicht gleich mit der Frage herauszuplatzen, und bin stolz auf mich.

»Und ich bin Barry«, sagt ein älterer Mann von ungefähr Ende fünfzig, vielleicht auch schon Anfang sechzig. Sein Gesicht ist gerötet, und er schwitzt stark. Er trägt ein verwaschenes Stones-T-Shirt und eine verblichene Jeans mit einem Gürtel, der dafür sorgt, dass die Hose unter seinem Kugelbauch hält.

»Ich bin Ralph.« Ralph ist sehr schick gekleidet, so als wäre er an Urlaub in der Sonne gewöhnt. Ich kann ihn mir lebhaft in einem Haus in der Toskana oder in Umbrien vorstellen oder auf einer Jacht im Mittelmeer. Dazu würden sein sauber gebügeltes Polohemd, die cremefarbene Chinohose und die Ledersneakers gut passen.

»Und wir sind Sherise und Billy«, sagt eine lächelnde Frau von ungefähr Ende sechzig in einem Trägershirt, das ihre kräftigen Schultern und die tiefe Bräune zur Geltung bringt. Sie trägt Shorts, robuste Stiefel und einen breitkrempigen Hut zum Schutz gegen die Sonne. Sie zeigt auf ihren Partner, einen kleinen, drahtigen Mann, der ebenfalls Shorts, Stiefel und eine vernünftige Kopfbedeckung trägt. Trotz seines kleinen Wuchses wirkt er stark wie ein Ochse.

Ich lasse den Blick über diese seltsame Ansammlung von Menschen wandern und frage mich, welche Gründe sie wohl haben, einen Neustart auf Sizilien zu wagen. Was suchen sie? Vermissen sie etwas an ihrem Leben zu Hause? Ist das bei mir auch so, bin ich hier, weil mir etwas fehlt? So war es tatsächlich, doch was mich von den anderen unterscheidet, ist, dass ich es bereits gefunden habe. Ich bin mit Lennie hier – wir sind ein Paar, ein Team.

Wieder mustere ich die aus sehr unterschiedlichen Menschen bestehende Gruppe. Es fühlt sich wie der erste Arbeitstag in einem neuen Job an – man lernt die Kollegen kennen und glaubt nicht, dass man sich mit ihnen verstehen wird. Na ja, wenigstens werden wir nicht zusammenarbeiten. Ich sehe Tabitha an, die herumschlendert und das Bauernhaus fotografiert. Mein Haus, denke ich; ich stelle schon Besitzansprüche. Mein neues Familienheim.

»Willkommen in Il Limoneto«, sagt Giuseppe. »Das war mein Elternhaus, ich bin hier aufgewachsen. Jetzt wohne ich im Ort neben der Kirche an der Piazza.« Als er sich umsieht, spüre ich, wie stolz er auf das Haus ist. Dann verschränkt er die Arme vor der Brust und holt tief Luft. »Also, es gibt ein paar Probleme. Die Handwerker, die an euren neuen Häusern arbeiten, sind ein bisschen im Rückstand.«

»Ein bisschen im Rückstand?«, wiederholt Tabitha.

»Ja.« Er faltet die Hände, als wolle er beten, und führt sie an die Lippen, bevor er weiterspricht. »Die Häuser, die für euch bestimmt sind, müssen … ein wenig renoviert werden. Ein paar Baumaßnahmen, um …«

»Aber sie sind schon sicher?«, wirft Barry ein. Ich erkenne einen Anflug von Pessimismus.

»Um sie wohnlicher zu machen. Man könnte von Modernisierung sprechen«, sagt Giuseppe.

»Sind sie bewohnbar?«, fragt Sherise.

Giuseppe bewegt den Kopf hin und her. »Noch nicht überall, aber bald.«

»Oh, wir bleiben nicht hier?«, sage ich leise und versuche, meine Enttäuschung zu verbergen.

»Doch, vorläufig schon.« Giuseppe nickt. Meine Stimmung hebt sich. »Bis die Handwerker fertig sind, werdet ihr alle hier wohnen, kostenfrei natürlich. Bitte macht es euch gemütlich, während ich mich um die neuen Häuser kümmere. Sie sind bestimmt sehr bald bezugsfertig.«

»Wir … werden hier alle zusammenwohnen?« Ich betrachte die kleine Gruppe.

»Nun, das wird aber gemütlich«, kommentiert Tabitha mit einem amüsierten Lächeln.

Das ist der Haken, denke ich. Dieses Haus ist doch nicht für Lennie und mich, sondern für uns alle. Wir müssen mit wildfremden Menschen zusammenleben, wie in meiner Kindheit. Ich habe es damals gehasst, und ich will es auch jetzt nicht.

»Wie lange wird es dauern?«, will ich wissen.

»Nur bis die Häuser bezugsfertig sind.«

»Und wie lange wird das dauern? Kannst du uns einen Zeitrahmen nennen?«, erkundigt Ralph sich und strafft geschäftsmäßig die Schultern.

»Es ist, als wäre man wieder im Internat«, sagt Tabitha, lässt sich auf das Sofa fallen und legt die Füße hoch.

»Nur so lange, bis ich alles geklärt habe. Es wird nicht lange dauern.«

»Und dann bekommen wir unsere eigenen Häuser?«, hake ich hartnäckig nach.

»Ja, ja, wie versprochen. Die finanziellen Mittel für die Renovierung liegen bereit.« Giuseppe zwingt sich zu einem Lächeln, doch auf seiner Stirn bilden sich Schweißperlen.

»Nun, wir kommen sicher eine Weile auch so zurecht«, sage ich betont munter. Wenigstens können wir in absehbarer Zeit unsere eigene Unterkunft beziehen, und deshalb bin ich ja schließlich hierhergekommen.

»Am besten suchen wir jetzt unsere Schlafzimmer aus«, sagt Tabitha und steht auf.

»Und ich organisiere das Abendessen im Restaurant, um euch willkommen zu heißen und als Entschuldigung, weil die Häuser noch nicht fertig sind. Ich rufe sofort Luca an, er leitet das Restaurant.«

Abendessen! Ich glaube nicht, dass ich nach dem reichhaltigen Büfett noch etwas essen kann.

»Und wir können uns kennenlernen«, meint Sherise.

»Genau!« Giuseppe strahlt.

»Ich kann's kaum erwarten«, erwidert Tabitha mit einem Grinsen und nimmt Brille und Hut ab; eine flippige Kurzhaarfrisur kommt zum Vorschein. Sie fährt sich mit der Hand durchs Haar, sehr sexy. Ich kontrolliere, ob es Lennie auffällt, doch zu meiner Erleichterung scheint er es nicht zu bemerken. Ich bin so froh, dass ich nicht mehr mit anderen Frauen konkurrieren muss.

»Großartig«, sagt Ralph mit einer – wie ich glaube – großen Portion Sarkasmus.

Als ich Lennie einen Blick zuwerfe, zieht er die Augenbrauen hoch, und ich muss ein nervöses Kichern unterdrücken. Das Ganze ist nicht wie der erste Arbeitstag in einem neuen Job, sondern Tag eins im *Big-Brother*-Haus. Was, wenn wir uns nicht verstehen? Werde ich bald schon wieder ohne Wohnung dastehen?

5. Kapitel

»Auf zum Restaurant!«, sagt Giuseppe, als wir den Weg hinunterspazieren, den Schlaglöchern ausweichen und in die Straße Richtung Ortszentrum einbiegen. Am Straßenrand wuchern Wildblumen und Ätna-Ginster.

Ich genieße die letzten Strahlen der untergehenden Sonne, indem ich ihr das Gesicht zuwende und die wärmende Energie tanke. Lennie geht neben mir, und ich frage mich, ob ich seine Hand halten sollte. Stattdessen hake ich mich bei ihm unter, wie wir das immer tun, und schiebe eine Hand in seine Hosentasche. Mein Seidenschal gleitet mir von der Schulter und flattert zwischen uns im Wind.

Die Anwesenheit von Lennie ist momentan der einzige Lichtblick für mich. Bestimmt sind die Häuser bald fertig, sodass wir unser gemeinsames Leben beginnen können. Einstweilen ... nun ja, es ist bloß vorübergehend auf Eis gelegt, das ist alles, und bis dahin machen wir einfach so weiter wie bisher. Lennie und ich, wir fühlen uns einfach wohl miteinander – momentan müssen wir nicht darüber nachdenken, wie unsere Beziehung in Zukunft laufen wird.

Hin und wieder fährt ein Auto vorbei, und wir treten an den Straßenrand. Unsere Waden streifen die Gräser, es duftet nach warmer Erde und Blumen.

»Was ist das, Giuseppe?«, erkundige ich mich und zeige auf die verwilderten Obstplantagen in der Umgebung.

Er betrachtet die Plantagen, als würde er sie seit Langem zum ersten Mal sehen.

»Zitronen«, antwortet er. »Das sind Zitronenbäume. Das alles sind Zitronenhaine.«

»Sie sehen nicht aus, als würde man sich besonders gut um sie kümmern«, sage ich.

»Nun ja«, er zuckt mit den Schultern, »es waren einmal Zitronenhaine. Heute nicht mehr so …«

Er legt beide Hände hinter den Rücken und hält den Kopf gesenkt, während wir weitergehen. Einige verbeulte, alte Autos bremsen ab und werden langsamer. Die Fahrer starren uns an, als seien wir eine Zirkusattraktion. Giuseppe hebt die Hand und grüßt jeden einzelnen. Die Situation wird bedenklich, als zwei Autos sich begegnen und offenbar nicht wissen, wie sie aneinander vorbeikommen sollen. Schließlich finden sie eine Lösung, doch die Leute starren uns weiterhin ununterbrochen an.

»Können wir unsere Häuser sehen?«, fragt Sherise.

»Vielleicht noch nicht heute«, erwidert Giuseppe. »Geben wir den Handwerkern noch ein bisschen Zeit, dann zeige ich euch die Häuser.«

»Wie wäre es mit morgen? Es wäre gut, wenn wir wüssten, worauf wir uns einstellen können«, meint Barry. »Du hast doch Häuser für uns, nicht wahr? Es ist keine Betrugsmasche?«

»Nein, nein, es gibt die Häuser. Ihr werdet sie bald sehen, versprochen.«

»Dann also morgen?« Sherise lässt nicht locker.

»Morgen«, willigt er ein, aber ich spüre, wie er zögert.

»Liegen sie in der Nähe?«, will Tabitha wissen.

»Ja, da drüben.« Er zeigt auf eine Seitenstraße, die von der Straße abzweigt, die wir gerade entlanggehen.

»Wir könnten doch sofort hingehen, oder nicht?« Tabitha ist beharrlich.

Giuseppe zögert. »Äh, wir müssen zum Restaurant …«

»Oh ja, können wir?«, sagt Sherise.

»Na ja …« Giuseppe zögert immer noch.

Tabitha geht mit großen Schritten voran. »Hier?«, fragt sie und macht Bilder mit ihrem Handy. Sie scheint alles zu fotografieren – wie ein Instagram-süchtiger Teenager. Wir folgen ihr in die schmale Straße mit den verblassten rosa Mauern. Es handelt sich um die Häuser, die wir auf dem Hinweg bereits gesehen haben. Die Häuser, in die verdammt viel Arbeit gesteckt werden muss!

»Wie gesagt, es müssen ein paar Reparaturen durchgeführt werden, aber wir sind schon dran.« Giuseppe hebt den Finger und macht eine entschlossene Geste.

Ich mustere die Häuser. Bei einigen Fenstern sind die Scheiben zerbrochen, Fensterläden sind beschädigt, an den Türen blättert die Farbe ab, die Balkone wirken baufällig, doch trotzdem schlägt mein Herz höher. Auch wenn die Häuser nicht mit dem Bauernhaus zu vergleichen sind, würde es mich sehr glücklich machen, eines davon – voller Charakter und besonderer Merkmale – zu beziehen. Ich sehe mich bereits in einem wohnen … uns, verbessere ich mich selbst.

»Sie sind wunderschön«, sage ich und lasse die alten Steine und die abgenutzten Schmiedeeisenarbeiten auf mich wirken.

»Sie sind heruntergekommen«, kommentiert Barry trocken und rümpft abfällig die Nase.

Ralph schweigt, doch er presst die Lippen zusammen.

»Gibt es auch Platz für Nutztiere?«, fragt Sherise. »Und Land?«

»Land … na ja, das ist schwierig«, antwortet Giuseppe.

Billy wirkt auf einmal niedergeschlagen.

»Diese Häuser sind erst mal für euch bestimmt, aber es gibt noch jede Menge andere Immobilien«, erklärt Giuseppe rasch. »Ihr könnt etwas suchen, was euch gefällt, und wir vereinbaren einen sehr guten Preis für unsere Neubürger. Wie gesagt, es gibt nicht viel Land … aber vielleicht genug für ein bisschen Gemüse oder so.«

Sherise stupst ihren Mann an und versucht ihn aufzuheitern, allerdings ohne Erfolg.

Nicht viel Land? Verwirrt denke ich an die zahlreichen Felder, an denen wir gerade vorbeispaziert sind.

Wir gehen auf die Hauptstraße zu und passieren einen Torbogen – vermutlich die alte Stadtmauer. Giuseppe erklärt uns, dass der dunkle Lavastein für den Straßen- und Mauerbau verwendet wird. Die meisten Geschäfte sind geschlossen, abgesehen von dem einen, das wir schon bei unserer Ankunft gesehen haben. »Hier bekommt man alle Lebensmittel.« Er lächelt und streckt eine Hand aus.

Dieselbe Frau wie zuvor – in einem engen Oberteil mit passendem Rock und mit dunkel nachgezeichneten Augenbrauen und leuchtendem Lippenstift – kommt heraus, um uns zu mustern. Der Bürgermeister grüßt sie, doch sie reagiert kaum. Neben der Frau taucht ein etwa neunjähriges Mädchen auf, lächelt freundlich und winkt uns zu. Die Frau mustert uns, als seien wir Aliens, die gerade gelandet sind. Und um ehrlich zu sein, es fühlt sich auch ein bisschen so an. Lennie nimmt meine Hand und drückt sie aufmunternd. Zwischen uns sprühen keine Funken, aber ich empfinde Geborgenheit – und mehr brauche ich nicht. Das Gefühl, dass wir das hier gemeinsam durchziehen und ich nicht mehr allein bin.

Wir überqueren die kopfsteingepflasterte Piazza. Weit unten

liegt das Meer, und hinter uns ragt der Ätna auf, dessen Gipfel nach wie vor in den Wolken steckt. Nachdem wir nach links in eine kleine Gasse eingebogen sind, wenden wir uns nach rechts, durchqueren einen weiteren Torbogen und steigen ein paar Steinstufen hinunter.

»Die Trattoria, unser Restaurant!«, verkündet Giuseppe stolz.

Wir bleiben stehen und betrachten die von rosa Mimosenblüten umrankte grüne Tür in der Steinmauer. Langsam öffnet sich die Tür, und ich atme tief ein. Vor uns liegen ein paar Stufen, die zu einem Restaurant mit gefliestem Boden und riesigen Fenstern führen; neben der Küchentür befindet sich ein großer Holzstapel. Es gibt einen überdachten Terrassenbereich mit Tischen und Stühlen, hinter dem ich eine weitere schmale Gasse entdecke. Sie führt offenbar ebenfalls zur Piazza, in deren Hintergrund der imposante Ätna aufragt. Und direkt vor uns liegt das leuchtend blaue Meer, eingerahmt von Mimosenblüten. Traumhaft.

Wortlos genieße ich die Aussicht, während der Rest der Gruppe sich darüber auslässt, wie wunderschön es hier ist. Langsam folge ich den anderen durch die Tür. Was auch immer dieser Ort für uns bereithält, hier lässt sich das ein oder andere Juwel finden. Nichts kann mich von meinem Wunsch abbringen, das Ganze zu einer Erfolgsgeschichte zu machen.

Ich reiße mich von dem Anblick los, um der Person an der Tür zu danken, doch als ich den Mund öffne, um zu sprechen, bringe ich keinen Ton heraus.

Keine Ahnung, was gerade mit mir geschieht. Meine Welt gerät aus den Fugen, mir ist schwindelig, und ich bekomme weiche Knie. So etwas habe ich nie zuvor erlebt. Was ist bloß mit mir los?

6. Kapitel

»Zelda? Geht's dir gut? Zelda?«

Ich höre Lennies Stimme, doch ich habe Probleme, mich ihm zuzuwenden. Was denke ich mir nur dabei? Reiß dich zusammen, Zelda! Ich weiß nicht, wie mir geschieht – ich starre den Mann an, der die Tür aufhält, und kann meinen Blick nicht von ihm lösen.

»Zelda?«, sagt Lennie wieder.

Giuseppe tritt zu uns. »Seid ihr euch schon mal begegnet?«

»Nein, nein!«, antworte ich reflexartig. Auch der Mann an der Tür verneint. Er steht offensichtlich genauso unter Schock wie ich, während wir uns ansehen, als würden wir uns bereits unser ganzes Leben lang kennen. Mit erheblicher Mühe reiße ich den Blick von seinen braunen Augen los, in denen sich ein Hauch Grün befindet, und drehe mich zu Lennie um.

»Ja, mir geht's gut, wirklich …«, stammele ich, obwohl mein Mund staubtrocken ist. Ich zittere am ganzen Körper – nein, ich bebe förmlich! Ein ganzes Geschwader Schmetterlinge flattert in meinem Bauch, und mein Kopf fühlt sich an, als würde er gleich explodieren – wie eine Flasche Limonade, die jemand heftig geschüttelt hat. »Es muss an der Hitze liegen … und an der Erschöpfung«, erkläre ich lahm.

Lennie führt mich zu einem Stuhl am eindeutig besten Tisch des Restaurants. Er befindet sich neben einem großen Panoramafenster mit Blick über die verwilderten Zitronenhaine, die den Ort auf angelegten Terrassen umgeben. Sie erstrecken sich den Hang hinunter Richtung Meer. Von meinem Platz kann man alles sehen: das Meer, die Obstbäume, die baufälligen Häuser, das gesamte Restaurant und die Küche, aus deren Schornstein Rauch aufsteigt. Der Geruch nach Holzfeuer mischt sich mit dem Duft der Zitrusblüten an den Bäumen unterhalb des offenen Fensters. Es gibt auch Olivenbäume, knorrig und windgebeugt, umgeben von einem Teppich aus roten Mohnblumen. Wie im Himmel.

Ich muss wirklich müde und hungrig sein – sonst hätte es mich nicht so erwischt, denke ich. Mein Magen knurrt, als ich die Speisekarte entgegennehme. Damit es nicht noch mal passieren kann, blicke ich nicht zu dem Mann auf – sicher ist sicher. Doch ich kann ihn riechen – sein zitroniges Aftershave –, und schon wieder flattern die Schmetterlinge in meinem Bauch. Vielleicht liegt es an den Hormonen. Fünf-vor-zwölf-Hormone. Gott sei Dank habe ich Lennie! Als ich ihn ansehe, schenkt er mir ein Lächeln, und die Schmetterlinge beruhigen sich wieder. Ich trinke einen Schluck von dem Wasser, das er mir fürsorglich eingeschenkt hat.

»Besser?«, fragt er.

»Viel besser. Danke. Dieses Restaurant ist toll, was?«

Er nickt. »Bist du froh, dass wir es gemacht haben? Hast du nicht mehr das Gefühl, es wäre eine Schnapsidee? Du weißt ja, ich habe immer recht!«, sagt er mit einem breiten Grinsen.

Ich lasse den Blick um den Tisch schweifen und erhasche einen Blick auf den Mann, der uns die Tür geöffnet hat. Er reicht gerade Sherise die letzte Speisekarte. Ihr Mann Billy sieht aus, als wäre er überall lieber als ausgerechnet hier. Aber ein fröhlicher Rhythmus schlägt in meiner Brust, als ich den Mann in dem weiten weißen Hemd mit den festen dunklen Locken und dem glatt rasierten, gebräunten Gesicht betrachte, als wolle ich mir sein Aussehen einprägen wie eine Fotografie.

»Alle mal herhören!«, ruft Giuseppe und lenkt die Aufmerksamkeit auf sich.

Ich konzentriere mich mit aller Kraft auf ihn, damit das seltsame Gefühl nicht zurückkehrt. Doch sosehr ich mich auch bemühe, mein Blick scheint wie magisch von dem lächelnden Mann mit der olivfarbenen Haut angezogen zu werden. Merkwürdigerweise huscht auch sein Blick immer wieder zu mir.

»Das ist Luca«, verkündet Giuseppe und streckt eine Hand aus. »Unser Gastgeber.«

»*Buonasera*«, sagt Luca und nickt uns zu. Seine Stimme klingt so weich und sanft wie die Brise, die durch den Zitronenhain streicht. Er sieht einen nach dem anderen an, bis sein Blick schließlich an mir hängen bleibt. Ich spüre, wie ich rot werde. Rasch nehme ich die weiße Serviette und lege sie mir auf den Schoß. Eingehend betrachte ich die Stickarbeiten an den Kanten und hoffe, dass meine roten Wangen nicht weiter auffallen.

»Alles in Ordnung, Zelda? Du wirkst, als würdest du dich nicht wohlfühlen. Wir können das Essen sausen lassen, wenn du willst, und einfach früh ins Bett gehen«, schlägt Lennie vor. Ich liebe es, wie er sich sorgt, und konzentriere mich mit aller Macht auf seine vertrauten Gesichtszüge.

»Mir geht's gut, wirklich. Ich freue mich, hier zu sein.« Und es stimmt. Das ist etwas ganz anderes als warmer Rosé in einem winzigen Veranstaltungsraum. Ich möchte, dass es funktioniert. Dann richte ich den Blick auf die Speisekarte und atme langsam und gleichmäßig.

»So, vielleicht sollten wir uns ein bisschen Zeit nehmen, um uns kennenzulernen.« Giuseppe lächelt – offensichtlich liegt ihm viel daran, dass wir uns gut verstehen.

»Wir werden uns ziemlich gut kennenlernen, wenn wir in diesem Haus zusammenleben. Das ist nicht das, was uns versprochen wurde«, sagt Barry. »Es hieß, wir bekommen eigene Unterkünfte«, fügt er hinzu, und obwohl er herumjammert, hat er recht.

Aber wie kann man sich beklagen, wenn man im Schein der untergehenden Sonne sitzt und diese Aussicht genießt? Wieder lasse ich den Blick über die Obstbäume, die Glyzinien und die Mohnblumen wandern, hinter denen das leuchtend blaue Meer funkelt. Ich spüre Lucas Präsenz, als er langsam um den Tisch geht, die Getränkebestellungen aufnimmt und sich mir nähert. Alles andere scheint in den Hintergrund zu treten, als mein ganzes Sein sich auf ihn konzentriert, auf seine leise, sanfte Stimme, seinen Geruch. Ich bin so nervös wie an meinem ersten Schultag.

Es ist lächerlich. Mein Körper ist zum Leben erwacht wie die Blumen in den verwilderten, vernachlässigten Obstgärten um uns herum. Ein bisschen Sonnenschein und Blütenduft in der Luft, und schon gerate ich in einen Ausnahmezustand. Oder vielleicht liegt es daran, dass Lennie und ich jetzt ein Paar sind und mein Körper auf einmal auf den neuen Zustand, nicht mehr auf dem Markt zu sein, reagiert? Ich lächele. Ich bin nicht mehr zu haben. Aufmerksam lese ich die Speisekarte. Das ist es. Ich bin einfach froh, hier zu sein, und das spüre ich jetzt. Nichts wird uns davon abhalten, unseren Traum zu leben.

Auf einmal bemerke ich, dass Lennie meinen Namen sagt und mich leicht am Arm fasst.

»Zelda, wir müssen umziehen.«

»Umziehen? Aber ich dachte, die Häuser wären noch nicht fertig«, sage ich und denke an meinen großen Koffer im Bauernhaus. »Na ja, je früher, desto besser.«

»Wir müssen den Tisch wechseln«, flüstert Lennie seltsam eindringlich. Plötzlich fällt mir auf, dass niemand mehr spricht. Die friedliche Unterhaltung hat aufgehört, und alle wirken ein wenig verwirrt. Ich schaue zu Luca auf, der auf einmal zögerlich und betreten aussieht. Ganz anders als der lächelnde, selbstbewusste, fröhliche Mann, auf den wir beim Betreten des Restaurants getroffen sind. Es ist, als hätte sich eine schwarze Wolke über uns gesenkt, die den blauen Himmel auslöscht und die positiven Schwingungen stört.

Diese schwarze Wolke ist anscheinend in Form einer Gruppe eingetroffen, die am Eingang des Restaurants stehen geblieben ist. Eine Gruppe von vier Männern und zwei Frauen. Der Mann ganz vorne trägt eine elegante schwarze Hose, ein gut geschnittenes Sakko, einen breitkrempigen Hut und – obwohl wir uns im Gebäudeinneren befinden – eine verspiegelte Fliegersonnenbrille. Ich werfe Luca noch einen Blick zu und hole tief Luft.

7. Kapitel

»Was soll das heißen? Warum müssen wir umziehen?« Der frühe Aufbruch und der lange Anreisetag fordern offensichtlich ihren Tribut. Wir wurden bereits informiert, dass unsere Unterkünfte nicht fertig sind. Jetzt müssen wir den Tisch wechseln. Das ist lächerlich, denke ich kratzbürstig. Vielleicht wäre es wirklich eine gute Idee gewesen, einfach früh ins Bett zu gehen.

»Es tut mir leid, dieser Tisch ist reserviert.« Mit offensichtlichem Bedauern eilt Luca um den Tisch, sammelt unsere Gläser ein und stellt sie auf ein Tablett.

Ich freue mich beinahe darüber, dass dieser Mann mich verärgert hat und die blöden Schmetterlinge aus meinem Bauch davongeflogen sind. Er ist kein Gott, der mich damit foppt, was ich nicht haben kann, und mich daran erinnert, dass es da draußen noch etwas anderes geben könnte. Dem ist nicht so. Lennie und ich – besser geht's nicht, und daran werde ich festhalten. Dieser Mann mag zwar charmant sein, gut aussehen und über ein verträumtes Lächeln verfügen, aber das war's auch schon. Und eindeutig beherrscht er seinen Job nicht, wenn wir nun den Tisch wechseln müssen.

»Es tut mir leid, es war mein Fehler«, fügt er hinzu.

Ich wünschte, ich könnte ihm weiterhin böse sein. Doch er scheint die Angelegenheit ernsthaft zu bedauern. Wieder steigt mir ein Hauch seines Zitrus-Aftershaves in die Nase, als er nach dem Brotkorb greift, und meine verräterischen Nerven benehmen sich wie ein Haufen schwätzender, kichernder Schulmädchen.

»Dieser Tisch ist reserviert. Leider müssen Sie an den da drüben umziehen.« Er zeigt auf zwei Tische, die er zusammengeschoben hat.

»Aber von hier aus kann man alles sehen, die ganze Terrasse«, wende ich ein.

»Ja«, bestätigt er. »Es ist der beste Tisch, das ist der Grund, warum er reserviert ist. Es tut mir leid, ich hatte nicht daran gedacht, dass diese Gäste heute Abend kommen.« Er schaut zu der Gruppe an der Tür, die uns hinter ihren Sonnenbrillen hervor beobachtet. Keiner von ihnen lächelt.

Giuseppe sieht wütend aus, offenbar steht er kurz davor zu explodieren. Langsam steht er auf.

»Ich bitte um Entschuldigung«, sagt er zu uns allen. »Luca wird dafür sorgen, dass die Gläser an den neuen Tisch gebracht werden, und zweifellos wird er uns als Entschädigung für die Unannehmlichkeiten Wein bringen.« Er wirft Luca einen demonstrativen Blick zu. »Das war nicht die Begrüßung, die ich beabsichtigt habe. Aber bitte, nehmt doch Platz. Das Essen kommt bald.« Er deutet auf den Tisch im hinteren Bereich der Terrasse. Seine Hand zittert leicht, als wäre er wütend, wolle es sich jedoch nicht anmerken lassen.

»Ich verstehe immer noch nicht, warum die andere Gruppe nicht an dem hinteren Tisch sitzen kann«, sage ich zu Lennie.

»Lass uns einfach umziehen, Zelda. Wir sind neu hier, wir wollen uns doch gut integrieren«, erwidert er und fasst mich am Ellbogen. Ohne Frage will er verhindern, dass ich einen Streit vom Zaun breche. Er kennt mich schon so lange und weiß genau, dass ich nicht gut darin bin, mir auf die Zunge zu beißen.

Das ist das Großartige an Lennie und mir: Wir wissen alles übereinander. Es hat uns Spaß gemacht, eine Beziehung nach der anderen zu haben – na ja, sagen wir mal, wir haben die Zeit genutzt –, und jetzt sind wir bereit, zur Ruhe zu kommen. Es ist, als hätte das Leben einen natürlichen Lauf genommen.

Er führt mich am Ellbogen zu dem neuen Tisch. Im Vorbeigehen werfe ich der Gruppe, die an unserem ehemaligen Tisch Platz nimmt, einen bösen Blick zu. Der Mann im Anzug reicht Luca seine Jacke, der sie entgegennimmt und aufhängt. Ich fange den Blick des Mannes auf und starre ihn an. Als er langsam die Sonnenbrille absetzt und meinen Blick erwidert, stellen sich mir die Nackenhaare auf. Dann geht er um den Tisch herum und setzt sich gezielt auf meinen Platz. Dabei nickt er mir knapp zu, als wolle er sich dafür bedanken, dass ich getan habe, was man von mir verlangt hat. Mein Gesicht glüht vor Wut. Wie unhöflich! Er nimmt nicht einmal seinen Hut ab, sondern zieht nur sein Sakko aus. Darunter trägt er eine Weste, die über seinem Kugelbauch spannt.

Luca huscht um den Tisch, küsst die Männer und Frauen auf beide Wangen, verteilt Speisekarten und nimmt weitere Jacken entgegen. Die Frauen haben die Lippen rot geschminkt, tragen enge Kleider und große Sonnenbrillen. Die jüngere der beiden freut sich offensichtlich sehr, Luca zu sehen. Sie umfasst sein Gesicht mit beiden Händen und küsst ihn sinnlich auf den Mund.

Nachdem wir uns an unseren neuen Tisch gesetzt haben, kommt Luca zu uns, um unsere Bestellungen aufzunehmen. Giuseppe bestellt Antipasti für uns alle, dann Pasta mit Knoblauch und Limone für sich selbst, gefolgt von *porchetta,* einer Art Schweinerollbraten vom Spieß nach italienischer Art. Luca nickt und gibt ihm zu verstehen, dass er seine Wahl gutheißt.

Wenigstens glaube ich, dass er das sagt – meine Italienischkenntnisse sind sehr rudimentär. Luca geht von einem zum nächsten. Die meisten bestellen Pizza, nur Lennie folgt Giuseppes Beispiel. Luca lächelt anerkennend.

Nachdem er Lennies Speisekarte genommen hat, bleibt Luca neben mir stehen. Direkt neben mir! Der Duft seines Aftershaves bringt meine Nerven schon wieder zum Vibrieren.

»Ich möchte eine Pizza Margherita«, will ich eigentlich sagen, doch ich bringe erneut keinen Ton heraus und kann bloß auf die Speisekarte deuten. Er beugt sich über mich, um meine Wahl zu bestätigen. Dabei fällt mein Blick auf ein kleines Büschel Brusthaar, das aus seinem Hemd herausguckt. Ich fühle mich, als hätte ich mir die Finger verbrannt. Erneut wird mir schwindelig, und ich greife rasch nach meinem Wasserglas. Um ein Haar wäre ich mit dem Kopf gegen seinen Arm in dem weißen Hemd gestoßen.

Er wendet sich ab, und ich trinke gierig von meinem Wasser.

Als er wieder aus der Küche auftaucht, trägt er zwei große Holzbretter. Er stellt sie auf unserem Tisch ab, und wir nehmen uns Zeit, um die Speisen zu betrachten. Es gibt Dreiecke eines weichen cremefarbenen Käses, Schalen voll glänzender Oliven mit Kapern, winzige rohe Karottenwürfel, dünn geschnittenen *prosciutto crudo* und kleine Gläser, gefüllt mit Chutney und einer Art bernsteinfarbenen Flüssigkeit.

Tabitha nimmt sich eine Olive und dreht sich zu mir um. »Ihr seid Zelda und Lennie, nicht wahr?«, fragt sie mit einem etwas seltsamen Lächeln, das zwar ihren Mund, nicht aber ihre Augen erreicht. Sie trinkt von dem Weißwein, den Giuseppe uns gerade aus einem Krug eingeschenkt hat.

»Stimmt.« Ich lächele und streiche die weiße Serviette auf meinem Schoß glatt.

»Und ihr seid zusammen?«, fragt sie munter.

»Ja«, antworten Lennie und ich gleichzeitig. Er legt seine Hand über meine, und wir sehen uns lächelnd an. Wir haben die richtige Entscheidung getroffen. Ich gebe mir Mühe, jeden Gedanken an einen attraktiven sizilianischen Restaurantbetreiber aus meinem Kopf zu vertreiben.

»Oh, das war mir gar nicht klar«, meint Sherise, streckt die Hand aus und nimmt sich ein Stück Brot aus einem der Körbe, die Luca an beiden Enden des Tisches platziert hat. Sie reißt die Scheibe in zwei Stücke und legt die Hälfte auf den Teller ihres Mannes, der sich gar nicht dafür zu interessieren scheint. Er sieht aus, als wäre ihm völlig der Wind aus den Segeln genommen worden. »Ich dachte, ihr wärt bloß Freunde«, fährt sie mit einem Lächeln fort – nicht boshaft, sondern nur interessiert. Trotzdem steigt Panik in mir auf.

Mein Mund wird trocken. Woher will sie das wissen? Wir sollten das Thema wechseln, denke ich.

»Das Bauernhaus, Il Limoneto, ist ganz entzückend. Befindet es sich schon lange im Besitz deiner Familie, Giuseppe?« Ich lächele ihn höflich an.

»Nun, das ist genau der Punkt«, fährt Sherise fort. »Als wir zum Haus kamen, habe ich es nicht gleich verstanden, denn als wir unser Gepäck nach oben gebracht haben …«

Ich atme scharf ein und fühle mich, als wären wir bei einem Betrugsversuch ertappt worden. Ich weiß, was sie sagen will. Ich komme mir vor, als säße ich in einem rasenden Auto, dessen Bremsen gerade versagen.

»… da ist mir aufgefallen, dass ihr beiden in getrennten Zimmern schlaft.« Sie schiebt sich ein Stück Brot in den Mund und wartet interessiert auf meine Reaktion.

»Wirklich?« Tabitha hebt die Augenbrauen.

Lennie und ich schauen beide in Giuseppes Richtung, und ich weiß genau, was Lennie denkt. Wir haben uns als Paar beworben. Paare haben die Option, ein größeres Haus zu bekommen, vor allem ein Paar, das eine Familie gründen will. Außerdem hat man uns eine höhere Starthilfe angeboten. Was, wenn Giuseppe zu dem Schluss kommt, wir wollten ihn hinters Licht führen?

Ich will antworten, weiß aber nicht, was ich sagen soll. Lennie verstärkt den Griff um meine Hand und bremst mich.

»Wir sind ein Paar«, sagt er, sieht zuerst mich an und dann die anderen, bevor er tief Luft holt. »Wir sind verlobt.«

Eine kleine Stimme in mir kreischt: verlobt? Ich bin noch damit beschäftigt, mich mit dem Gedanken vertraut zu machen, dass wir zusammen sind. Wir haben noch nicht mal … du weißt schon, die Sache im Bett! Mein Blick huscht unwillkürlich zu Luca, und ich werde rot. Ich habe keine Ahnung, warum. Ich habe noch nie mit diesem Mann gesprochen! Mein Kopf fühlt sich an, als wäre er mit Watte gefüllt. Ich habe mich gerade verlobt! Etwas unkonventionell, aber ich glaube, genau das ist passiert.

Verlegen blicke ich auf meinen nackten Ringfinger und verstecke meine Hand rasch unter der Serviette auf meinem Schoß.

»Ja, verlobt.« Ich gebe Lennie Rückendeckung, schlucke angestrengt und setze ein strahlendes Lächeln auf.

»Warum habt ihr dann getrennte Schlafzimmer?« Sherise schiebt sich das nächste Stück Brot in den Mund. Ich strecke die Hand nach dem Brotkorb aus und nehme mir ebenfalls eine Scheibe. Benimm dich ganz natürlich, sage ich mir.

»Nun ja …«, setze ich an. Ich will behaupten, dass es ein Irrtum war: Ich dachte, wir wären in dem einen Zimmer, während Lennie davon ausging, es wäre das andere, als wir unser Gepäck abstellten. Doch bevor ich fortfahren kann, fällt Lennie mir ins Wort. Offensichtlich traut er meinem losen Mundwerk nicht.

»Wir warten noch«, sagt er.

»Warten?!« Tabitha schreit förmlich. Alle Blicke sind auf einmal auf uns gerichtet. O Gott, er will hoffentlich nicht sagen, was ich glaube, oder etwa doch? Mein Herz klopft wie verrückt.

»Bis zur Hochzeit!«, verkündet er mit einem glücklichen Lächeln. Er ist ein guter Verkäufer, und gerade verkauft er seinem aufmerksamen Publikum einen Traum. »Wir wollen in unserem neuen Zuhause heiraten, hier auf Sizilien!«

Es herrscht Schweigen, während ich die Information verarbeite, genau wie der Rest unserer Gruppe. Entweder wurden sie von dieser altmodischen Sichtweise überrumpelt, oder sie glauben ihm einfach nicht. Ich halte den Atem an. Dann ...

»Oh, bravo!« Giuseppe ist aufgesprungen und klatscht in die Hände. »Eine Hochzeit! Ich bin so froh! Ihr habt ja keine Ahnung, wie glücklich mich das macht. Der Ort braucht eine Hochzeit. Wir haben nur noch Beerdigungen – wir brauchen etwas, was man feiern kann. Der Ätna braucht eine Hochzeit«, erklärt er. Ich bin so verblüfft von der plötzlichen Wendung, dass ich nicht nachfrage, was er damit meint. »Ihr beide verkörpert genau das, worum es bei diesem Projekt geht!«

Er umrundet den Tisch und küsst Lennie und mich auf beide Wangen. »Die erste Hochzeit in unserer neuen Familie in Città d'Oro! Und dann gibt es bald Babys!« Tränen stehen ihm in den Augen, und er wischt sie schniefend weg. »Deshalb habe ich dieses Projekt ins Leben gerufen, um wieder Leben in den Ort zu bringen, und jetzt tut ihr genau das. *Grazie!*« Er umarmt uns noch einmal, danach wendet er sich an Luca und bestellt mit einer ausladenden Handbewegung Prosecco. Mit einem großen weißen Taschentuch tupft er sich das Gesicht ab.

Ich stehe noch unter Schock und starre blicklos vor mich hin. Luca schenkt den Prosecco ein und verteilt die Gläser.

»Die Sache ist die«, Giuseppe hat sich wieder gefasst, »dass ich nur davon träumen konnte. Als ich das Projekt ins Leben rief, habe ich genau darauf gehofft – und nun ist es schon so weit. Gleich zu Beginn. Einfach wunderbar, was für ein Segen!«

»Was genau meinst du, Giuseppe?« Tabitha hebt ihr Glas, obwohl sie offensichtlich darauf brennt, ständig ihr Handy zu checken. Sie legt es praktisch nie aus der Hand!

Giuseppe trinkt einen Schluck und tupft sich wieder mit seinem Taschentuch das Gesicht ab. »Es gibt eine … Tradition in unserem Städtchen, einen … wie sagt man? Irgendwas mit Glaube?«

»Aberglaube?«, schlage ich vor. Giuseppe deutet auf mich und nickt.

»Wie in einer Sage?«, fragt Lennie.

»Ja, genau. Entschuldigt mein Englisch …« Sein Englisch ist um Klassen besser als unser Italienisch. Er lächelt, trinkt wieder einen Schluck und fährt fort: »Es ist nichts, was ich erwähnen wollte – na ja, jedenfalls nicht sofort. Wie gesagt, es ist ein Aberglaube. Doch da wir nun diese wunderbare Neuigkeit haben, kann ich es euch erzählen.«

Fasziniert beugen wir uns vor.

»Es heißt, dass es dem Ort Glück bringt, wenn mindestens alle zehn Jahre eine Hochzeit stattfindet. Der Ätna wird uns segnen, und Città d'Oro wird florieren. Wenn es keine Hochzeit gibt, ist der Ätna unglücklich und … Nun ja, die Zeit läuft uns davon. Aber jetzt …« Er hebt die Hände. »Aber jetzt seid ihr hier und bringt das Glück in die Stadt zurück.« Erneut wird er von seinen Gefühlen übermannt.

»Glückwunsch«, sagt Luca, als er mir ein Glas Prosecco

reicht. Sein Lächeln ist nicht mehr ganz so strahlend wie zuvor. Meine Hand zittert, als ich das Glas entgegennehme. Als unsere Finger sich berühren, fühlt es sich an, als hätte ich einen elektrischen Schlag erhalten. Rasch hebe ich das Glas an den Mund und nehme einen großen Schluck.

»Eine Hochzeit! Wir sind gesegnet!« Giuseppe reckt die Arme in die Luft und sieht zu dem anderen Tisch hinüber. »Habt ihr das gehört? In unserem Ort wird es eine Hochzeit geben! Endlich!«

Der Mann mit dem Hut nickt leicht, lächelt allerdings nicht. Niemand an dem Tisch lächelt. Vielleicht bilde ich es mir ja bloß ein, aber sie scheinen noch finsterer zu blicken. Was stimmt nicht mit ihnen? Das ist doch eine aufregende Neuigkeit. Die meisten Menschen würden sich für uns freuen und uns gratulieren. Ich würde es jedenfalls tun, wenn sich ein Paar zu Hause in einem Restaurant verloben würde.

Verlobt! Ich sage das Wort vor mich hin, dann beuge ich mich zu Lennie und flüstere ihm ins Ohr: »Verlobt, und dann wird geheiratet?«

Plötzlich wird er ernst. Der scherzende Lennie ist verschwunden, und an seine Stelle ist ein neuer, ernster Mann getreten.

»Das ist doch in Ordnung für dich, oder nicht? Das haben wir schließlich gemeinsam geplant – das volle Programm mit Hochzeit, Kinder bekommen und für immer zusammen sein«, flüstert er zurück und sieht mich forschend an.

»Du hättest mich wenigstens vorwarnen können!«, sage ich scherzhaft.

»Tut mir leid. Vielleicht ist deine impulsive Art ansteckend«, witzelt er zurück. »Aber du siehst das doch ganz entspannt, oder?«

Tabitha tippt schon wieder auf ihrem Handy herum. Als sie meinen Blick auffängt, lässt sie es schnell verschwinden. Sie lächelt und prostet mir zu. Ich frage mich, ob unsere Neuigkeiten bereits über die sozialen Medien verbreitet werden. Doch warum sollten ihre Freunde und ihre Familie daran interessiert sein? Allerdings ist sie alleine hier, und ich weiß, wie sich das anfühlt. Ich bin einfach ein Glückspilz.

Ich werfe Luca einen Blick zu, und erneut durchfährt mich dieser Ruck, der mich schockiert. Rasch sehe ich Lennie an und konzentriere mich auf sein Gesicht.

»Natürlich!«, bestätige ich mit einem Nicken und einem strahlenden Lächeln. »Solange das bedeutet, dass ich eine Vintage-Hochzeit planen darf.«

»Ich würde nichts anderes erwarten.« Er lacht, und ich stimme ein.

»Und solange dieser Typ mit dem sauertöpfischen Gesichtsausdruck nicht auf der Gästeliste steht.« Ich nicke zum anderen Tisch und proste dem Mann mit dem Hut demonstrativ zu. Er reagiert immer noch nicht und blickt mürrisch vor sich hin.

Bestimmt wird mich die Planung meiner eigenen Hochzeit davon abhalten, mir dumme Gedanken über attraktive sizilianische Restaurantbetreiber zu machen. Ich werde heiraten, was mich nach wie vor ein bisschen verblüfft. Daher trinke ich noch schnell einen Schluck Prosecco. Doch mein Blick wird unerklärlicherweise von Luca angezogen, er übt eine Anziehungskraft auf mich aus, die ich nicht kontrollieren kann.

Eine jüngere Ausgabe von mir hätte gesagt, es handele sich um Liebe auf den ersten Blick. Ha! Das wäre eine Ironie des Schicksals. Jahrelang habe ich auf einen Mann gewartet, mit dem ich mich häuslich niederlassen und eine Familie gründen will, und jetzt kommen zwei auf einmal des Weges. Aber genau da liege ich falsch. Inzwischen weiß ich, dass es nicht von Dauer ist, wenn man sich auf Anhieb zueinander hingezogen fühlt. Ich suche eine Partnerschaft für die Ewigkeit, etwas Solides. Ich möchte Lennie heiraten. Es ist nur etwas überraschend gekommen.

Tabitha steht auf, schießt ein Foto von uns beiden und sagt: »Glückwunsch! Ist es in Ordnung, wenn ich das Bild auf meiner Facebook-Seite poste?« Es kommt mir ein bisschen seltsam vor, dass die Welt von den Neuigkeiten bezüglich meines Privatlebens erfährt, bevor ich mich selbst daran gewöhnt habe.

8. Kapitel

»Bitte lasst es euch schmecken!«

Giuseppe breitet die Arme aus, und wir stürzen uns auf das Essen. Hunger und Müdigkeit fordern ihren Tribut. Ich spüre die Blicke der Gäste am Nachbartisch, doch ich bin zu sehr mit dem zarten Schinken beschäftigt, der förmlich auf der Zunge zergeht, um mich davon stören zu lassen. Ich nehme mir ein Käsedreieck und stoße gegen Lennies Hand, als wir gleichzeitig zugreifen wollen. Wir müssen lachen. Ich tauche den Käse in die bernsteinfarbene Flüssigkeit, wie Giuseppe es mir von seinem Platz am Ende des Tisches aus zeigt, und stecke ihn in den Mund. Oh mein Gott! Es ist Honig, warmer Honig mit einem Hauch von Zitrone. Er umhüllt den würzigen Käse und erreicht sämtliche Geschmacksknospen in meinem Mund. Wahrscheinlich ist es das Beste, was ich je gekostet habe, eine himmlische Verbindung.

Es ist ein Zeichen, denke ich, ein außerordentliches Zeichen … Wie Lennie und ich, kein Paar, das man automatisch zusammenfügen würde, doch wenn man es tut, funktioniert es wunderbar und völlig mühelos. Es müssten mehr Menschen davon wissen.

Ich nehme noch ein Stück Käse und tunke es in die andere Schale: eine süße Zwiebelmarmelade, wie Giuseppe mir erklärt. Wieder eine wunderbare Kombination. Aber die Honig-mit-Käse-Variante ist mein Favorit.

Wir trinken Rotwein, der aus den Weinbergen am Ätna stammt, eingeschenkt aus Terrakottakrügen. Giuseppe und Lennie bekommen ihre Pasta, und ich bin beeindruckt von Lennies Willen, sich die sizilianische Esskultur zu eigen zu machen.

»Wo steckst du das bloß alles hin?«, frage ich ihn.

»Es landet alles in meinen Beinen. Deshalb sind sie so lang.« Er dreht eine lange Spaghetti mit einer Soße aus Pinienkernen, Zitronensaft und Parmesan um die Gabel und schiebt sie sich in den Mund.

»Du machst das schon wie ein Einheimischer!«, lobt Giuseppe.

Lennie kaut die Nudel, und die Soße lässt seine Lippen glänzen. Wieder frage ich mich, wie es wohl sein wird, diese Lippen zu küssen. Momentan kann ich mir nur vorstellen, dass sie nach Limone schmecken.

Unsere Pizzen werden gebracht. Sie sind riesig, sehr dünn und haben winzige verkohlte Stellen am Rand, die von dem holzbefeuerten *forno* stammen. Wahrscheinlich ist es eine der besten Pizzen, die ich je gegessen habe. Endlich kann ich Luca den Tischwechsel verzeihen, und ich verliebe mich von Neuem in das Restaurant. Ich werfe einen Blick zu der anderen Gruppe – alle konzentrieren sich auf ihre Pastateller und auf die ernste Angelegenheit des Essens.

Lennie bekommt einen wunderbaren Schweinebraten in einer hellen Soße mit *al forno* gegarten Kartoffeln. Ich probiere sein Essen, und er isst auch ein Stück von meiner Pizza, wie wir das immer tun.

Nach dem Hauptgang bestellen ein paar aus unserer Gruppe Eiscreme, doch ich bin einfach zu satt.

Schließlich taucht Luca mit kleinen Gläsern und zwei Flaschen an unserem Tisch auf.

»Limoncello und Crema di Limoncello!«, verkündet er, umrundet den Tisch und füllt die Gläser entweder mit der klaren oder der cremigen Variante.

»Oh, wie schön, ist der Likör selbst gemacht?«, fragt Sherise.

»Leider nein.« Er zuckt mit den Schultern. »Unsere Zitronenhaine haben schon bessere Tage gesehen.« Er wirft einen raschen Blick zu dem Tisch am Fenster und sieht wieder weg.

Ich folge seinem Blick und kneife die Augen zusammen.

»Lasst uns anstoßen«, sagt Giuseppe. »Herzlich willkommen, auf den Erfolg unseres Ansiedlungsprojekts!« Er sieht Lennie und mich an. »Und auf eine Hochzeit hier in Città d'Oro. Ein richtiges Fest!« Er hebt sein Glas. »In drei Monaten, wenn ihr euch entscheidet zu bleiben und offiziell eingebürgert werdet, ja?«

In drei Monaten?! Das verschlägt mir den Atem. Doch wir alle heben unsere Gläser und prosten uns zu. Ich nippe an dem starken Limoncello und schlucke, während meine Gedanken sich mit den Entwicklungen des Abends beschäftigen. Meine Hochzeit, und zwar kurz vor meinem vierzigsten Geburtstag. Endlich werde ich etwas vorzuweisen haben in meinem Leben. Ich schlucke wieder und sehe Lennie an. Als ich kurz zu Luca schaue, schlägt mein Magen einen Salto. Ich brauche keinen Salto; ich möchte mir mit jemandem eine gemeinsame Zukunft aufbauen, und genau das tue ich gerade.

»Auf uns und auf die Hochzeit. *Saluti!*«, sage ich und nehme noch einen kleinen Schluck. Ich werde tatsächlich heiraten.

Als wir alle fertig sind, begleicht Giuseppe die Rechnung, dreht sich zu dem Mann im Hut um und nickt ihm zu. »*Buonasera,* Romano.«

Romano erwidert das Nicken, ebenso wie seine Begleiter.

Dann sieht Romano mich an, und wieder halte ich seinem Blick stand.

»*Buonasera*«, sage ich – angetrieben vom Limoncello. »Ich hoffe, Sie haben Ihren Tisch und Ihr Essen genossen.« Schnell greift Lennie wieder nach meinem Ellbogen und führt mich aus dem Restaurant, bevor mein vorlautes Mundwerk die Oberhand gewinnt.

Später liege ich im Bett und horche auf … na ja, eigentlich ist nichts zu hören außer dem, was ich für Barrys Schnarchen aus dem Nachbarzimmer halte. Lennie schläft in einem der Schlafzimmer in der umgebauten Scheune auf der anderen Seite des Hofes. Ich stelle fest, dass ich erleichtert bin, mir heute Abend keine Gedanken darüber machen zu müssen, das Bett mit Lennie zu teilen.

Ich denke an unsere Mitbewohner, und die Stimme aus *Big Brother* kommt mir in den Sinn: »Ende von Tag eins im *Big-Brother*-Haus!« Warum hat es uns alle hierher verschlagen?, frage ich mich. Wie wird der Ort auf unsere Ankunft reagieren? Dem Verhalten der anderen Gäste im Restaurant nach zu urteilen, ist nicht mit einer herzlichen Aufnahme zu rechnen. Doch Giuseppe ist offensichtlich fest entschlossen, dafür zu sorgen, dass wir bleiben.

Hoffentlich können wir uns morgen unsere Häuser ansehen. Ich brenne darauf, so bald wie möglich einzuziehen – ich möchte ein Zuhause für Lennie und mich schaffen. Unser Zuhause. Denn ich werde heiraten!

Allmählich setzt sich diese Tatsache in meinem Kopf fest, wie zuvor der Geschmack von Honig und Käse auf meiner Zunge. Während ich das wunderbare Gefühl genieße, breitet sich ein Lächeln auf meinem Gesicht aus. Ich habe meine allerletzte Chance genutzt und stehe jetzt endlich auf der Sonnenseite des Lebens.

Doch als ich einschlafe, ist es nicht Lennies Gesicht, das ich vor mir sehe; stattdessen sehe ich einen Fremden namens Luca. Eine verbotene Frucht, eine sehr gefährliche Frucht.

9. Kapitel

Als ich am folgenden Morgen aufwache, habe ich das Gefühl, bei einer Vorstellung in der Albert Hall zu sein. Doch ich bin nicht im Konzertsaal, ich bin auf Sizilien, wo die Sonnenstrahlen zusammen mit einem ohrenbetäubenden Chor zahlloser Vogelstimmen durch die Lamellen der Fensterläden dringen. Ich stehe auf, gehe zum Fenster, öffne die Fensterläden und sehe verblüfft hinaus.

In diesem Moment klopft es an der Tür. Es ist Lennie – wie immer mit verwuschelten Haaren –, der zwei Tassen in den Händen hält.

»Ein schwacher Kaffee, für das Leichtgewicht unter uns!«, flachst er und gibt mir eine Tasse. Er weiß genau, wie ich meinen Kaffee mag.

Gemeinsam stehen wir am Fenster und starren auf den vernachlässigten Zitronenhain und die Vögel, die zwischen den Wildblumen, die unter den Bäumen wachsen, hin und her fliegen. Ein Schmetterling flattert direkt an uns vorbei.

»Ich frage mich, warum sich niemand um diesen Zitronenhain kümmert«, sage ich nachdenklich. »Und auch nicht um die anderen Zitronenhaine.«

Lennie zuckt mit den Schultern. »Vielleicht sind nicht genug Leute da. Ich meine, wir haben kaum jemanden gesehen. Deshalb sind wir doch hier, nicht wahr? Wir sind die jungen Leute!« Wir müssen beide lachen.

»Das junge verlobte Paar!«, sage ich. Ich habe das Gefühl, ich sollte meinen Worten Taten folgen lassen, und lege ihm vorsichtig den Arm um die Taille. Es fühlt sich ein bisschen seltsam an, also lehne ich den Kopf an seinen Arm, so wie auf dem Sofa, wenn wir uns alte Filme ansehen. Die Geste ist eher liebevoll und weniger ... verführerisch. Er legt mir einen Arm um die Schulter und bugsiert uns aus dem Neuland der körperlichen Intimität zurück in die Friend-Zone.

»Was machen wir heute?«, fragt er.

»Ich dachte, wir könnten uns vielleicht unser Haus ansehen.« Ich hebe den Kopf und sehe ihn begeistert an. »Wir könnten eine Bestandsaufnahme machen und herausfinden, was noch zu tun ist.« Ich lasse den Arm von seiner Taille rutschen und trinke einen Schluck Kaffee.

»Gute Idee. Je eher das Haus bewohnbar ist, desto eher können wir hier raus.« Er nickt Richtung Tür. »Barry hat uns erzählt, dass er als Briefträger gearbeitet hat.« Ein Lächeln spielt um seine Lippen. Ohne irgendwelche Hintergedanken, denn so ist Lennie nicht; er ist einfach ein Witzbold. »Und wir können uns allmählich Gedanken über Arbeit machen. Wir sollten bald die erste Zahlung von Giuseppe bekommen, mit der wir erst mal über die Runden kommen, aber ich dachte, ich sehe mich jetzt schon mal um. Um herauszufinden, ob jemand Unterstützung braucht. Es ist mir egal, was ich tue. Es würde mir gefallen, im Freien zu arbeiten.«

Ich denke an den Ort und seine leeren Geschäfte. An den Mangel an geschäftlichen Möglichkeiten.

»Es wird alles gut, nicht wahr, Lennie?«, frage ich plötzlich und sehe zum Ätna hinauf. »Wir haben doch die richtige Entscheidung getroffen, oder?«

»Auf jeden Fall«, antwortet er, zieht mich an sich und gibt

mir einen Kuss auf den Scheitel. Ich lehne mich an ihn und lege den Kopf an seine Brust. Hoffentlich hat er recht, ich hoffe es so sehr.

»Da sind sie ja, unsere Turteltäubchen!«, ruft Sherise. »Mich täuscht ihr nicht mit eurer Story über die getrennten Schlafzimmer!« Lachend deutet sie mit einem Pfannenwender auf uns. Sie trägt eine Schürze mit Rüschen und kocht etwas, was wie ein English Breakfast mit allen Schikanen aussieht. »Ich bereite für Billy gerne ein üppiges Frühstück zu«, erklärt sie.

Lennie legt mir wieder den Arm um die Schulter und lächelt. Sherise serviert die Eier mit Bacon.

»Ich sorge immer dafür, dass meine Schwester uns Bacon schickt«, erklärt sie durch den Qualm, »egal, wo wir gerade sind. Diese Eier habe ich auf dem Weg vom Festland nach Sizilien gekauft. Ich habe sie in einer Wollmütze transportiert.«

»In einer Wollmütze?«, fragt Barry. Ralph blickt von seinem Handy auf.

»Oh, wir sind schon seit Monaten auf Reisen. Wir haben mal hier, mal da gearbeitet, dann sind wir wieder weitergezogen, stimmt's, Billy?«

Billy nickt und blickt auf den Teller, nimmt aber Messer und Gabel nicht zur Hand.

»Was für Arbeiten habt ihr denn gemacht?«, erkundigt sich Ralph.

»Hauptsächlich Hausmeisterdienste, Haushaltsführung und Gartenpflege, allgemeine Wartungsarbeiten. Zuletzt waren wir in Frankreich und haben uns da um ein großes Haus gekümmert. *Gardiennage* nennen sie es dort.«

»Klingt fantastisch«, sage ich.

»Oh, das war es auch.« Sie sieht ihren Mann an. »Er ist ein

bisschen deprimiert. Wir dachten, dieses Projekt … na ja, dass wir endlich Wurzeln schlagen könnten. Aber nachdem wir gestern diese Häuser gesehen haben, glaube ich nicht, dass es für uns klappen wird.«

»Vielleicht, wenn sie repariert sind, und mit ein bisschen Farbe …«, versuche ich ihre Begeisterung zu wecken.

»Das ist es nicht. Billy hat auf ein Stück Land gehofft, auf dem wir ein paar Tiere halten können, um das zu tun, womit er sich auskennt.«

»Und was ist das?«, fragt Tabitha und mustert interessiert die Schale mit den Orangen.

»In Großbritannien waren wir Milchbauern. Billy wurde auf einem Bauernhof geboren und ist dort aufgewachsen. Auf dem Hof seines Vaters und davor seines Großvaters. Doch dann …« Als Sherise mit den Schultern zuckt, erkenne ich auf einmal den Schmerz in ihren Gesichtern. »… als die Milchpreise fielen, konnten wir nichts mehr entgegensetzen. Die Supermärkte kauften die Milch überall. Es hat uns mehr gekostet, die Kühe zu halten, als wir mit der Milch verdienen konnten.«

Sie dreht sich um und spült die Pfanne ab, die sie benutzt hat.

Ich erinnere mich, dass ich in meiner Zeit im Kinderheim einmal auf einem Bauernhof gewesen bin. Ich hatte schreckliche Angst, denn die Kühe waren riesig. Aber es war unglaublich, wie einige der größten Störenfriede unter den Kindern Feuer fingen und offensichtlich ihren Platz im Leben fanden, indem sie Verantwortung für die Tiere übernahmen. Es waren nicht die Tiere, die mir etwas brachten. Ich stellte fest, dass ich mich viel besser fühlte, wenn ich draußen war. Mein Gehirn arbeitete offenbar besser, wenn ich aktiv war. Es war eine große Umstellung für mich, danach wieder im Klassenzimmer zu sitzen – damit kam ich nicht gut klar, wie ich peinlicherweise zugeben muss.

»Was ist mit den Kühen passiert? Habt ihr sie verkauft?«, fragt Tabitha fasziniert. Vielleicht habe ich sie ja falsch eingeschätzt. Zweifellos interessiert sie sich für Sherises und Billys Leben.

Sherise schüttelt den Kopf, dreht sich um und legt Billy eine Hand auf die Schulter. »Es gab keine Käufer.«

»Sie wurden geschlachtet?«, fragt Ralph rasch und bringt die Sache damit auf den Punkt.

Sherise nickt langsam. »Es hatte keinen Sinn, an der Milchwirtschaft festzuhalten. Also haben wir den Pachtvertrag gekündigt und sind auf Reisen gegangen.« Sie gibt sich betont fröhlich und versucht ganz eindeutig, ihren Mann aufzuheitern. »Wir haben das Reisen geliebt. Wir waren überall.« Energisch trocknet sie die Pfanne ab.

Billy lässt die Schultern hängen und schiebt den Teller mit seinem Essen von sich weg.

»Ähm, wenn du das nicht essen möchtest, springe ich gerne ein«, sagt Barry. Als Billy nickt, zieht Barry den Teller zu sich und beginnt zu essen.

»Dann könnte das Projekt die Lösung für euch sein?«, frage ich munter.

»Nicht wirklich«, entgegnet Sherise. »Wie gesagt, wir haben auf ein bisschen Land gehofft, um Tiere halten zu können, aber wie ich Giuseppe gestern verstanden habe, ist es wohl nicht möglich.«

Sie tun mir leid. Sieht so aus, als hätten sich ihre Hoffnungen und Träume schon zerschlagen, bevor wir richtig anfangen konnten. Es muss einen Weg geben, ihnen zu helfen.

»Ich glaube, wir sollten uns die Häuser mal ansehen, um

festzustellen, was sie hergeben. Wir können dafür sorgen, dass ihr den größten Garten bekommt«, schlage ich vor.

»Danke.« Sherise lächelt, doch die beiden wirken nicht überzeugt. Ganz offensichtlich zweifeln sie daran, die richtige Entscheidung getroffen zu haben, indem sie hergekommen sind.

»Was ist mit dir, Ralph? Was führt dich nach Sizilien?«, fragt Tabitha. Erneut bin ich nicht sicher, ob sie vielleicht ein bisschen zu direkt und neugierig oder einfach nur interessiert ist. Aber ich bin gerne bereit, im Zweifelsfall das Beste anzunehmen. Wenigstens muss ich nicht über Lennie und mich reden, solange sie die anderen befragt, warum sie hier sind.

Ralph sieht uns alle an. Ich habe den Eindruck, dass er nicht scharf darauf ist, im Mittelpunkt zu stehen. »Nach meiner Zeit beim Militär war ich Banker. Sagen wir mal so: Ich will jetzt von der Londoner City so weit weg wie möglich. Ich dachte, das hier könnte der richtige Ort sein.«

»Hattest du einen Burn-out?«, wirft Barry ein, nickt wissend und isst den Rest Eier mit Bacon auf.

»Ausgebrannt war ich auf jeden Fall«, murmelt Ralph in seine Kaffeetasse. Er gibt deutlich zu erkennen, dass er nicht darüber reden möchte.

Niemand sagt etwas dazu. Ich kann Schweigen nicht gut ertragen. Und Tabitha scheint sich wirklich Mühe zu geben, damit wir etwas übereinander erfahren.

»Ich hatte einen Laden«, stoße ich hervor, um die peinliche Situation zu retten. »Es war mein Traum, alles, was ich je wollte. Darüber lag eine kleine Wohnung mit einem Balkon mit Blick auf die High Street. Ich habe das bunte Treiben geliebt, das ich von dort aus beobachten konnte. Dann wurde die Pacht erhöht, und ich konnte mir den Laden nicht mehr leisten. Schließlich bin ich als Verkäuferin in einem Kaufhaus gelandet.« Ich fühle mich, als würde ich meine Seele entblößen, indem ich Fremden meine Lebensgeschichte erzähle. Wenigstens habe ich ihnen nicht verraten, dass ich in einem Kinderheim aufgewachsen bin. Wer weiß, was aus mir geworden wäre, wenn Valerie an jenem Tag nicht eingeschritten wäre. Vermutlich wäre ich heute wie meine Mutter. »Also«, fahre ich fort, »ich hoffe, dass ich hier ein Geschäft und einen Onlineshop aufmachen kann. Es soll einer für Vintage-Schätze werden.«

»Davon sollte es hier jede Menge geben«, meint Barry. »Du könntest Wohnungsräumungen anbieten.«

»Oh, ich will nicht, dass die Leute denken, ich wäre hier, um von einer alternden Gemeinde zu profitieren!«, sage ich entsetzt.

Glücklicherweise greift Lennie ein und wechselt elegant das Thema. »Ich suche einfach Arbeit. Ich war Immobilienmakler, aber ich würde alles machen. Vielleicht etwas, was der Gemeinde hilft.«

»Es gibt eine Menge leer stehender Häuser«, meint Tabitha, die schon wieder auf ihrem Telefon herumtippt. »Du könntest versuchen, sie zu verkaufen.«

»Die Sache ist die, es gibt nichts, wofür die Leute herziehen möchten. Sie wollen nicht nur ein Haus kaufen, sie kommen auch wegen der Gegend und der Infrastruktur.« Lennie wechselt in den Immobilienmakler-Modus. »So schön dieser Ort auch ist, es gibt einen Grund, warum sie die Häuser an Leute wie uns vergeben.«

»Leute wie uns …« Tabitha blickt auf und betrachtet die Gruppe. »Alle hoffen auf einen Neubeginn«, sagt sie ruhig, während ihre Augen zwischen uns hin und her huschen.

»Auf eine neue Chance«, berichtigt Ralph und strafft die Schultern.

»Ja, natürlich, das habe ich ja gemeint«, erwidert sie und beschäftigt sich erneut mit ihrem Handy.

Lennie wendet sich an Barry, der mit einem Stück Brot die Reste des Eigelbs von seinem Teller aufwischt.

»Barry? Was erhoffst du dir?«

»Nun ja, ich weiß es nicht so richtig ... vielleicht eine Frau zu finden?«

»Warst du noch nicht verheiratet?«, fragt Sherise.

»Oh doch, dreimal. Jede Ehe endete in einer Katastrophe. Ich habe mein ganzes Leben lang als Briefträger gearbeitet. Als ich entlassen wurde, ließ sich meine letzte Frau scheiden, weil ich ihr im Weg war. Ich wusste nicht, wo ich wohnen sollte, ich konnte es mir nicht leisten, etwas zu kaufen. Verdammte Immobilienmakler.« Als er Lennie ansieht, frage ich mich einen Moment lang, ob es gleich eine Missstimmung geben wird, doch dann grinsen beide und lachen gutmütig. Automatisch lächele ich auch. »Deshalb habe ich mir gedacht, warum nicht? Mal sehen, was das Leben auf Sizilien zu bieten hat. Auf jeden Fall mehr als das Leben zu Hause. Zuletzt habe ich bei meiner Tochter auf dem Sofa geschlafen. Wahrscheinlich war sie froh, als ich endlich weg war!«

Ich schaue zu Tabitha, die immer noch auf ihr Handy starrt. Sie erinnert mich an mich selbst in der Zeit vor unserer Abreise, als ich ständig auf Nachrichten wartete, von denen ich glaubte, dass sie mein Leben verändern würden.

»Was ist mit dir, Tabitha? Was machst du hier?«

Sie hebt den Kopf. »Ich bin hier, um ... na ja, ich will den Roman beenden, an dem ich gerade schreibe. Ich habe eine Schreibblockade und dachte, dass es mich inspirieren würde, an einem Ort wie diesem zu leben.«

»Wow! Das ist ja super!«, sage ich beeindruckt.

Daraufhin entsteht eine Gesprächspause. Jeder hat erklärt, warum er hier ist, und offensichtlich fällt uns nichts mehr ein, worüber wir noch reden könnten.

»Nun«, ergreife ich schließlich die Initiative, »ich finde, wir sollten nachsehen, wie es mit den Häusern vorwärtsgeht. Giuseppe hat gesagt, die Arbeiten beginnen jetzt. Wir könnten unsere Mithilfe anbieten. Ich kann mit einem Malerpinsel umgehen.«

»Und ich kann Maurerarbeiten übernehmen«, meint Lennie. Ich erinnere mich, dass er mit Anfang zwanzig einen Sommer lang auf dem Bau gearbeitet hat.

»Ich bin gut in Heimwerkerarbeiten«, meldet sich Barry, greift nach seinem Gürtel und zieht ihn über seinen Bauch hoch.

»Billy und ich können im Garten arbeiten«, wirft Sherise mit ihrer positiven Einstellung ein.

»Ich kann nur mit anpacken, wenn man mir sagt, was ich tun soll. Ich bin gut darin, Aufträge auszuführen«, sagt Ralph nüchtern.

»Ich muss zuerst noch ein paar E-Mails verschicken.« Tabitha zeigt uns ihre weißen Zähne.

»Statt nach Inspiration zu suchen, scheinst du ständig auf der Suche nach Handyempfang zu sein«, wirft Barry ein. Damit spricht er aus, was wir alle denken, und wir müssen lachen. Ich empfinde eine gewisse Erleichterung. Vielleicht wird es doch gar nicht so übel, mit diesen Leuten zusammenzuleben. Sie machen einen netten Eindruck. Wir verstehen uns.

Da alle einverstanden sind, machen wir uns auf den Weg in den Ort – wie Robin Hood mit seinen lustigen Gesellen. Mir fällt auf, dass der Gipfel des Ätna an diesem Morgen von einer größeren Rauchwolke umgeben ist. Die weiße Wolke, die wie ein Kragen aussieht, hat sich seit gestern verdoppelt, und ständig steigt Dampf auf.

Es liegt eine seltsame Stimmung in der Luft, eine Besorgnis, die uns nicht verlässt, als wir in den stillen, leeren Ort spazieren. Das gelegentliche Zucken einer Gardine oder das Knarren eines Fensterladens lässt darauf schließen, dass Menschen in den Häusern sind, doch niemand kommt heraus, um uns willkommen zu heißen. Je eher wir unsere Häuser beziehen, desto eher lernen die Einheimischen uns kennen, und wir können endlich unser neues Leben beginnen.

10. Kapitel

Als wir von der Hauptstraße in die Nebenstraße einbiegen, in der sich unsere zukünftigen Häuser befinden, rechnen wir damit, ein Handwerkerteam zu sehen, das in der Morgensonne arbeitet und dankbar für jede Art von angebotener Hilfe sein wird. Wir bleiben stehen und starren mit offenem Mund. Niemand ist da. Wirklich niemand. Die Häuser sind genauso still und verlassen wie am Vortag.

Langsam gehen wir auf das erste Haus zu. Unsere Hochstimmung ist verpufft. Die Fensterläden im oberen Stockwerk sind kaputt und haben Schlagseite, der Balkon bröckelt. Ich strecke die Hand aus und versuche, die Haustür zu öffnen, doch sie ist abgeschlossen. Davon lasse ich mich nicht abschrecken und probiere es beim nächsten Haus, das sich in einem ähnlichen Zustand befindet. Aber es ist ebenfalls abgeschlossen. Ich reibe an einer schmutzigen Fensterscheibe und versuche, ins Innere zu spähen.

»Wenn wir in die Häuser kämen, könnten wir wenigstens sehen, was zu tun ist«, sage ich resolut. So bin ich, wenn ich mir etwas in den Kopf gesetzt habe. Ich finde es schwierig, etwas nicht durchziehen zu können, gleichgültig, worum es geht. Bereits als Teenager konnte ich keinen Streit auf sich beruhen lassen, oder ich war fest entschlossen, lesen zu lernen, als die Lehrer schon an mir verzweifelt waren. Manche Menschen, beispielsweise Valerie, nennen das Zielstrebigkeit. Andere, wie die Mitarbeiter des Heims, in dem ich aufwuchs, benutzten eher das Wort Sturheit. Eines weiß ich mit Sicherheit: Ich möchte nicht, dass mein Leben so chaotisch wird wie das meiner Mutter. Ich will nicht in den Schlamassel geraten, in dem sie feststeckt. Deshalb ist es die richtige Entscheidung, mir eine gemeinsame Zukunft mit Lennie aufzubauen. Vielleicht wäre ja auch ihr Leben anders verlaufen, wenn sie dem Richtigen begegnet wäre, wer weiß?

Für mich hat sich die Lage in dem Moment verändert, in dem Valerie mich aufgelesen und mit nach Hause genommen hat. Ich habe eine andere Lebensweise kennengelernt. Eine warme, einladende. Nicht vergleichbar mit den Regeln, den Vorschriften und dem Misstrauen, die das Leben im Kinderheim bestimmt haben. Dort war ich ständig auf der Hut, konnte niemandem vertrauen. Dagegen war das Leben bei Valerie geordnet, glücklich und sicher. Genau das wünsche ich mir für meine eigene Familie.

»Wir sind eine Menge Leute«, fahre ich fort. »Wenn wir uns jeweils auf ein Haus konzentrieren, können wir jede Menge wegarbeiten, und die Handwerker können das erledigen, was wir nicht hinbekommen.«

»Gute Idee«, stimmen alle zu.

»Ich habe mein ganzes Leben lang sauber gemacht«, sagt Sherise und stellt den Eimer ab, den sie aus dem Bauernhaus mitgebracht hat. Darin befinden sich Gummihandschuhe, Reiniger, Lappen und Tücher. »Billy hat auf dem Hof gearbeitet, ich habe in der Schule geputzt. Sauber machen kann ich, was, Billy? Vor allem, wenn es für uns selbst ist.«

Er lächelt ihr liebevoll zu, doch in seinen müden blauen Augen entdecke ich Traurigkeit. Er hat sich offensichtlich noch nicht mit der Vorstellung angefreundet hierzubleiben, wenn er kein Land bekommen kann.

»Je eher wir einziehen können, desto eher müssen wir Barrys Schnarchen nicht mehr ertragen«, meint Ralph trocken. Als alle ihn ansehen, stellen wir fest, dass er scherzt, denn zum ersten Mal erscheint auf seinem Gesicht ein vorsichtiges Lächeln.

»Ach, Barry, es ist ein süßes Geräusch«, sage ich.

»Meine letzte Frau sagte immer, ich schnarche wie ein Warzenschwein.« Barry hakt die Daumen in seinen Gürtel ein und kickt einen Stein weg, während wir alle lachen.

»Gut, dann lasst uns mal einen Weg ins Haus finden«, sage ich. Ich bin wieder etwas optimistischer gestimmt und habe das Gefühl, dass wir gemeinsam alles hinbekommen können.

»Dann mal los«, sagt Ralph und mustert die Gebäude auf – wie ich annehme – militärische Art und Weise.

Sherise und ich klatschen begeistert in die Hände. Unsere Häuser sind zwar noch nicht einzugsbereit, doch mit ein bisschen Anpacker-Mentalität werden wir schon nachhelfen!

So wie es aussieht, hat Ralph ein Fenster mit einem kaputten Riegel im ersten Stock des letzten Hauses entdeckt. Er sucht nach einer Möglichkeit, zu dem Fenster hinaufzuklettern.

»Billy, kannst du eine Räuberleiter machen?«

Billy gibt Ralph die gewünschte Hilfestellung, und als Ralph die Mauer erklimmt, applaudieren und klatschen wir alle.

»Es ist, als würden wir Spider-Man zusehen!«, ruft Sherise.

»Hey!« Eine tiefe Stimme erschreckt mich und lässt uns erstarren. »Hey! *Arresto!* Stop!«

Als wir uns umdrehen, sehen wir einen Hünen von einem Mann in einer Lederjacke und einem engen T-Shirt, unter dem sich sein Waschbrettbauch abzeichnet, auf uns zukommen. Er hebt eine Hand, eine Riesenhand, groß wie eine Schaufel. Ralph springt herunter und nickt misstrauisch.

»Hoffentlich hat er die Schlüssel dabei«, sagt Lennie munter und weist damit auf das Offensichtliche hin. Auf diese Idee bin ich gar nicht gekommen. Er scheint immer das Positive zu sehen, zum Beispiel die Gründe, warum wir nach Città d'Oro kommen und aufhören sollten, Mr. und Miss Right nachzujagen, und stattdessen erkennen, was sich direkt vor unserer Nase befindet.

»Hoffentlich«, entgegnet Ralph und klopft sich den Staub von der Hose.

Ich lege die Hand über die Augen, um sie vor der grellen Sonne zu schützen, während der Hüne auf uns zumarschiert.

»*Buongiorno*«, versuche ich es in meinem besten Italienisch. »*Parla inglese?*«

Doch anstatt zu lächeln und uns die Schlüssel entgegenzustrecken, schüttelt er den Kopf und hebt mahnend den Zeigefinger. »Ah, *inglese*«, sagt er, als hätten wir ihm gerade mitgeteilt, dass wir Mitglieder einer wohlbekannten Bande von Störenfrieden seien. Erneut droht er uns mit dem Finger.

»Wir sind gerade hergezogen«, erkläre ich für den Fall, dass er uns für Touristen hält. »Das hier werden unsere Häuser. Der Bürgermeister, Giuseppe, hat sich darum gekümmert. Wir nehmen an dem Projekt zur Neuansiedlung teil.«

»Wir wollten in das Haus, um mit den Renovierungsarbeiten zu beginnen«, schaltet sich Lennie höflich ein und nimmt das Heft in die Hand. Wie damals, als ich auf dem Weg zu einem Gig mit einem Zugticket für Kinder erwischt wurde. Es gelang Lennie, den Kontrolleur zu überreden, keine Geldstrafe gegen mich zu verhängen. Und dann überzeugte er die Türsteher am Veranstaltungsort, dass wir älter als achtzehn seien und man uns die Ausweise gestohlen habe. Lennie kann einfach gut mit Menschen umgehen. »Ich bin Lennie«, stellt er sich jetzt vor und streckt die Hand aus, die kein bisschen zittert, wie mir auffällt.

»Matteo«, sagt der Hüne. Nachdem er Lennie die Hand geschüttelt und ihm mehrere Sekunden lang in die Augen gesehen hat, dreht er sich zu uns um. Wir stellen uns ebenfalls vor, und er sagt wieder: »Matteo. Oder Matt, wenn euch das leichter fällt«, fügt er mit einem Anflug von Humor hinzu.

»Also, Matteo.« Als Lennie wieder die Initiative ergreift, überlasse ich sie ihm gerne. Bisher macht er das sehr gut. »Gehörst du zu den Handwerkern?«

»*Sììì.*« Er zieht das Wort in die Länge. »Ich bin ein Handwerker.«

»Super, wenn du uns reinlässt oder uns die Schlüssel gibst, können wir schon mal anfangen.«

Zuerst lächelt Matteo, doch dann verdüstert sich seine Miene. »*Non! M'av'a scusari.* Sorry. *Non possibile.*«

»Was? Du hast die Schlüssel nicht dabei? Wir können warten.« Lennie sieht uns an, und wir nicken zustimmend.

»Nein, keine Schlüssel. Tut mir leid. Ihr könnt nicht in die Häuser.«

Ich kann meinen Mund nicht halten. »Warum nicht?«, mische ich mich ein.

»Es ist nicht sicher«, antwortet er ernst.

»Nun, sie müssen ein bisschen aufgehübscht werden, das steht fest, aber wir packen gerne mit an und helfen«, sage ich und blicke zu dem bröckelnden Balkon auf. Dabei stelle ich mir vor, wie toll die Aussicht von da oben sein muss.

»Nein, tut mir leid. Ihr könnt nicht rein, bevor die Arbeiten erledigt sind. Es ist nicht sicher«, wiederholt er. Irgendwie habe ich das Gefühl, dass eine versteckte Drohung darin liegt. »Ich sehe nach den Häusern und bewache sie, bis man mir sagt, dass die Arbeiten beginnen sollen.«

»Aber Giuseppe sagt, dass alles bereits organisiert ist.«

»Es gibt … ein Problem. Eine Verzögerung. Es sind andere Aufträge hereingekommen.«

»In dem Fall kannst du uns doch in die Häuser lassen, dann könnten wir gleich anfangen!« Allmählich steigt Frust in mir auf.

Lennie legt mir den Arm um die Schultern. »Sieh mal, Matteo – Matt –, gibt es irgendwas, was wir tun können, du weißt schon, damit du vielleicht eine Tür offen lassen kannst …?«, fragt er leise.

Ehrlich, ich bin beeindruckt. Bestechung! Warum ist mir das nicht eingefallen? Ich könnte Lennie küssen; genau genommen sollte ich ihn bald küssen. Wenn wir heiraten wollen, müssen wir diese Hürde überwinden und nicht mehr nur beste Freunde sein, sondern ein Liebespaar werden.

Matteo sieht Lennie an. »*No,* tut mir leid«, lehnt er das Ansinnen rundheraus ab. Meine Gedanken an Küsse lösen sich umgehend in Wohlgefallen auf. »Die Häuser bleiben verschlossen, bis … bis die Arbeiten beginnen können. Euer Besitzer wäre sehr unzufrieden mit mir, wenn ich zuließe, dass etwas passieren könnte.«

Ich stoße einen langen Seufzer aus. »Dann sollten wir besser mal Giuseppe besuchen.«

»Bist du ganz sicher, Matteo?«, versucht Lennie es ein letztes Mal.

Matteo zuckt mit den Schultern. »Tut mir leid, aber ich muss meine Anweisungen befolgen. Mein Lebensunterhalt steht auf dem Spiel, ich bin abhängig von der Arbeit, die er mir gibt.« Er streckt die schaufelähnlichen Hände aus. »Aber herzlich willkommen in Città d'Oro!«, sagt er mit einem aufrichtigen Lächeln.

Als wir niedergeschlagen davonschleichen, drehe ich mich noch mal um, betrachte die Reihe der kleinen Häuser und werfe einen Blick hinauf zu der großen roten Villa oberhalb der Straße. Ich könnte schwören, dass dort ein Mann mit dunkler Sonnenbrille und Hut steht, uns beobachtet und sich umdreht, als wir uns zum Gehen wenden. Das bestärkt mich zusätzlich in meiner Entschlossenheit, die Häuser zu beziehen und das zu beginnen, weshalb wir nach Sizilien gekommen sind: unser neues Leben.

Als wir die Stufen des Rathauses erreichen, kommt schon Giuseppe auf uns zu.

»Guten Morgen, *buongiorno!*«, ruft er uns zu.

»Wir sind gerade bei den Häusern gewesen und haben den Handwerker getroffen. Wir können nicht rein. Derzeit wird überhaupt nicht gearbeitet«, erklären wir ihm umgehend.

»Und was ist mit dem versprochenen Startkapital?«, wirft Tabitha ein. »Es gibt hoffentlich keine Probleme damit, oder doch? Ich müsste dringend meine Kreditkartenrechnung zahlen.«

Giuseppe hebt die Hände. »Kein Problem. Es gibt nur eine kleine Verzögerung. Ich bin gerade dabei, mich darum zu kümmern. Ich verspreche euch, dass ich euch bald Bescheid gebe. Sehr bald ...«

Er rückt seine Krawatte gerade, verabschiedet sich und geht die Straße entlang. Wir sehen ihm hinterher, als er an einem Gebäude stehen bleibt, das wie eine Bank aussieht. Ein älterer Herr in einem adretten Anzog kommt heraus, schüttelt Giuseppe die Hand und bittet ihn hinein.

»Kommt, lasst uns etwas zu essen einkaufen. Ich habe einen Bärenhunger«, meint Lennie. Alle stimmen zu, und wir machen uns auf den Weg zum einzigen Lebensmittelgeschäft des Ortes.

Die dunklen Holzregale im Laden sind vollgestopft mit Lebensmitteln für den täglichen Bedarf: Öl und Konservendosen, abgepacktes Fleisch und abgepackter Käse. Ganz und gar nicht das, was ich erwartet habe. Ich höre einen Vogel singen und recke den Hals, um über die Regale in einen kleinen, dunklen Raum zu spähen, wo das Mädchen von zuvor mit einem Stift in der Hand hockt und in ein Heft schreibt. Sie blickt auf, lächelt und winkt. Ich winke vorsichtig zurück, dann drehe ich mich um und sehe, dass die Frau hinter der hohen Ladentheke – wahrscheinlich ihre Mutter – mir einen bösen Blick zuwirft. Ich schnappe mir ein bisschen Brot, Käse, kalten Braten und den frischesten Salat, den ich entdecken kann, und lasse die Waren auf die Theke gleiten. Lennie stellt noch eine Plastikflasche mit Wein dazu, den er aus einem Fass in der Ecke des Ladens gezapft hat.

Fünf Minuten später treten wir wieder auf die Straße hinaus. Ich betrachte das Wechselgeld in meiner Hand.

»Hoffentlich bekommen wir bald unser Startkapital!«, sage ich.

Weiter vorne sehen wir Giuseppe aus der Bank kommen. Er fährt sich mit der Hand durchs Haar. Ich will ihm zuwinken und ihn rufen, doch Lennie ergreift meinen Arm, bevor ich den Mund aufmachen kann.

»Ich bin sicher, er bekommt das hin«, meint er lächelnd. »Entspann dich einfach. Wir sind jetzt auf Sizilien, hier ticken die Uhren ein bisschen anders, vergiss das nicht. Alles wird gut, Zelda. Giuseppe macht den Eindruck, als würde er es hinbekommen.«

Er hat recht, ich muss mich entspannen. Es gibt keinen Grund, sich in allen Dingen derart abzuhetzen. Alles wird in Ordnung kommen. Ich werde geduldig sein!, denke ich. Ich passe mich an das sizilianische Zeitgefühl an. Als wir uns zum Gehen wenden, um zum Bauernhaus zurückzukehren, lächele ich Lennie zu, der das Lächeln erwidert und mir den Arm um die Schulter legt, wie er das immer tut. Alles wird gut.

11. Kapitel

»Wir sind jetzt schon eine ganze Woche hier und haben immer noch nichts von dem Startkapital zu sehen bekommen! Die Arbeiten an unseren Häusern haben auch noch nicht begonnen.«

Ich stehe in der großen Küche und sehe Lennie an. Sherise brät wieder Eier mit Bacon für Billy. Barry hat die Daumen in seinen Gürtel eingehakt und blickt hinaus über den Zitronenhain, in dem jede Menge dunkelrote Mohnblumen und gelber Wilder Fenchel wachsen. Ralph versucht, online zu gehen – offensichtlich will er die Börsenkurse in London checken. Mit jedem Tag, der vergeht, komme ich mir zunehmend so vor, als wohnten wir im *Big Brother* Haus. Keiner von uns weiß etwas mit sich anzufangen. Lennie macht sich fertig, um erneut auf Jobsuche zu gehen – wie jeden Tag der vergangenen Woche –, nur um mit leeren Händen zurückzukehren.

»Überall, wo ich hinkomme, ist entweder geschlossen, oder sie machen die Tür zu, wenn sie mich sehen, oder sie brauchen keine Hilfe.«

Alle, denen wir begegnen, sind auf der Hut und sehr reserviert. Niemand will sich mit uns unterhalten, sie meiden sogar Blickkontakt. Alle eilen an uns vorbei. Wir sind dazu übergegangen, mehr Zeit alleine zu verbringen, und ziehen uns in unsere Zimmer zurück. Das ursprüngliche Gefühl der Kameradschaft ist verschwunden, stattdessen liegt eine nervöse Spannung in der Luft.

Allmählich beginne ich an Giuseppe zu zweifeln und frage mich, was wir getan haben. Ist das Ganze ein seltsamer Schwindel? Alle sind beunruhigt. Sogar Lennie und ich gehen nicht mehr unbefangen miteinander um – wir wissen nicht, wie wir uns verhalten sollen. Er gibt sich große Mühe, den perfekten Verlobten zu spielen, jedoch ohne Körperkontakt. Ich habe das Gefühl, dass er es inzwischen geradezu vermeidet, mich zu berühren. Ich möchte einfach, dass es wieder so wird, wie es sonst war. Und nein, wir haben uns immer noch nicht geküsst, und ich glaube, das ist der Großteil des Problems. Doch das Problem wird einfach nicht angesprochen. Wir müssen daran arbeiten, unsere Beziehung voranzutreiben. Schließlich wollen wir bald heiraten!

Die Einzige, die etwas zu tun scheint, ist Tabitha. Sie hält sich ständig in ihrem Zimmer auf und arbeitet am Laptop. Wenigstens ihre Träume werden hier wahr, denke ich mit einem Anflug von Neid.

»Er hat gesagt, bald wäre alles geregelt …« Sogar Sherises Optimismus schwindet.

»Irgendwas fühlt sich nicht richtig an«, stimme ich ihr zu. Unwillkürlich muss ich an den Mann im Restaurant denken, den Mann mit der Sonnenbrille und dem Hut, den Mann, der uns von der Terrasse der roten Villa aus beobachtet hat, als wir unsere zukünftigen Häuser nicht betreten durften.

»Wenn ich die Chancen abwägen sollte, würde ich sagen, wir sind einem Versager aufgesessen.« Ralph steckt sein Handy weg. »Ich kann es nicht fassen, dass ich mich nicht auf meinen Instinkt verlassen habe.«

»Warst du gut in der Finanzbranche?«, fragt Sherise.

»Ja, bis zu einem gewissen Punkt«, antwortet Ralph trocken. »Bis ich versagt und alles verloren habe.«

»Oje!« Sherise, die gerade die Eier mit Bacon serviert, hält inne.

»Meine Frau hat mich verlassen. Meine Kinder bekam ich kaum noch zu Gesicht. Nicht dass ich sie vorher häufig gesehen hätte – ich habe sehr viel gearbeitet. Ich dachte, das hier wäre ein Neubeginn. Ich wollte mir ein Leben in der Sonne aufbauen, wo ich Zeit mit meinen Kindern verbringen kann, wenn sie mich in den Ferien besuchen. Sieht so aus, als hätte ich definitiv meine Fähigkeit verloren, auf Sieg zu setzen.«

Tabitha hat sich zu uns an den Küchentisch gesetzt.

»Ich bin sicher, alles wird gut«, sagt Lennie. Ich liebe ihn für seine positive Einstellung. »Niemand hat Geld verloren, es kann also kein Schwindel sein. Wir haben nichts investiert.«

»Nein, aber wir leben hier zusammengepfercht in einem heruntergekommenen Bauernhaus, das total abgelegen ist, umgeben von jeder Menge vernachlässigter Bäume, ohne Möglichkeit, irgendwohin zu fahren. Wir finden keine Arbeit, und man gibt uns nicht mal die Möglichkeit, an den Häusern zu arbeiten, die uns versprochen wurden. Es fühlt sich ein bisschen unheimlich an«, sagt Barry. »Was, wenn …«

»Okay, das reicht.« Ich versuche ihn zu bremsen, bevor seine lebhafte Fantasie uns alle in Panik versetzt.

»Na ja, man hört ja immer wieder seltsame Geschichten, nicht wahr? Ich meine, warum sind wir hier? Weil keiner von uns einen anderen Ort hat, an den er gehen könnte, deshalb. Wenn es Alternativen gäbe, hätten wir nicht unsere Habseligkeiten zusammengepackt und unsere Hoffnungen auf einen Zeitungsbericht und eine Online-Anzeige gesetzt.«

»Er hat recht«, sagt Ralph. »Ich kann nicht nach Hause, weil die Zeitungen nach meinem Blut lechzen. Barry hier schläft auf dem Sofa seiner Tochter. Sherise und Billy haben ihre Lebensgrundlage verloren. Das Gleiche gilt für dich, Zelda. Und Lennie will eindeutig auch neu anfangen. Wir laufen alle vor etwas davon.« Außer Lennie, denke ich. Ich kann mir nicht vorstellen, wovor Lennie davonlaufen sollte. Er scheint nur auf das Abenteuer des Ehelebens hinzusteuern. »Sogar Tabitha konnte ihre Arbeit zu Hause nicht so ausüben, wie sie sich das vorgestellt hat. Und seht sie euch jetzt an, ständig schreibt sie.«

Tabitha sieht mit ihren großen blauen Augen unter perfekt geformten Augenbrauen zu uns auf.

»Ja, ich glaube, ich habe hier die Inspiration gefunden, die ich brauche«, erwidert sie mit einem Lächeln.

»Worum geht es in deinem Roman?«, fragt Barry und will einen Blick auf den Bildschirm ihres Laptops werfen. Rasch klappt sie den Rechner zu.

»Um den Aufbruch zu neuen Ufern.« Sie lächelt erneut.

»Ich will damit nur sagen, dass Barry recht hat.« Ralph tigert inzwischen im Raum herum wie ein Tier im Käfig. «Irgendwas stimmt hier nicht. Man verspricht uns Häuser und Startkapital, doch stattdessen werden wir in ein abgelegenes Bauernhaus abgeschoben, wo man uns offensichtlich vergessen hat. Ich weiß nicht, wie es euch geht, aber ich bin nicht hier, um Urlaub zu machen. Dafür habe ich nämlich kein Geld. Ich muss Arbeit finden, brauche etwas zu tun … Im Moment würde ich alles machen, um dieser Langeweile zu entkommen.«

»Allerdings!«, meint Barry. Billy nickt nachdrücklich.

»Wir müssen in diese Häuser«, sagt Lennie. »Man soll uns wenigstens die Starthilfe auszahlen.«

Alle murmeln ihre Zustimmung.

Ich blicke in die Runde. Die Spannung scheint zu steigen. Und plötzlich verliere ich die Geduld. Es ist, als würde meine Energie eine Schranke einreißen. »Wir müssen etwas tun!«, rufe ich aus. »Wir müssen herausfinden, was hier gespielt wird und wann wir unser neues Leben beginnen können, statt hier tatenlos rumzusitzen. Lasst uns zu Giuseppe gehen.«

Wir steuern alle gleichzeitig auf die Tür zu. Billys Frühstück bleibt verwaist auf dem Tisch zurück und wirkt irgendwie fehl am Platz. Und genauso fühlen wir uns momentan auch – fehl am Platz.

12. Kapitel

Trotz der Hitze – es ist deutlich wärmer als bei unserer Ankunft vor über einer Woche – marschieren wir in den Ort. Die Wildblumen stehen in voller Pracht. Die Straßen sind jedoch – abgesehen von vereinzelten Autos – größtenteils wie ausgestorben. Vor lauter Wolken und Rauch ist der Gipfel des Ätna kaum zu erkennen, und die diesige Luft ist drückender denn je.

»Sieht nach Touristen aus«, kommentiert Ralph, als ein Wagen vorbeirauscht und den Ort gleich wieder verlässt.

»Sie sind bestimmt auf dem Weg zum Ätna«, füge ich hinzu. Durch den Dunst kann ich schwach die Dörfer weiter oben am Berghang ausmachen. Dort oben gibt es Weinberge, und man kann an Weinproben teilnehmen. Am höchsten Punkt lässt der schwarze Vulkanfels den Berg eher wie eine Mondlandschaft aussehen. Der Wind scheint aufzufrischen, als wüte irgendwo in der Ferne ein Unwetter.

Als wir die Hauptstraße entlanggehen, tritt das kleine Mädchen aus dem Lebensmittelladen und winkt uns zu.

»Guten Morgen«, grüßt sie in perfektem Englisch.

»Guten Morgen.« Ich muss unwillkürlich lächeln, obwohl ich so besorgt bin.

»Wo wollt ihr hin? Kann ich mitkommen und mein Englisch üben?«, fragt sie strahlend. Doch ihre Mutter kommt heraus, schaut finster in unsere Richtung und schickt das Mädchen in den düsteren Laden zurück.

Wir marschieren weiter und steigen schließlich die abgenutzten Steinstufen zu der großen imposanten Kirche hinauf. Die Farbe blättert von der weißen Fassade, und über dem Eingang hängt eine rostige Glocke. Wir wenden uns zum Rathaus, in dem Giuseppe sein Büro hat. Die großen Palmen vor dem Gebäude wiegen sich im Wind.

Der Bürgermeister ist weder im Büro noch in seinem Haus nebenan zu finden. Ratlos blicken wir auf die schmalen Kopfsteinpflasterstraßen und die kleinen Gassen.

»Vielleicht ist er bei den Häusern, unseren Häusern«, sagt Ralph.

»Oder beim Bauerhaus, um nach uns zu sehen«, schlägt Sherise vor.

»Er könnte überall sein«, meint Tabitha.

»Oder vielleicht hat er das Geld genommen und ist abgehauen, um sich irgendwo ein schönes Leben zu machen.« Barry spricht aus, was wir alle denken.

Wir sehen uns an.

»Ihr habt eine blühende Fantasie«, sagt Sherise.

»Trotzdem sollten wir ihn rasch finden.« Sogar Lennie klingt besorgt. »Wir sollten uns aufteilen.«

Sherise und Billy kehren zum Bauernhaus zurück. Lennie und Ralph sehen bei den Häusern nach, und Barry sucht zusammen mit Tabitha die Straßen oberhalb der Piazza ab, während ich die Straßen unterhalb abklappere. Als ich durch die Kopfsteinpflastergasse zur Piazza gehe, schaue ich zum Restaurant hinüber. Dabei ärgere ich mich über mich selbst, weil ich hoffe, ich könnte vielleicht einen Blick auf Luca erhaschen, doch es ist niemand zu sehen – auch gut, denke ich.

Der Wind pfeift durch die Straßen, und die schwüle Luft

sorgt dafür, dass ich Kopfweh bekomme. Leute sitzen auf Stühlen vor ihren Türen und betrachten mich. Ich nicke ihnen zu und lächele. Sie erwidern mein Nicken, lächeln aber nicht; mein Anblick scheint sie zu verwirren.

»*Scusi*, haben Sie Giuseppe gesehen, den Bürgermeister? *Il sindaco?*«

»*No*«, antworten alle und sehen mich mit großen Augen an.

Ich marschiere weiter den Hügel hinunter, zwischen den im Wind rauschenden, schwankenden Pinien und Palmen hindurch, und hoffe, auf jemanden zu treffen, der meine Frage mit *sì* beantworten kann. Schließlich höre ich eine Stimme und folge ihr.

»Hallo? *Buongiorno?*« Keine Antwort.

Ich entdecke ein Tor in einem Steinbogen, in den Initialen graviert sind: F + A. Dahinter geht es ein paar Stufen abwärts; das Gelände scheint hier stärker abzufallen. Weiter oben steht eine Scheune, in der sich sauber gestapelte Kisten befinden.

Als ich das Tor aufschiebe und eintrete, lässt der Wind es hinter mir zuschlagen. Mir brummt der Schädel.

»Hallo? *Buongiorno!*«, rufe ich. Ich sehe mich um und fühle mich wie Alice im Wunderland, die eine fremde Welt betritt, denn es gibt einen großen Unterschied zum Rest von Città d'Oro: Die Zitronenbäume sehen frisch und gesund sowie gut gepflegt aus.

»Hey, hi!« Eine Stimme unterbricht meine Gedanken und lässt mich zusammenzucken. Ich drehe mich um, sehe aber niemanden. »Hier oben!«

Als ich aufblicke, sehe ich Luca, der mir von einem Balkon aus zuwinkt. Der Wind zerzaust seine dichten Haare. Mein Herz macht einen Satz – es muss an der Überraschung liegen, aus dem Nichts plötzlich eine Stimme zu hören.

»Komm rauf, ich koche gerade Kaffee!«, ruft er mir über das Rauschen der Zitronenblätter zu und deutet auf eine Holztreppe.

»Oh nein, ich wollte nur ...« Doch er ist schon im Haus verschwunden.

Vorsichtig steige ich die Treppe hinauf. Mein Kopf fühlt sich immer noch an, als würde mir jemand das Gehirn zerquetschen. Obwohl ich mich am Geländer festhalte, scheint die ganze Welt einen Moment lang zu schwanken. Ich bleibe stehen und konzentriere mich auf den tadellos gepflegten Zitronenhain.

»Dieser Ort ist fantastisch«, sage ich, als ich die Treppe erklommen habe und vor der offenen Tür stehen bleibe. Ich atme die schwüle Luft tief ein und trete durch den Perlenvorhang, der leise klirrt, obwohl er zurückgebunden wurde.

»*Grazie*«, sagt Luca und zeigt dann auf den Tisch auf dem Balkon, wo sein Telefon liegt. Das muss die Stimme gewesen sein, die ich zuvor gehört habe, er hat wohl telefoniert. »Bitte setz dich doch.« Er bringt Kaffee und zwei Tassen auf den Balkon.

»Oh, ich kann nicht bleiben. Ich bin auf der Suche nach Giuseppe, dem Bürgermeister. Hast du ihn gesehen?«

Luca schüttelt den Kopf. Der Himmel ist dunkel und diesig, aber es ist warm, sehr warm.

»Nein.« Er stellt den Kaffee auf dem Tisch ab. »Bitte.« Er macht eine einladende Handbewegung. Ich muss sagen, dass es hier ganz entzückend ist. Eine Brise streicht vom Meer herauf durch den in Terrassen angelegten Zitronenhain.

Unsere Blicke begegnen sich. Es ist etwas zwischen uns, aber ich habe keine Ahnung, was es ist. Dieser Mann ist freundlich und herzlich, anders als die meisten anderen Einheimischen.

»Geht's dir gut?«, fragt er schließlich und legt den Kopf schief. »Soll ich dir einen Schluck Wasser holen?«

Ein pochender Schmerz tobt in meinem Kopf. Ich weiß nicht, ob es an den Sorgen liegt, die ich mir mache, an der Tatsache, dass ich Giuseppe nicht finden kann, oder ob die schwüle Luft schuld ist.

»Das wäre prima, danke«, antworte ich. Er lächelt und verschwindet in der Küche.

Auf einmal habe ich wieder das Gefühl, dass meine ganze Welt sich bewegt und schwankt. Wie auf der Treppe, aber diesmal ist es schlimmer. Ich halte mich am Tisch fest, auf dem die Kaffeetassen auf den Untertellern klappern. Das Schwanken scheint nachzulassen, gerade als Luca mit einem Glas Wasser zurückkehrt. Er sieht besorgt aus. Ich habe keine Ahnung, was mit mir los ist.

Ich nehme das Glas und leere es in einem Zug. Er beobachtet mich, seine Augen huschen beunruhigt zwischen dem windigen Zitronenhain und mir hin und her.

»Geht's dir gut?«, wiederholt er.

»Danke«, antworte ich schließlich und reiche ihm das leere Glas. »Ich fühle mich nur irgendwie … komisch.«

»Das passiert manchmal.« Wieder schweift sein Blick über den Zitronenhain. Offensichtlich ist er an Leute gewöhnt, denen es ab und zu schwindelig wird.

»Danke noch mal«, sage ich.

»*Grazie*«, berichtigt er.

»*Grazie.*« Ich lächele ihm zu.

Ich sehe ihm zu, als er den Kaffee einschenkt. Vielleicht kann er dazu beitragen, meine Befürchtungen zu zerstreuen, denke ich. Während er sich auf die Kaffeekanne konzentriert, wirkt er allerdings, als habe er selbst auch Sorgen.

»Luca?« Ich will ihm die Fragen stellen, die mir ständig im Kopf herumschwirren.

»Zelda, nicht wahr?«

Wir sprechen beide gleichzeitig.

»Du zuerst.« Er schlägt die Beine übereinander und trinkt einen Schluck Kaffee. Mir fällt auf, dass er seine Tasse regelrecht umklammert.

»Ich frage mich, ähm ... Wie gut kennst du Giuseppe, den Bürgermeister?«

Er stellt seine Tasse ab und sieht mich an. »Sehr gut. Er ist mein Onkel«, erwidert er sachlich.

»Oh.« Ich weiß nicht, was ich als Nächstes fragen soll. Mir ist immer noch ein bisschen schwindelig, und meine Gedanken sind durcheinandergeraten.

»Er ist ein feiner Kerl. Er war mit meiner Tante verheiratet, der Schwester meines Vaters. Ich kenne ihn schon mein ganzes Leben lang. Er ist hier aufgewachsen, genau wie meine Tante. Sie waren bereits seit ihrer Kindheit zusammen.«

»Was ist mit deiner Tante?«

»Sie ist gestorben, vor zehn Jahren.« Er greift wieder nach seiner Kaffeetasse.

»Dann vertraust du ihm also? Du glaubst, dass dieses Projekt, uns hier anzusiedeln, ernst gemeint ist?«

»Oh ja, ohne jeden Zweifel. Er möchte, dass sich neue Leute ansiedeln, damit wieder Leben in die Gemeinde kommt, so wie früher.«

»Nicht wie der sauertöpfische Mann im Restaurant an unserem ersten Abend.« Ich verziehe das Gesicht zu einer Grimasse. »Gott sei Dank haben wir nichts mit ihm zu tun. Ich weiß nicht, was er für ein Problem hat, aber eindeutig scheint ihm unsere Anwesenheit nicht zu passen. Ehrlich gesagt, ich fand ihn richtig unhöflich.« Ich trinke einen Schluck Kaffee. »Er strahlt auch etwas Unheimliches aus. Kürzlich hat er uns von der Terrasse einer großen roten Villa aus beobachtet. Ich habe ihn an seinem Hut wiedererkannt. Ich meine, wer trägt schon bei dieser Hitze einen Hut?«

»Ach, der Mann mit dem Hut. Das muss mein Vater gewesen sein«, sagt Luca.

Ich verschlucke mich fast an meinem Kaffee. »Es tut mir so leid! Ich mache das ständig, reiße meine große Klappe auf und rede, ohne nachzudenken.«

Er wirft den Kopf zurück und lacht. Ich sehe, wie der Adamsapfel in seinem langen Hals auf und ab hüpft.

»Es tut mir leid wegen neulich abends«, sagt er dann ernst. »Ich musste euch an einen anderen Tisch setzen. Mein Vater besteht auf … na ja, auf einer Vorzugsbehandlung. So war es hier immer schon.«

»Und mir tut es leid, was ich über ihn gesagt habe.«

Er hebt eine Hand, und ein winziges Lächeln zuckt um seine Mundwinkel. »Bitte, du kannst nichts über meine Familie sagen, was ich nicht bereits gehört habe.«

Ich blicke hinaus auf den Zitronenhain, dessen Blätter und Früchte im Wind schwanken. »Das ist ein wunderschöner Hof.«

»Danke. Hier haben mein Großvater und meine Großmutter gelebt. Auf dem Torbogen befinden sich ihre Initialen. Mein Großvater stammte nicht von hier, er kam vom Festland. Aber als er meine Großmutter, meine Nonna, kennenlernte, begriff er rasch, wie sehr sie diesen Ort liebte; ihm war klar, dass sie nie fortgehen würde. Also gab er sein Leben auf dem Festland auf und zog hierher, um Limonen anzubauen. Er sagte immer: ›Niemand ist je aus einem anderen Grund als der Liebe Zitronenbauer geworden.‹«

Ich möchte ihn eigentlich fragen, warum sein Zitronenhain der einzige im Ort ist, der bewirtschaftet wird, doch meine Gedanken springen zurück zu Giuseppe und seinem Projekt und wie Lucas Vater uns von unserem Tisch im Restaurant vertrieben hat.

»Wenn ich das richtig verstehe, besteht dein Vater also auf einer Sonderbehandlung. Und das war immer schon so, und er mag keine Veränderungen.«

»Genau«, bestätigt Luca und trinkt seinen Kaffee aus.

»Und er ist nicht davon angetan, dass neue Einwohner nach Città d'Oro kommen«, führe ich den Gedanken fort.

Nach einer kurzen Pause wiederholt er: »Genau.« Allmählich verstehe ich das Zögern der Einheimischen, uns willkommen zu heißen.

»Ich nehme an, dass dein Vater ...« Sorgfältig wähle ich meine Worte: »... ziemlich viel Einfluss hier in der Gegend hat.«

Wieder zögert er kurz. »So ist es.«

Ich glaube, er könnte der Grund für den Stillstand sein, von dem Giuseppe gesprochen hat. Macht Lucas Vater Giuseppe das Leben schwer?

»Und du? Was hältst du von unserer Ankunft?«

Als er lächelt, erfasst mich freudige Erregung.

»Ich bin begeistert, dass ihr hier seid.« Seine dunklen Augen blitzen, als ich seinem Blick begegne. »Wie du siehst, ist der Ort vom Aussterben bedroht, wir brauchen dringend mehr Menschen. Mein Vater möchte die Dinge gerne so beibehalten, wie sie sind, aber es kann nicht ewig so weitergehen. Wir brauchen eine Veränderung.«

Ich lächele. »Das höre ich gerne.« Ich trinke meinen Kaffee aus.

»Und es bedeutet, dass mein Vater hoffentlich damit aufhören wird, mich dazu zu drängen, meine Cousine zweiten Grades zu heiraten! Gemäß Aberglaube muss alle zehn Jahre eine Hochzeit stattfinden – ansonsten ist der Ätna angeblich nicht glücklich. Da du nun hier bist und heiraten wirst, bin ich aus dem Schneider!«, sagt er.

Einen Moment lang habe ich keine Ahnung, ob das ein Scherz sein soll oder nicht. Dann fällt mir die junge Frau im Restaurant ein, die ihn auf den Mund geküsst hat. »Das meinst du nicht ernst, oder?!«, platzt es aus mir heraus.

»Vollkommen ernst«, entgegnet er, ohne eine Miene zu verziehen.

»Deine Cousine?«

»Meine Cousine zweiten Grades, Donatella«, berichtigt er.

»War das die Frau von neulich im Restaurant?«

»Mhm.« Er nickt. »Hier hält man alles gerne in der Familie – Geld, Geschäft, sogar Ehen. Da sie niemandem vertrauen, glauben sie, dass es so sicherer ist.«

»Aber ... ich meine, bestimmt ...«

Er zuckt mit den Schultern. »Wie gesagt, so werden die Dinge hier eben gehandhabt. Wenn es nach meinem Willen ginge, würde alles ganz anders ablaufen ... Ich versuche, mich möglichst aus Familienangelegenheiten rauszuhalten.«

Ausnahmsweise fehlen mir die Worte. Es ist schrecklich, dass Menschen gezwungen werden sollen, aus den falschen Gründen zu heiraten ... oder aus den richtigen Gründen. Ich bin ganz durcheinander, als ich an meine eigene Hochzeit denke.

»Ich muss Giuseppe finden, um ihn zu fragen, ob alles in Ordnung ist«, sage ich, stehe auf und stoße gegen den Tisch. Meine Kaffeetasse klirrt auf dem Unterteller. »Entschuldigung.«

Doch Luca lächelt wieder. »Ich glaube, Giuseppe betet gerade ... um ein Wunder«, sagt er dann traurig und zuckt mit den Schultern. Er betrachtet den diesigen Himmel. »Wie gesagt, mein Vater ist ein mächtiger Mann.«

Es ist, als würde er unsere schlimmsten Befürchtungen bestätigen. Ich habe es gewusst, es stimmt etwas nicht. »Beten … Natürlich, die Kirche!« Ich drehe mich um und laufe die Stufen hinunter, die ich zuvor heraufgestiegen bin. Der Wind pfeift mir um die Ohren.

»Zelda?« Ich bleibe stehen und sehe zu Luca auf. »Bitte erzähl niemandem, dass du hier gewesen bist. Erwähn das hier nicht.« Er deutet auf den gut gedeihenden Zitronenhain.

Ich nicke. »Natürlich, versprochen.« Ich bin zu besorgt wegen Giuseppe und unserer Zukunft, um mich nach den Gründen zu erkundigen.

13. Kapitel

Verschwitzt und außer Atem erreiche ich die Kirche. Ich drücke die schwere Türklinke herunter und schaffe es mit Mühe, das große Holzportal aufzuschieben. Ziemlich weit vorne, in der dritten Reihe, entdecke ich eine gebeugte Gestalt. Sie sieht nicht wie Giuseppe aus, aber irgendetwas sagt mir, dass er es doch ist. Der adrette Anzug. Die Art und Weise, wie er sich mit den Fingern durchs Haar fährt, die Hände verschränkt und an die Stirn drückt.

»Giuseppe! Hier bist du!« Ich betrete die Kirche. Unwillkürlich wird mein Blick von der kunstvoll verzierten hohen Decke angezogen. Hier drinnen ist es kühl und ruhig.

Giuseppe dreht sich überrascht um. Meine Schritte hallen wie Gewehrschüsse, als ich den Gang entlangeile.

»Wir haben uns Sorgen um dich gemacht«, erkläre ich. »Wir haben dich gesucht, in deinem Haus, im Rathaus, überall.«

»*Buongiorno*, Zelda.« Er steht auf und küsst mich höflich auf beide Wangen. Mir fällt auf, dass seine eigenen Wangen feucht sind. »Es tut mir leid, ich wollte euch nicht beunruhigen.« Er ringt die Hände.

»Was ist, Giuseppe? Was ist los?«

»Es ist …« Er beißt sich auf die Unterlippe und blickt zu der großen Statue der Jungfrau Maria auf.

»Ist es der Handwerker, Matteo? Oder Lucas Vater? Ich habe Luca getroffen, als ich nach dir gesucht habe.« Ich denke daran, den Zitronenhain mit keinem Wort zu erwähnen. »Er hat mir von seinem Vater erzählt. Ist er der Grund, warum wir nicht in die Häuser können? Ich bin sicher, wir könnten ihn davon überzeugen, dass wir nicht gekommen sind, um irgendjemanden aus dem Geschäft zu drängen.«

»Das ist sehr freundlich von dir …«, beginnt Giuseppe, dann schluckt er hart.

»Hör zu, wir wollen alle mithelfen, die Häuser herzurichten. Wir möchten uns gerne einbringen, sobald Matteo grünes Licht für die Arbeiten bekommt. Sherise und Billy möchten ein bisschen Grund und Boden haben, um ein paar Tiere halten zu können. Lennie und Ralph möchten gerne irgendwo im Freien arbeiten. Barry, nun, Barry ist es egal, welche Arbeit er ausübt, aber irgendwie geht nichts weiter. Wir brauchen deine Hilfe, du könntest uns im Gemeindeamt vorstellen oder uns mit Geschäftsleuten bekannt machen, die vielleicht Mitarbeiter suchen. Und natürlich wäre auch das Startkapital durchaus hilfreich …« Fragend ziehe ich die Augenbrauen hoch.

Er schweigt und lässt den Kopf sinken. Dann seufzt er aus tiefster Seele und sieht mir in die Augen. »Glaub mir, genau das ist es, was ich tun möchte. Wir brauchen Leute, die die Arbeiten übernehmen, die die älteren Menschen im Ort nicht erledigen können – wie beispielsweise die Müllabfuhr und die Instandhaltung der Straßen und Gebäude. In diesem Jahr sind bereits zwei Personen ums Leben gekommen, die von abgestürzten Balkonen erschlagen wurden.« Erneut seufzt er schwer.

»Großartig. Dann können wir ja gleich loslegen. Wir haben schon gedacht, du hättest dich mit dem Startkapital aus dem Staub gemacht!«, scherze ich.

Doch Giuseppe lacht nicht. »Ich habe dieses Projekt ins Leben gerufen, weil es mir sehr am Herzen liegt, Città d'Oro wieder zum Leben zu erwecken«, sagt er. »Ich habe es satt, ständig auf Beerdigungen gehen zu müssen. Ich möchte eine Hochzeit feiern und eine Taufe! Das will der Ätna auch. Die Bewerbung von Lennie und dir hat mein Herz höher schlagen lassen.«

Ich versuche mich an einem Lächeln. Auch ich möchte, dass aus Lennie und mir eine kleine Familie wird. Wenn wir bei der Stange bleiben, wird hoffentlich auch die Liebe wachsen. Wir werden dafür sorgen, dass es funktioniert. Ich hoffe es von ganzem Herzen. Ein lang haltendes, langsam brennendes Feuer – statt zu glauben, dass es so etwas wie Liebe auf den ersten Blick gibt, denn es gibt sie nicht, sie ist nicht real. Was auch immer ich empfunden habe, als ich Luca an jenem Abend zum ersten Mal sah und jetzt wieder im Zitronenhain – es ist jedenfalls keine Liebe. Kann es nicht sein. Es ist bloß … Begehren. Eine dumme Schwärmerei. Nichts von Dauer. So attraktiv Luca auch ist, ich bin mit Lennie zusammen, worüber ich sehr froh bin. Wir sind hier, und das ist unser Neubeginn.

Ich seufze erleichtert, weil ich Giuseppe gefunden habe und er nicht mit unserem Geld getürmt ist. Jetzt kann es losgehen.

»Okay, vielleicht sollten wir zu den anderen gehen«, schlage ich vor. »Um ihnen Bescheid zu sagen, dass du hier bist und immer noch hinter dem Projekt stehst. Einen Moment lang haben wir tatsächlich geglaubt, du hättest uns verschaukelt!« Ich lache ein bisschen zu laut, und es hallt fürchterlich von der Kuppeldecke wider.

Giuseppe sieht mich an, und ich lächele. Dieser Mann hat so ein gutes Herz, ich spüre es. Ich möchte ihm geben, was er möchte, mich revanchieren. Ich möchte, dass er mit uns zusammen unsere Hochzeit feiert, und zwar in nur drei Monaten.

»Okay, gehen wir.« Ich drehe mich um und trete aus der Kirchenbank. Gibt es eine Art Etikette, die ich befolgen sollte? Ich nicke Richtung Altar und mache einen kleinen Knicks, bei dem ich fast ins Stolpern gerate.

»Die Sache ist die«, sagt Giuseppe, als ich mich errötend aufrichte, »wie ich schon gesagt habe, ich wollte das unbedingt. Ihr seid hergekommen, habt mir Vertrauen geschenkt und träumt von einem neuen Leben. Aber ...« Er schluckt schwer. »Es tut mir leid, Zelda. Es wird nicht dazu kommen.«

»Wie bitte? Natürlich wird es das! Wir sind hier, wir sind nach wie vor dabei. Niemand will weg, wir wollen, dass es funktioniert. Es gab nur eine Verzögerung, das ist alles. Einen kleinen Rückschlag. Komm, wir reden mit den anderen und legen endlich los, bevor uns die Decke auf den Kopf fällt. Die Stimmung im Haus wird allmählich ein bisschen angespannt.« Wie im Ort, denke ich. Überall ist Spannung zu spüren, sie knistert in der Luft wie bei einem aufziehenden Gewitter. Ich reibe mir die Schläfen und überrede meine Kopfschmerzen, sich in Wohlgefallen aufzulösen.

Er sieht sich in der alten Kirche um, beinahe so, als sähe er sie zum letzten Mal. »Es tut mir leid, Zelda«, wiederholt er. »Es ist vorbei. Das Projekt ist gestorben. Ihr müsst alle nach Hause fahren. Ich kann nichts mehr tun.«

Ich fühle mich, als würde mir der Boden unter den Füßen weggezogen, so weich werden meine Knie.

Im Bauernhaus versammeln wir uns alle um den langen Holztisch. Billy und Sherise sitzen nebeneinander. Tabitha schreibt Nachrichten auf ihrem Handy. Giuseppe hat am Kopfende des Tisches Platz genommen, mit gefalteten Händen, als befinde er sich immer noch im Gebet und hoffe auf ein Wunder in letzter Minute. Im Obergeschoss schlagen die Fensterläden im Wind.

»Also, es ist so …« Er schluckt schwer. Die Luft ist nach wie vor schwül und gewittrig, und ein dumpfes Grollen ist zu vernehmen.

Mein Kopf fühlt sich an, als wäre er voller Watte, während sich regelrechte Spannungskopfschmerzen aufbauen. Denn ich habe keine Ahnung, was ich als Nächstes tun soll, wenn Giuseppe der Gruppe den Sachverhalt erklärt hat. Ich sehe Lennie an. Was wir tun sollen, berichtige ich mich. Vielleicht ist es doch nicht unser Schicksal, vielleicht ist der Pakt nur ein dummer romantischer Traum – wie der Rest meiner Träume. Ich dachte, die Antwort wäre die ganze Zeit vor meiner Nase gewesen, aber offensichtlich habe ich mich getäuscht.

»Als ich dieses Projekt ins Leben gerufen habe«, erklärt Giuseppe, »habe ich einige Zeit damit verbracht, die notwendigen Gelder aufzutreiben. Ich habe Zuschüsse beantragt und sogar eigenes Land verkauft, damit euch bei eurer Ankunft ein gewisser Betrag zur Verfügung steht, die Häuser renoviert werden können und euch eine weitere Summe ausgezahlt werden kann, wenn ihr euch nach drei Monaten zum Hierbleiben entscheidet.«

Wir nicken alle zustimmend. So hatten wir es verstanden und akzeptiert.

»Es war wichtig, dass ihr die Kriterien erfüllt. Wir haben vor allem Paare gesucht, die hier eine Familie gründen wollen …« Als er Lennie und mich ansieht, spüre ich, wie unsere Hoffnungen und Träume zerbrechen. Draußen grollt es wieder, und der Himmel verfinstert sich zusehends. »Das Geld wurde auf einem Bankkonto deponiert. Aber …« Er sieht uns mit traurigen Augen an. »… jetzt ist es weg. Das Konto ist leer. Oder …« Sein Blick verfinstert sich. »Oder jemand sorgt dafür, dass die Gelder nicht freigegeben werden. Es war Geld für die Gemeinschaft, für den Neustart. Ich habe allerdings gehört, dass eine neue Sporthalle gebaut werden soll, und ich befürchte, dass die Gelder vielleicht … umgeleitet worden sind.« Inzwischen zittern seine Hände, obwohl er sich große Mühe gibt, sie ruhig zu halten. Ich lege ihm eine Hand auf die Schulter. »Ich kämpfe schon mein ganzes Leben lang gegen diese … Schikanen. Ich kämpfe dafür, dass meine Gemeinde wieder so wird, wie sie einmal war – voller Familien, deren Kinder hier aufwachsen. Doch ich fürchte, es ist zu spät. Ich habe den Kampf verloren, Città d'Oro wird sterben, zusammen mit den letzten Einwohnern. Mögen diejenigen, die dafür verantwortlich sind, in der Hölle schmoren!« Er schlägt die Hände vors Gesicht.

Alle schweigen einen Moment lang, während seine Worte noch in der Luft hängen. Es ist heiß im Raum. Ich öffne die Terrassentür und mustere den bewölkten Himmel. Trotz der Hitze und der Schwüle, die drinnen wie draußen herrscht, schaudere ich.

»Dann bekommen wir also kein Geld und auch keine Häuser?«, bricht Barry das Schweigen.

Giuseppe lässt die Hände sinken und sieht ihn traurig an. »Nein. Es tut mir leid. Ich kann nicht halten, was ich versprochen habe.« Er wirkt wie ein gebrochener Mann. »Ich hasse mich dafür, euch alle hängen zu lassen und mein Wort zu brechen.«

Ich bin mir ziemlich sicher, dass Giuseppe von Lucas Vater und dessen Familie spricht. Sie haben das getan! Und plötzlich empfinde ich Wut. Ganz gleich, wie attraktiv Luca auch sein mag, er ist wie alle anderen Männer in meinem Leben, von denen ich mich angezogen gefühlt habe. Sie lassen einen alle im Stich. Deshalb ist es so wichtig, dass Lennie und ich es hinbekommen und Zeit haben, uns ineinander zu verlieben – weil wir füreinander bestimmt sind. Wir werden uns nicht gegenseitig enttäuschen. Luca ist zwar neulich im Restaurant und auch heute überaus charmant gewesen, doch seine Familie sorgt dafür, dass wir auf die Straße gesetzt werden.

»Was passiert denn jetzt?«, will Sherise wissen.

»Ich werde Heimflüge für alle organisieren.« Giuseppes Blick wandert über die bestürzten Gesichter. »Oder woandershin, wohin ihr wollt. Ich werde das aus eigener Tasche bezahlen. Es ist alles meine Schuld. Ich sollte ... Ich hätte nicht so gutgläubig sein sollen ...« Er gerät ins Stottern, hält sich den Kopf und fährt sich wieder mit den Fingern durch die Haare.

Wir wechseln ungläubige Blicke. Tabitha sendet eine weitere Nachricht, dann hebt sie den Kopf. »Sieht so aus, als wären wir wieder da, wo wir angefangen haben.«

»Das ist vielleicht in Ordnung für diejenigen, die einen Ort haben, an den sie zurückkehren können«, sagt Sherise. »Ich wollte nur wieder ein eigenes Zuhause für uns haben.«

»Und ein bisschen Vieh«, fügt Billy hinzu. »Ein paar Tiere, um die wir uns kümmern wollten, unsere Tiere … eine Familie.«

»Aber es muss doch einen Weg geben!«, rufe ich frustriert aus.

»Das Geld ist weg. Matteo wurde unter Druck gesetzt, nicht an den Häusern zu arbeiten. Man hat ihm Arbeit auf der Baustelle für die neue Sporthalle angeboten. Es gibt kein Geld, um das Startkapital auszuzahlen, und auch nicht für die Reparaturarbeiten. Es ist vorbei. Das Projekt ist gescheitert. Ich habe es nicht geschafft, es zum Erfolg zu führen.« Giuseppe ist untröstlich.

»Das war's dann also.« Barry steht auf und zieht seine Jeans bis zur Taille. »Sieht so aus, als könnte nichts getan werden.« Er legt Ralph die Hand auf die Schulter, der daraufhin den Kopf hängen lässt.

Wir sind ein zusammengewürfelter Haufen; wir wären nie zusammengekommen, wenn eine Sache nicht gewesen wäre: Jeder von uns hat nach etwas gesucht, nach einer zweiten Chance im Leben – um es richtig zu machen, um zu bekommen, was wir uns gewünscht haben. Heiße Tränen der Wut treten mir in die Augen, als ich wieder das Gefühl habe, mir würde der Boden unter den Füßen weggezogen … mir und den anderen.

Giuseppe steht auf. Sein Stuhl schrammt über den Terrakottaboden. »Ich organisiere die Flüge, und dann sorge ich dafür, dass alle sicher zum Flughafen kommen. Es tut mir so leid«, sagt er erneut.

Diesmal trete ich vor und umarme ihn, weil ich spüre, wie er mit uns leidet. Währenddessen höre ich wieder dieses Grummeln, nur ist es diesmal wesentlich lauter. Giuseppe hebt den Kopf und sieht hinaus.

»Es donnert«, sagt Ralph in einem Ton, als würde er seine Truppen informieren.

»Das ist kein Donner«, widerspricht Giuseppe, geht zur Terrassentür und umklammert den Türgriff.

»Was denn sonst?«, fragt Sherise.

Giuseppe lässt den Blick in die Ferne schweifen. Er legt eine Hand über die Augen und sucht den Horizont ab. »Das ist der Ätna!«

»Der Ätna? Der Vulkan?« Lennie fällt die Kinnlade herunter, und mir gefriert das Blut in den Adern. Ich begreife plötzlich, dass mir zuvor bei Luca nicht schwindelig geworden ist. Es war der Ätna – die Erde hat gegrollt und gebebt. Als ich die Hand nach Lennie ausstrecke, legt er mir den Arm um die Schultern und zieht mich instinktiv an sich.

»Er ist nicht zufrieden, ganz und gar nicht zufrieden«, murmelt Giuseppe.

Während wir noch hinsehen, wird orangefarbene Lava in den Himmel geschleudert, schwarze Asche beginnt zu rieseln, und das Grollen wird wütender und lauter – es ist nun nicht mehr zu überhören.

15. Kapitel

»Es gibt keine Flüge?!« Tabitha blickt von ihrem Handy auf, auf dem sie gerade fleißig herumtippt. »Das ist ein Witz, oder?« Sie schaut in die Runde, die sich wieder mal um den Küchentisch versammelt hat, aber niemandem ist zum Scherzen zumute. Enttäuscht verzieht sie das Gesicht. Offensichtlich hat sie neue Pläne geschmiedet und macht sich im Geiste schon auf den Weg zu neuen Ufern. Mit einem Anflug von Neid sehe ich sie an. Wie es sich wohl anfühlt, Alternativen zu haben?

Giuseppe schüttelt den Kopf und späht durch die Tür ins Freie. Der Wind hat sich gelegt, doch der Himmel ist immer noch finster und die Luft schwül, diesig und voller schwarzer Asche. Obwohl kein Sonnenschein den Dunst durchdringen kann, ist es heiß und schwül – als säßen wir in einer Sauna ohne Ausgang.

»Ich dachte, wir reisen heute ab«, sagt Tabitha und wirft einen Blick auf ihren großen silbernen Rollkoffer, fertig gepackt und bereit zur Abreise.

»Sieht so aus, als hätte der Ätna andere Vorstellungen«, kommentiert Ralph.

Zum Glück ist niemand verletzt worden. Es gab Berichte über ein paar Feuer weiter oben am Berg, aber es mussten keine Dörfer evakuiert werden, und keines der Feuer hat sich weiter ausgebreitet. Allerdings ist der Ätna in dieser Gegend eine sehr reale Bedrohung, und unverkennbar sind die Menschen nervös.

»Wann können wir denn nun fliegen?« Die Verzögerung scheint Tabitha aufzuregen und zu frustrieren. Sie ist begierig auf die Abreise und hat eindeutig ein bestimmtes Ziel im Auge.

Ich wünschte, mir ginge es genauso, doch dem ist nicht so. Mein fantastisches neues Leben in der Sonne ist vorbei, bevor es überhaupt angefangen hat. Ich strecke die Hand aus und nehme mir eine Mandarine aus der Schüssel, die Giuseppe jeden Morgen mit Früchten von den Bäumen in seinem Garten füllt. Als ich die Mandarine schäle, verleiht mir der wunderbare Zitrusgeruch ein Gefühl, als hätte ich gerade eine belebende Dusche genommen. Ich zerbreche mir den Kopf darüber, was ich … was wir jetzt tun sollen.

Es gibt keinen Ort, an den ich zurückkehren könnte, nur wieder als Untermieterin zu Maureen, falls sie mich überhaupt zurücknimmt. Außerdem bin ich jetzt offiziell verlobt, auch wenn wir nach wie vor nicht … Wir sind ein Paar, wir sind zusammen, und das ist es, was zählt. Doch werden wir immer noch ein Paar sein, wenn wir nach England zurückkehren? Irgendwie würde mir *Lennie und Zelda sind ein Paar und ziehen nach Sizilien* viel besser als Lebensgeschichte gefallen, als *Lennie und Zelda sind ein Paar, kehren in ihre alten Jobs zurück und wohnen bei Lennies Mutter*.

»Tut mir leid, es sieht so aus, als müsstet ihr noch eine Weile bleiben. Bis der Staub und die Asche sich gelegt haben«, antwortet Giuseppe. »Alle Flugzeuge bleiben am Boden. Der Vulkanausbruch hat weitreichende Konsequenzen. Also macht es euch bitte gemütlich.«

»Aber was machen wir wegen des Geldes?« Barry spricht aus, was wir alle denken.

»Genau, ich habe mich auf das Startkapital verlassen«, sagt Ralph.

»Und mein Kreditkartenlimit ist überzogen«, wirft Tabitha ein. »Wie immer momentan.« Und plötzlich wirkt sie gar nicht mehr so gut gelaunt und fröhlich.

»Ich …« Giuseppe sucht nach einer Antwort, jedoch ohne Erfolg. Er zuckt verzweifelt mit den Schultern. »Ich weiß nicht, was ich tun soll. Das ist alles meine Schuld, ich habe euch hergeholt. Ich fühle mich verantwortlich. Natürlich werde ich dafür sorgen, dass ihr genug zu essen und zu trinken habt. In meinem Garten gibt es jede Menge Gemüse. Ihr könnt alles haben, was ich besitze.«

Die Heimflüge müssen ihn finanziell ruiniert haben. Er ist ganz offensichtlich nicht wohlhabend. Das scheint lediglich auf eine einzige Familie im Ort zuzutreffen, denke ich wütend. Lucas Familie!

»Du kannst doch nichts dafür, Giuseppe!« Ich lege ihm eine Hand auf die Schulter. »Die Idee war fantastisch. Wir alle wollten herkommen. Wir wollten Teil dieser Gemeinde werden und das Dorf wieder zum Leben erwecken.«

Ich sehe mich um. Die anderen starren auf den Boden, die Stimmung ist im Keller. Jeder von uns hat nach etwas gesucht, aber jetzt müssen wir abreisen, bevor wir es finden konnten. »Hört mal, wir müssen einen Weg finden, um ein bisschen Geld zu verdienen, damit wir in den nächsten Tagen über die Runden kommen – vielleicht eine Woche lang, wenn die Prognosen stimmen. Wir sind auf Sizilien, und die Sonne scheint – lasst uns das Beste aus der Situation machen und die Gelegenheit nutzen, um Pläne auszuhecken, was wir als Nächstes tun wollen.«

Tabitha seufzt laut auf wie ein Teenager, dem man gesagt hat, dass er nicht ausgehen darf.

»Hat jemand eine Idee? Irgendwelche besonderen Fähigkeiten?« Ich lasse den Blick schweifen. »Ich meine, wenn ich die Möglichkeit gehabt hätte, ein bisschen herumzukommen, hätte ich vielleicht auf Märkten in der Region ein paar Secondhandklamotten aufstöbern und sie online verkaufen können.«

Giuseppe schüttelt den Kopf. »Die Insel ist von der Außenwelt abgeschnitten, bis Staub und Asche sich gelegt haben.«

»Ich kann sauber machen, vielleicht wird das ja gebraucht?«, meldet sich Sherise zu Wort.

»Und ich bin kein übler Koch«, sagt Ralph.

»Oh ja, und ich kann ein englisches Frühstück zubereiten«, fügt Sherise hinzu.

»Ich kann …« Tabitha denkt scharf nach, doch ihr fällt nichts ein. »Ich könnte etwas über unsere Zwangslage schreiben und um Hilfe bitten.«

Alle sehen sie an.

»Hunderte von Menschen sind in derselben Lage«, meint Barry. »Pauschalurlauber, Individualreisende, Reisegruppen … alle sitzen fest.«

»Das ist es!«, rufe ich aus und erschrecke damit den armen Billy.

»Was denn?«, fragt Barry. »Sollen wir versuchen, per Schiff von der Insel zu kommen?«

Ich schüttele den Kopf, während sich ein Lächeln auf meinem Gesicht ausbreitet. »Wir können nicht per Schiff abreisen. Es herrscht überall Chaos. Daher …« Ich blicke in die Runde. »Wie Barry eben gesagt hat, sitzen Hunderte von Menschen fest. Alle müssen irgendwo übernachten … irgendwo, wo es nicht schweineteuer ist. Wenn der Urlaub vorbei ist, sind sie bestimmt abgebrannt.«

»Und?«, meint Ralph. »Wenn sie kein Geld mehr haben, wo ist da die Geschäftsmöglichkeit?«

»Sie brauchen eine erschwingliche Unterkunft. Keine Villa für eine weitere Woche, kein teures Hotel. Sie brauchen …«, ich breite die Arme aus, »das hier!«

Alle sehen mich verständnislos an.

»Aber … wir sind doch hier«, entgegnet Barry schließlich und sieht sich um.

»Wir könnten Platz schaffen, ein paar Zimmer räumen und sie auf Airbnb anbieten. Tabitha, du könntest einen anregenden Text über die Umgebung verfassen, über die tolle Lage mitten in einem Zitronenhain.« Ein bisschen zögernd mustere ich den verwilderten Obstgarten, der von einem gefährlich aussehenden Elektrozaun umgeben ist. »Ralph, du könntest eine Kostenermittlung durchführen, um herauszufinden, wie viel wir berechnen können und wie viel Gewinn wir machen würden.«

»Na klar«, antwortet Ralph.

»Sherise, hättest du Lust, die Zimmer im Schuppen zu putzen? Es gibt zwei Räume; die Gäste müssten nur zum Frühstücken und Abendessen ins Haupthaus kommen.«

»Ja, auf jeden Fall!«, sagt Sherise.

»Und Billy, könntest du den Hof ein bisschen aufräumen?«

»Oh ja, gib mir einen Besen, und ich bin glücklich!« Endlich zeigt sich ein Lächeln auf seinem Gesicht.

»Wir können einen Speiseplan ausarbeiten. Wir bieten all inclusive an … und dann kommen die Gäste!« Als ich lächele, scheint sich auch die Stimmung der anderen aufzuhellen.

»Eine Sache noch«, meldet sich Lennie zu Wort. »Ich schlafe in einem der Zimmer. Wo soll ich übernachten?«

»Du kannst dich bei mir einquartieren«, schlägt Barry vor und beißt in ein dick belegtes Sandwich, das er sich aus den Überresten im Kühlschrank zubereitet hat.

»Äh …« Lennie sieht mich an.

Sherise lacht. »Oh, ihr beide könnt euch ruhig ein Zimmer teilen – hört auf mit dem Wir-warten-bis-wir-verheiratet-sind-Quatsch. Es gibt keinen Grund, uns etwas vorzuspielen!«

»Okay«, sagt Lennie.

Ich schlucke. »Ja, bring deine Sachen in mein Zimmer«, antworte ich. Schließlich ist es nicht das erste Mal, dass wir uns ein Zimmer teilen – auch wenn wir damals viel jünger waren.

»Sieht so aus, als hätte der Ätna uns auf eine gute Idee gebracht«, meint Sherise. »Ich finde es nicht richtig, wenn ein junges Paar wie ihr nicht zusammen ist.«

»Na ja, unter uns gesagt, Sherise, wir wussten nicht, was die Leute in einem streng katholischen Land davon halten würden!«, sagt Lennie und zwinkert ihr zu. Sherise kichert, und ich könnte schwören, dass sie rot wird.

»Zieh bei deiner reizenden Freundin ein.« Sie stupst ihn leicht an. »Genießt das Leben! Ein nettes junges Paar wie ihr beide sollte nicht getrennt schlafen.«

Ich schlucke wieder. Sieht so aus, als würde unsere Beziehung in die nächste Phase eintreten, ob wir nun damit gerechnet haben oder nicht. Jetzt warten wir doch nicht bis zur Hochzeitsnacht; Lennie zieht zu mir, in mein Zimmer und in mein Bett. Ich wünsche mir so sehr, dass die Schmetterlinge endlich in Aktion treten!

Ich hole tief Luft. »Okay, lasst uns diese Zimmer vorbereiten, und ich stelle Il Limoneto auf Airbnb ein. Die Leute werden sofort eine Unterkunft brauchen.« Ich habe das Gefühl, als hätte ich mein Leben irgendwie wieder unter Kontrolle. »Tabitha, kannst du eine kurze Beschreibung über das Haus verfassen?«

»Klar. Im Texten bin ich unschlagbar.«

»Vielleicht solltest du den Elektrozaun rund um den Zitronenhain nicht erwähnen. Sorg dafür, dass es verlockend klingt ... und zitronig«, weise ich sie an.

»Und was soll ich tun?«, fragt Barry.

»Hm, du kannst helfen, schwere Dinge aus dem Weg zu räumen, und dann ...« Die Idee kommt ganz plötzlich. »Du könntest Hinweisschilder anfertigen, Barry, und sie dann aufhängen. Leute, die sich nicht auskennen, finden uns sonst nicht. Sie brauchen eine richtige Beschilderung.«

»Bin schon dabei!«, erwidert Barry lächelnd.

»Glaubst du, dass du dich zurechtfindest?«

»Ich bin Briefträger, ich werde mich auf jeden Fall zurechtfinden. Und falls doch nicht, dann frage ich eben!«

Ich lache. »Und, Ralph, kannst du berechnen, wie viel wir verlangen können, damit wir ein bisschen Gewinn machen? Und wie viel wir für Lebensmittel ausgeben können, wenn wir Abendessen kochen, falls es gewünscht ist.«

»Klar.«

Alle wenden sich ihren Aufgaben zu. Giuseppe nimmt mich mit Tränen in den Augen in den Arm.

»*Grazie*, Zelda«, sagt er.

»Kein Problem, Giuseppe.« Er tupft sich die müden, feuchten Augen, klettert in seinen verbeulten Fiat und umkurvt die Schlaglöcher in der Zufahrt.

Sherise zieht ein Tuch aus der Tasche und versucht es so zu binden, wie ich es getan habe.

»Komm, lass mich mal«, sage ich und binde ihr das Tuch um den Kopf. »Und das hier«, füge ich hinzu und gebe ihr einen roten Lippenstift. Sie kichert. Wir sehen wie zwei Hausfrauen aus den Fünfzigern aus.

Lennie hat gerade seine Sachen zusammengepackt, als wir den Schuppen erreichen. Schon jetzt bilden sich Schweißperlen auf meiner Stirn, und meine Augen brennen in der schwülen Hitze. Hin und wieder bringt uns der Staub zum Husten.

»Fertig?«, frage ich mit krächzender Stimme.

»Fertig«, bestätigt er und nimmt seinen Koffer. Überraschend gibt er mir einen schnellen Kuss auf den Mund. Es fühlt sich tatsächlich gut an. Ich lächele unwillkürlich und fühle mich irgendwie, na ja, besonders.

»Oh, ich liebe Küssen!«, sagt Sherise. »Billy und ich haben uns früher ständig geküsst. Aber ich glaube, er hat mich nicht mehr geküsst, seit … na ja, seit wir die Kühe nicht mehr haben. Seit die Kühe weg sind, ist nichts mehr in Ordnung.«

»Barry! Warte mal«, sagt Lennie. »Ich habe genau das Richtige für dich!« Er verschwindet in seinem Zimmer und tritt durch die Terrassentür wieder heraus. Er schiebt ein … Fahrrad! »Ta,ta,ta,taa!« Er strahlt über das ganze Gesicht, und wir strahlen mit.

»Wunderbar!«, sagt Barry. »Hervorragend! Ich bin seit Jahren nicht mehr Rad gefahren.« Er greift nach dem Fahrrad und schwingt ein Bein über den Sattel. »Meine Runde wurde vor langer Zeit vom Rad auf einen Transporter umgestellt. Das hat deutlich weniger Spaß gemacht. Das und der Collie von Nummer vierundsechzig.« Er tritt in die Pedale, langsam und vorsichtig. Wir ziehen uns ein paar Schritte zurück und sehen ihm zu. Lennie stellt sich neben mich.

»Das ist eine tolle Idee. Super, dass dir das eingefallen ist!« Ich lächele ihm zu.

»Ich dachte, es könnte ihm gefallen, sozusagen wieder fest im Sattel zu sitzen.« Wir tauschen einen verständnisvollen Blick. »Dadrinnen gibt es noch jede Menge Zeug, nicht nur das Rad, sondern auch viele Kartons. Wir müssen alles ausräumen, wenn wir die Zimmer über Airbnb vermitteln wollen.«

»Dann fangen wir am besten gleich damit an!« Ich setze meine Sonnenbrille auf, um meine brennenden Augen zu schützen. Ich bin bereit, mich in die Arbeit zu stürzen, wie auch immer sie aussehen mag. Barry fährt inzwischen sicher im Hof herum und hinterlässt Muster in der schwarzen Asche. Tabitha filmt ihn und ruft ihm aufmunternde Worte zu.

»Das ist so ein toller Plan, Zelda!«, meint Lennie. »Ich wusste, dir fällt etwas ein – wie immer. Das liebe ich an dir!« Er zieht mich an sich und drückt mir einen Kuss auf die Stirn, bevor er mich wieder loslässt.

Ich lächele zu ihm auf. Genau so soll es sein: Lennie und ich. Eine Liebe, die auf kleiner Flamme köchelt, ständig vorhanden, gleichmäßig warm. Und genau das ist es, was ich mir vom Leben erwarte. Ich habe allerdings keine Ahnung, was passieren wird, wenn sich der Staub gelegt hat – im wahrsten Sinne des Wortes – und wir in unser altes Leben zurückkehren müssen … Aber es gibt noch jede Menge Staub, durch den wir uns kämpfen müssen, so viel steht fest.

16. Kapitel

»Wir haben eine Buchung!«, ruft Tabitha aus dem Haus.

Sherise und ich haben alle Kartons aus Lennies Zimmer geräumt und putzen es gerade, während Barry im offenen Schuppen an dem Fahrrad herumbastelt. Dort parkt auch ein alter Kleinbus, der aussieht, als stünde er schon seit Jahren da. Barry hat ein paar Bretter für seine Schilder gefunden.

»Eine Buchung!«, wiederholt Tabitha. Wir halten inne, als sie mit dem Laptop auf dem Arm im Hof erscheint. Barry lässt das Fahrrad stehen, und Ralph taucht aus dem anderen Schlafzimmer auf. Er trägt Gummihandschuhe und eine Rüschenschürze, die wahrscheinlich mal Giuseppes Mutter gehört hat.

»Wo hast du die denn aufgetrieben?«, frage ich ihn.

»Sie war in einer der Kisten«, antwortet er. Ein Funken Interesse flammt in mir auf, doch Tabithas Neuigkeit hat erst mal Vorrang.

»Seht nur!«, sagt sie.

Wir versammeln uns um den Computer.

»Sie wollen beide Zimmer haben!«, ruft Sherise.

»Und Abendessen!«, füge ich hinzu und frage mich, was wir den Gästen anbieten sollen. »Ralph, wie hoch ist unser Budget für den Einkauf von Lebensmitteln für heute Abend?«

Er zieht Stift und Papier aus der Tasche, rechnet kurz und hält mir den Zettel hin.

»Das ist nicht viel«, kommentiere ich.

»Nicht wenn wir Gewinn machen wollen«, bestätigt er.

Ich trockne mir die nassen Hände an meiner Schürze ab.

»Wer stellt sich fürs Kochen zur Verfügung? Ralph? Du hast gesagt, du kannst kochen, stimmt's?«

Er bewegt den Kopf von einer Seite zur anderen. »Als ich gesagt habe, ich könne kochen, habe ich gemeint, dass ich Essen liebe. Ich kann zum Beispiel ein normales Steak braten. Eigentlich«, sagt er, als würde er zum ersten Mal seit langer Zeit wieder daran denken, »habe ich sehr gerne gekocht, doch in den letzten Jahren habe ich meistens auswärts gegessen. Bei Meetings, mit Interessenten – um die Kunden bei Laune zu halten ... Wahrscheinlich ist das der Grund, warum meine Frau mich verlassen hat. Vermutlich hat sie vergessen, wer ich bin. Genau wie die Kinder. Ich war zu sehr damit beschäftigt, Geld zu verdienen, anstatt meine Familie zu schätzen, solange ich sie noch hatte.«

Wir versinken eine Minute lang in Schweigen.

Schließlich bin ich es, die die Stille durchbricht. »Okay, ich gehe in den Ort und sehe mal, was ich auftreiben kann. Vielleicht Pasta oder was in der Richtung ...« Ich entledige mich meiner Schürze.

»Im Zweifelsfall machen wir sie betrunken!«, sagt Barry

»Ja, vergiss den Wein nicht«, meint Ralph. »Sehr wichtig. Wenn er aus einem Fass kommt, können wir ihn in Krüge umfüllen. Das ist ein bisschen urig, aber immer noch besser als Plastikflaschen.«

»Okay. Barry, wie sieht's mit den Schildern aus?«, frage ich.

»Bin dabei, ich starte gleich!« Er trägt ein paar Holzschilder unter dem Arm und hat sich einen Hammer in die Gesäßtasche geschoben. »Soll ich dich mitnehmen?«, bietet er an, als wäre er wieder ein junger Bursche.

Ich hebe die Hand. »Danke, aber ich denke, ich gehe lieber zu Fuß.«

»Okay, dann bin ich mal weg!« Wir sehen zu, wie er die lange, staubige Zufahrt entlangfährt und den Schlaglöchern ausweicht, als würde er das bereits sein ganzes Leben lang tun, und dabei lustig vor sich hin pfeift.

Lennie stützt sich auf seinen Besen, mit dem er die schwarze Asche zusammenfegt, die sich über alles um uns herum gelegt hat.

»Soll ich mitkommen?«, erkundigt er sich und legt sich schützend die Hand über die Augen, weil die Sonne immer stechender wird.

»Nein, mach du mal weiter. Ich denke, ich komme klar. Ich habe ja meine Italienisch-App.« Ich schwenke mein Handy und lächele nervös. Zweifellos machen wir uns beide Gedanken darüber, was heute Abend passieren wird, doch keiner will das Thema ansprechen. Es steht als Riesenproblem im Raum.

Ich stehe mit einem Armvoll Nudeln, Käse, Pinienkernen, Limonen und Schinkenspeck vor der glänzenden Holztheke.

»Wie bitte? Was meinen Sie damit, es ist nicht möglich?«, frage ich, weil ich glaube, ich hätte die Frau nicht richtig verstanden.

Die Frau hinter der Ladentheke redet erneut in schnellem Italienisch auf mich ein und schüttelt den Kopf.

Das kleine Mädchen steht auf meiner Seite der Theke.

»Meine Mama sagt, die Sachen sind reserviert, für einen anderen Kunden.«

»Aber die Waren lagen in den Regalen. Wenn sie reserviert sind, warum konnte ich sie dann nehmen?«

Die Frau zuckt mit den Schultern, zieht die Mundwinkel

nach unten und gibt ein »Pfff« von sich, was in jeder beliebigen Sprache bedeutet, dass es ihr völlig egal ist.

Im hinteren Bereich des Raumes schmettert der Kanarienvogel vor sich hin.

»Sie sagt, Il Nonno liebt Pasta. Ihr Onkel Romano hat sie reserviert. Sie sagt, sie kann Ihnen die Nudeln nicht verkaufen. Sie kann Sie nicht bedienen.«

Er schon wieder! Ich bin gereizt.

Als ich die Hand auf die oberste Nudelpackung lege, erstarrt die Frau zur Salzsäule. Langsam wirft sie mir aus stark geschminkten Augen einen Blick zu. Ich bin verzweifelt, ich brauche diese Lebensmittel. Ohne sie ... nun ja, ich habe keine Ahnung, was wir für die zahlenden Gäste kochen sollen, die heute Abend in Il Limoneto erscheinen werden.

Die Frau sieht mich so finster an, als hätte ich sie zum Duell herausgefordert. Ich schlucke, weil ich nicht sicher bin, wer gewinnen wird, und schaue das Mädchen an.

»Wie heißt du noch mal?«, frage ich.

»Sophia, aber ich möchte lieber Sophie genannt werden, wie die englische Variante. Ich liebe England, und ich möchte unbedingt mal hin. Ich bin zur Hälfte Engländerin, aber ich habe meinen Vater nie kennengelernt.«

Die Frau schimpft mit ihr, ich glaube, sie weist sie zurecht, weil sie Englisch spricht. Sophie senkt den Blick. Die Frau sieht mich wieder an.

»Hör mal, Sophie, bitte sag deiner Mama, dass ich diese Lebensmittel wirklich brauche. Heute Abend kommen Gäste auf den Hof. Zahlende Gäste, die ich mit Abendessen versorgen muss. Es geht ums Geschäft, eine Geschäftsfrau hilft einer anderen.« Ich lächele flehend.

Sophie wendet sich an ihre Mutter und sagt etwas, doch die

Frau antwortet mit scharfer Stimme und versucht, mir die Nudelpackungen aus den Händen zu reißen.

»Ich zahle! Ich zahle, was sie für einen angemessenen Preis hält.« Mir fällt sonst nichts mehr ein. Ich schäme mich, aber dennoch versuche ich es mit Bestechung – wie Lennie bei Matteo.

Die Frau beäugt mich wie eine Python, die ihr Opfer taxiert, und leckt sich rasch die Lippen.

»Ja, ich zahle«, sage ich zu Sophie und wende mich wieder ihrer Mutter zu. »Wie viel wollen Sie für die Pasta haben? Ich gebe Ihnen, was Sie wollen. Mehr als Ihre anderen Kunden.«

Ich werfe einen Blick in meinen Geldbeutel.

Sie zerrt ihr Oberteil nach unten, sodass ihr Dekolleté besser zur Geltung kommt und die Spitze ihres Büstenhalters zu sehen ist – voller Verheißungen, die wegen des Mangels an potenziellen Partnern wahrscheinlich nie das Tageslicht erblicken.

»Wie viel kosten die Nudeln?«, wiederhole ich. Meine Hand liegt immer noch auf der Packung. Die Frau leckt sich erneut die Lippen, dann nennt sie mir langsam und deutlich ihren Preis.

Ich stehe mit meiner leeren Einkaufstasche auf der Straße und versuche zu verstehen, was gerade geschehen ist.

Was auch immer es war – Wucher, Schikane oder unternehmerisches Denken –, ich habe verloren. Ich habe die Nudeln nicht bekommen, ich konnte den Preis nicht zahlen. Sogar Sophie wirkte schockiert, als sie die Worte ihrer Mutter langsam übersetzte. Die Frau hielt meinem Blick stand, bis ich die Augen senkte und meine Hand von den Nudeln löste. Ich musste mich geschlagen geben.

»Sag deiner Mama … kein Wunder, dass das hier eine Geisterstadt ist – bei den Preisen!«

Und nun habe ich keine Ahnung, was ich tun soll. Ich sehe die Straße hinauf und hinunter. Rechts von mir befindet sich die Piazza mit dem Rathaus. Davor zweigt die Gasse in Richtung Lucas Restaurant ab, von wo aus man über den Ort aufs Meer hinaussehen kann. Abseits der Hauptstraße stehen die Häuser, die eigentlich für uns bestimmt waren. Alles ist mit schwarzer Vulkanasche bedeckt.

Was soll ich bloß tun? Ich kann nicht ohne Lebensmittel zurückkehren.

Bei den Preisen könnte man genauso gut außer Haus essen, denke ich. Langsam spaziere ich auf das grün gestrichene Tor des Restaurants zu. Vielleicht könnte ich ja hier fertig zubereitete Mahlzeiten kaufen und sie für selbst gekochte ausgeben?

Plötzlich öffnet sich das Tor, und der Mann tritt heraus, den ich von unserem ersten Abend wiedererkenne. Es ist Lucas Vater Romano, der sich, wenn ich richtig zwischen den Zeilen gelesen habe, unser Startkapital unter den Nagel gerissen hat. Als er in ein schlampig geparktes Auto einsteigt, will ich auf ihn zustürmen. Jede Menge Worte schießen mir durch den Kopf, Dinge, die ich ihm sagen möchte, allerdings nicht in der richtigen Reihenfolge. Doch dann taucht Luca hinter dem Mann auf und lässt mich zur Salzsäule erstarren.

Mein Magen zieht sich zusammen; ich bin so wütend, dass ich kaum sprechen kann. Als ich zu der großen roten Villa aufblicke, wird mir klar, dass es sich um Romanos Haus handeln muss. Den Baugeräuschen nach zu urteilen, wird dort auch die neue Sporthalle gebaut. Meine Stimmung verdüstert sich noch mehr.

Ich rufe: »Hey! Ich will mit Ihnen reden!«, und laufe dem Wagen über die unebene Kopfsteinstraße nach. »Hey! Kommen Sie zurück!«

Da das Fenster heruntergelassen ist, kann er mich zweifellos hören, aber er hält nicht an. Stattdessen hebt er eine Hand zum Abschied und bringt mich damit noch mehr auf die Palme. Wie arrogant dieser Mensch ist! Das zerbeulte alte Auto schlingert die Straße entlang und touchiert den Außenspiegel eines anderen unsauber geparkten Wagens, doch der Fahrer bleibt nicht stehen. Niemand scheint den Vorfall bemerkt zu haben. Diese Aktion steht sinnbildlich für Lucas Familie! Offensichtlich glauben sie, sie könnten sich alles erlauben.

Wütend marschiere ich auf Luca zu. »Hast du gesehen, was gerade passiert ist?«

Seine Miene verändert sich. »Ist das dein Wagen?«

»Nein, aber irgendjemandem gehört er!«

»Stimmt. Die Menschen hier sind schlechte Autofahrer«, sagt er, als wäre das Ganze völlig normal. »Wie geht's dir? Hast du dich schon eingelebt? Tut mir leid, dass der Ätna euch nicht so herzlich begrüßt hat.«

»Nein, wir haben uns nicht eingelebt«, entgegne ich böse. »Im Gegenteil: Wir machen uns startklar, sobald diese Asche sich gelegt hat. Aber das weißt du ja sicher.«

»Nein! Gefällt es euch nicht? Ich kann es euch nicht verdenken.« Er zuckt mit den Schultern. »Es muss euch sehr ruhig vorkommen, ich bin nicht überrascht, dass ihr abreisen wollt.«

Ich hole tief Luft. »Wir wollen nicht abreisen«, sage ich so geduldig, wie es mir möglich ist. »Wir müssen. Das für dieses Projekt bestimmte Geld ist … verschwunden!« Wütend starre ich ihn an, dann lasse ich den Blick zu der Villa auf dem Hügel schweifen, von wo die Geräusche der Bauarbeiten zu hören sind.

»Oh nein! Nicht schon wieder!« Er schlägt die Hände über dem Kopf zusammen.

»Nicht schon wieder?«

»Na ja … ich meine, ja, es gibt ein paar Leute, die glauben, dass es am besten ist, Gelder abzugreifen, für die man nichts tun muss. Wie du siehst, gehöre ich nicht dazu.« Er deutet auf das Restaurant.

»Aber das ist das Haus deines Vaters, oder nicht?« Ich zeige auf die rote Villa.

Er seufzt tief auf. »Ja, das ist das Haus meines Vaters.«

»Und du arbeitest für deinen Vater?«

»Nicht direkt. Allerdings gehört ihm das Restaurant – na ja, eigentlich der Familie. Ursprünglich hat mein Onkel es geführt, aber er ist gestorben. Jetzt leite ich es mithilfe des Kochs Valentino, der bereits sehr alt ist. Meine Familie, nun, sie befindet sich in einer schwierigen Lage. Mein Vater ist nicht mehr richtig gesund, seit … Na ja, es geht ihm schon eine Weile nicht mehr gut, und deshalb versuchen wir, ihn nicht aufzuregen. Niemand will dafür verantwortlich sein, dass er einen Herzinfarkt bekommt.«

»Und du, bist du genauso wie sie? Tust du auch, was du willst?«

»Nein.« Er hält meinem Blick stand und schüttelt den Kopf. »Nein. Mal abgesehen vom Zitronenanbau.« Langsam breitet sich ein Lächeln auf seinem Gesicht aus, das mich ansteckt, als ich an den gepflegten Zitronenhain denke, den ich neulich gesehen habe. Liebend gerne hätte ich noch weitere Fragen gestellt, doch mich beschäftigen gerade andere Probleme.

»Nun, ich muss dann mal weiter. Ich muss einen Ausweg aus dem nächsten Chaos finden …«

»Welches Chaos? Gibt es ein Problem? Kann ich helfen?«

»Heute Abend kommen zahlende Gäste zu uns. Wir müssen ein bisschen Geld verdienen, um die Zeit zu überbrücken, bis die Asche sich legt und wir nach Hause fliegen können. Aber die Frau im Laden verkauft mir keine Lebensmittel mehr.«

»Ach, meine Cousine Carina.«

»Noch eine Verwandte?« Ich verdrehe die Augen. »Arbeitet sie auch für deinen Vater?«

Er nickt und besitzt immerhin den Anstand, betreten auszusehen. »Der Onkel, dem das Restaurant gehörte – sie ist seine Tochter. Sie steht meinem Vater nahe, genau wie Sophia, ihre kleine Tochter. Er hat die Rolle des Großvaters übernommen. Wir nennen ihn alle Il Nonno, den Großvater. Carina gefällt die Vorstellung einer Konkurrenzsituation ganz und gar nicht.«

»Aber wir sind keine Konkurrenz. Wir beleben das Geschäft. Okay, nur ein kleines bisschen, für den Ort ist das allerdings eine Belebung.«

Er schüttelt den Kopf. »Meine Familie wird tun, was mein Vater sagt, und wenn er sagt, ihr seid Konkurrenz, befolgen sie seine Wünsche.«

Ich runzele die Stirn. »Aber Giuseppe hat so hart dafür gearbeitet, das alles zum Laufen zu bringen – neue Familien in den Ort zu holen, damit es weitergeht.«

»Mein Vater sieht das anders. Giuseppe und er sind schon lange nicht mehr einer Meinung, und sie haben bereits seit Jahren nicht mehr miteinander gesprochen. Er glaubt, Giuseppe wolle ihn aus dem Geschäft drängen.«

»Aber sind sie denn nicht … sind sie denn nicht verwandt? Verschwägert?« Ich habe Mühe, den Überblick über die Verwandtschaftsverhältnisse zu behalten.

Er nickt. »Du siehst aus, als wäre dir heiß … Wie wäre es mit einem Eis? Es würde auch gegen den schrecklichen Geruch nach Asche helfen, der in der Luft liegt.«

Ich sehe ihn an. Eigentlich sollte ich böse auf ihn sein. Es ist seine Familie, die uns auf die Straße setzt. Doch irgendwie ist mein Mund anderer Meinung. Der Gedanke an Eiscreme in meiner trockenen Kehle ist sehr verlockend.

»Ein Eis wäre ganz toll«, sage ich spontan.

Ich folge ihm durch das Tor und steige die Stufen zu dem wunderbaren kühlen Restaurant hinunter. Nachdem ich mich an einem Tisch niedergelassen habe, bringt er mir eine Schale Eiscreme.

»Hier«, sagt er mit einem reizenden Lächeln. »Das ist das Mindeste, was ich als Wiedergutmachung für das schlechte Benehmen meiner Familie tun kann. Aber du musst die Geschmacksrichtungen erraten.«

Ich nehme den Löffel und probiere als Erstes die grüne Eiscreme.

»Pistazie?«, rate ich.

»*Pistacchio*«, erwidert er.

Lächelnd wiederhole ich das Wort.

»Gut, und die nächste?«

»Erdbeere«, antworte ich zuversichtlich.

»*Fragola.*«

»*Fragola*«, spreche ich ihm nach.

»Gut! Und jetzt noch die weiße Sorte, um die italienische Flagge zu komplettieren.«

»Zitrone!«, verkünde ich. »*Limone.*«

»Meine Lieblingssorte«, erklärt er. »Der Geschmack von Sizilien, der Geschmack von Città d'Oro ... na ja, früher jedenfalls. Auf jeden Fall der Geschmack meiner Kindheit.«

Er nimmt sich ebenfalls einen Löffel, und gemeinsam essen wir das Eis.

Ohne nachzudenken, stelle ich die Frage, die mir schon länger im Kopf herumschwirrt. »Luca, warum bleibst du hier?

Willst du nicht fortgehen? Ich meine, du hast gesagt, du sollst deine Cousine heiraten. Möchtest du nicht selbst eine Frau finden?«

Er steckt seinen Löffel in die Eiscreme. »Es ist nicht so einfach, von einem Vater wie meinem loszukommen. Wie gesagt, er ist nicht gesund, und wenn ich seine Pläne durchkreuzte, würde das sein Herz belasten. Es ist wirklich hart. Aber ja, es war mein Plan, von hier fortzugehen, bevor …«, er holt tief Luft, »bevor meine Mutter gegangen ist.« Er senkt den Blick und sieht dann wieder auf. Die Worte hängen in der Luft. Er geht nicht ins Detail, und ich habe nicht das Gefühl, dass ich nachhaken sollte.

»Ich mache mich jetzt besser mal auf die Socken«, sage ich. »Ich muss irgendwo Lebensmittel auftreiben, irgendwo außerhalb von Città d'Oro, wie es aussieht.«

»Ich kann dir was geben, wenn du möchtest.« Er steht auf. »Was du willst.«

»Ich kann nichts von dir annehmen! Das wäre nicht richtig.«

»Es wäre eine Art Entschädigung, um das schlechte Benehmen meiner Familie zumindest teilweise wiedergutzumachen.«

»Das kann ich nicht annehmen.«

»Doch, du kannst. Sag mir, was brauchst du?«

»Na ja … Ich wollte im Laden eigentlich Pasta kaufen. Wenn du welche hast, wäre das echt prima.«

»Dann also Pasta!«

»Wirklich?«

»Natürlich. Ich habe heute Abend frei, es gibt keine Reservierungen. Ich bringe die Pasta bei euch vorbei.«

»Damit sie nicht sehen, dass du mit dem Feind verkehrst?«, sage ich spöttisch mit hochgezogenen Augenbrauen, um ihn auf die Probe zu stellen.

»Genau«, erwidert er, neigt den Kopf und bestätigt damit das Offensichtliche.

Ich lächele. Irgendwie scheine ich in Lucas Gegenwart ziemlich oft zu lächeln.

»Ich komme später vorbei«, sagt er. »Es ist ein Geschenk. Und es tut mir leid wegen meines Vaters.«

Hoffentlich hält er sein Wort, anders als sein Vater. Hoffentlich kann ich ihm vertrauen. Bei dem Gedanken schmelze ich dahin, genau wie die Eiscreme unten in meiner Schale.

17. Kapitel

Am späten Nachmittag herrscht im Bauernhof reges Treiben; es geht zu wie bei den Bienen, die im verwilderten Zitronenhain zwischen den roten Mohnblumen, dem gelben Wilden Fenchel und dem Ätna-Ginster hin und her fliegen.

Die schwarze Asche im Hof ist zu kleinen Haufen, die Mini-Ätnas gleichen, zusammengekehrt worden.

Die Zimmer im Schuppen sehen super aus. Die Betten wurden dank Ralphs hohen Ansprüchen mit militärischer Präzision gemacht und die Böden aufopferungsvoll geschrubbt und geputzt. Sämtliche Kisten und Kartons befinden sich nun zusammen mit Lennies Habseligkeiten in meinem Zimmer. Die Hitze lässt schon nach, wie immer hier auf Sizilien, sobald die Sonne sinkt.

Alle sind guter Dinge – wir sind ein bisschen verschwitzt, aber dennoch fühlen wir uns besser, weil wir etwas zu tun haben und etwas auf die Beine stellen.

»Ich weiß nicht, wie es euch geht, aber ich bin bereit für ein kühles Bier«, meint Barry, der im Schuppen aufgeräumt hat und jetzt noch sein Fahrrad abstaubt – beinahe liebevoll, würde ich sagen.

Ich sammele gerade das Putzzubehör ein, um es ins Haus zurückzubringen, und Sherise leert einen Eimer mit Schmutzwasser über den Zaun, der den Obstgarten umgibt.

»So! Sie sehen aus, als könnten sie ein bisschen Wasser vertragen, die Armen«, sagt sie und betrachtet die Bäume. »Was das wohl ist?« Sie deutet auf ein paar kleine hellgrüne Früchte an den Zweigen.

Ich zucke mit den Schultern. »Vielleicht Limetten?«

Ich stütze mich auf einen Besen. Ich trage eine Latzhose, die ich in einer der Kisten gefunden habe, die inzwischen in meinem Zimmer stehen. Ich frage mich, was sonst noch so darin sein mag. Ich kann es kaum erwarten, mich auf die Kisten zu stürzen, um zu sehen, ob ich vielleicht mit einigen der Klamotten mein Geschäft für Secondhandkleidung beginnen könnte ... Doch dann fällt mir wieder ein, dass wir gar nicht hierbleiben werden. Meine Stimmung plumpst wieder in den Keller. Aber ich werde mir den Inhalt der Kisten dennoch ansehen. Sollten ein paar Prachtstücke darin sein, werde ich Giuseppe fragen, ob ich sie ihm abkaufen kann, um sie dort zu verkaufen, wo ich letztendlich landen werde.

Lennie steuert auf mich zu. Er kommt mir so groß vor, allerdings bin ich auch ziemlich klein. Er umarmt mich und zieht mich an sich. Als ich mit geschlossenen Augen den Kopf an seine Brust lehne und Kraft schöpfe, wird mir wieder klar, dass mein Leben viel besser ist, seit er ein Teil davon ist. Plötzlich höre ich einen Ruf.

»Wer ist das denn?«, fragt Lennie, und ich schlage die Augen auf.

Eine kleine grün-weiße Vespa fährt die staubige Zufahrt entlang. Der Fahrer trägt einen offenen Helm ohne Kinnschutz und Visier und balanciert eine prall gefüllte Tasche zwischen den nackten gebräunten Fußknöcheln auf dem Trittbrett.

»Das ist Luca!« Ich straffe die Schultern und lächele, während mein Magen den üblichen Salto schlägt – so heftig, dass ich die Hand darauflege.

»Was macht er hier?«, fragt Lennie. »Ist es nicht seine Familie, die dafür gesorgt hat, dass wir nicht hierbleiben können?«

»Nein! Na ja, technisch gesehen schon. Aber Luca hilft uns. Ich habe ihm erzählt, dass man uns im Laden im Ort keine Lebensmittel verkaufen will. Nun ...« Ich weiß nicht, warum ich bei dem Gedanken an mein Eiscreme-Date mit Luca rot werde. Schließlich war es gar kein richtiges Date. Er hat mir nur ein Eis angeboten. »Ich bin Luca zufällig begegnet, und er hat versprochen, Essen vorbeizubringen.« Ich verstehe selbst nicht, warum ich das Eis nicht erwähnt habe.

Lennies Stirnrunzeln macht einem Lächeln Platz. »Er bringt uns Essen aus dem Restaurant?«

Ich nicke strahlend. Genau. Weitere Erklärungen sind nicht nötig.

»Aber kostet das nicht zu viel?« Lennies Stirnrunzeln ist zurück.

»Sagen wir mal, er tut uns einen Gefallen, um das Verhalten seiner Familie wiedergutzumachen.«

Lächelnd schüttelt Lennie den Kopf. »Du findest immer eine Lösung, Zelda!« Er zieht mich nochmals an sich und drückt mir einen Kuss aufs Haar.

Nachdem ich Lennie von meiner Auseinandersetzung mit der Frau im Laden erzählt hatte, wollte er gleich hingehen, um ihr gründlich die Meinung zu sagen. Doch ich hielt ihn zurück und erklärte, dass ich alles organisiert hätte. Ich drückte die Daumen und betete, Luca würde mich nicht im Stich lassen wie der Rest des Ortes. Hoffentlich würde er sein Wort halten! Und das hat er. Aber es hat nicht gerade dazu beigetragen, die Schmetterlinge in meinem Bauch zu beruhigen.

»Ich habe Pasta mitgebracht!«, ruft Luca, während er den Ständer seiner Vespa herunterklappt.

»Fantastisch! *Grazie mille*, Luca.«

Lennie nickt Luca zu und lächelt. Meine Italienischversuche hinterlassen Eindruck.

»Zwei Dinge, die ich an dir liebe, sind dein Einfallsreichtum und deine Bereitschaft, alles auszuprobieren! Auch wenn du keine Ahnung hast, was du tust oder sagst!«

»Hey!« Ich versetze ihm einen spielerischen Rippenstoß. Wir lachen beide, als er so tut, als hätte er Schmerzen.

Luca kommt mit der prall gefüllten Tasche auf uns zu.

»Ich habe Pasta mitgebracht«, wiederholt er.

»Für Pasta sieht die Tasche aber sehr schwer aus«, kommentiert Lennie.

»Das ist eine Nudelmaschine ... und Zutaten. Um frische Pasta zu machen.« Luca strahlt.

»Frische Pasta?«, frage ich verwirrt.

»Natürlich. Schmeckt viel besser – und ist auch viel billiger!«

»Aber ... ich habe keine Ahnung, wie man frische Nudeln macht.« Zweifelnd betrachte ich die Tasche und stelle fest, dass mein toller Plan gerade einen Riesendämpfer bekommen hat.

»Ich helfe euch«, sagt Luca und streicht sich die ungebärdigen Haare aus dem Gesicht. »Wir kochen einfach zusammen. Kommt mit!« Er deutet mit dem Kinn Richtung Küche, als wäre das das Selbstverständlichste auf der Welt.

»*Buongiorno!*« Luca begrüßt die in der Küche versammelten Personen, schüttelt Hände und küsst die Frauen auf die Wangen. »So, dann machen wir also Pasta, *sì?*«, sagt er lächelnd.

»Bist du Koch?«, will Tabitha mit einem Hauch von Koketterie wissen. Sie hat ihren Laptop zur Seite gestellt, das ist ja schon mal was.

»Nein, das nicht. Ich leite das Restaurant, in dem ihr gegessen habt, aber ich bin nicht fürs Kochen zuständig. Valentino ist der Koch. Bereits seit vielen Jahren.« Er hält inne und überlegt. »Bereits seit sehr vielen Jahren, als ich noch ein kleiner Junge war.« Er lacht. »Alle hier im Ort tun das, was sie tun, schon seit sehr langer Zeit. Und die jüngeren Leute sind alle weggegangen, schon vor vielen Jahren!«

Er macht sich daran, die Tasche auszupacken. Trotz seiner fröhlichen Art denke ich unwillkürlich, wie traurig es sein muss, in einem Ort zu leben, in dem alle Menschen alt sind. Es gibt niemanden in seinem Alter, abgesehen von der Cousine.

»Vielleicht wirst du auch eines Tages weggehen«, sage ich, bevor ich realisiere, wie unverblümt das klingt.

Er hält inne und zuckt mit den Schultern. »Vielleicht, irgendwann mal.« Das Lächeln erstirbt auf seinen Lippen. Als er mir einen Blick zuwirft, fühle ich mich erneut wie elektrisiert.

Rasch sehe ich weg. Luca beugt sich vor und nimmt einen sehr schweren Gegenstand aus seiner Tasche. Ein großes Gerät aus Metall, das mit einem lauten Knall auf dem Tisch landet.

»Die Nudelmaschine meiner Großmutter!«, verkündet er stolz.

»Wir machen wirklich richtige Pasta?«, fragt Sherise voller Ehrfurcht.

»Nicht aus der Dose?«, wirft Barry ein. Alle drehen sich um und sehen ihn an. »Was denn?«, sagt er leise und zuckt mit den Schultern.

»Gut, dann fangen wir mal an. Wir müssen die Maschine am Tisch befestigen – Lennie, kannst du mir dabei helfen? Und Zelda, kannst du das Mehl auf den Tisch schütten? Tabitha, bitte pflück ein paar Limonen von den Bäumen da draußen.«

»Ich dachte, das sind Limetten?«

»Nein, die kleinen grünen sind Verdello-Zitronen. Sie sind etwas kleiner als die anderen Zitronen. Sie entstehen aus der Sommerblüte, sind kleiner und bleiben grün. Je weniger Wasser die Bäume bekommen, desto grüner bleiben die Früchte. Doch sie duften fantastisch und haben ein wunderbares Aroma.«

»Bist du sicher, dass ich den Zitronenhain betreten darf? Er ist schließlich eingezäunt.«

»Keine Sorge, ein paar Limonen machen keinen Unterschied. Niemand wird merken, dass sie weg sind«, beruhigt er Tabitha, während er die Nudelmaschine mit einer letzten Drehung der Schraube festzurrt und probeweise daran rüttelt.

»Ich schalte den Strom des Elektrozauns aus«, sagt Billy.

»*Buon!* Gut!« Luca lächelt Billy zu, der das Lächeln mit einem Nicken erwidert. »So, an die Arbeit ... Zuerst geben wir das Mehl auf die Arbeitsfläche – das hat Zelda schon getan – und machen eine Mulde in die Mitte, in die wir die Eier geben. Ich habe Eier von den Hühnern meines Nachbarn mitgebracht.« Er stellt eine Eierschachtel auf den Tisch.

»Wir hatten auch mal Hühner.« Billy seufzt wehmütig. »Die Eier hatten einen wunderbaren Geschmack.« Ohne ein weiteres Wort verschwindet er nach draußen, um Tabitha zu helfen.

»Hier, die habe ich auch mitgebracht, Oliven aus meinem Garten.« Luca hält ein Glas hoch. »Ihr könnt sie mit einem Drink servieren. Und Käse mit hausgemachter Zwiebelmarmelade. Oh, und Tomaten.« Er reicht die Tomaten, die sich noch an den Rispen befinden, herum, damit jeder daran riechen kann. »Wir können einen Salat Caprese zubereiten; er hat die Farben der italienischen Flagge – Weiß, Rot und Grün. Wir haben Mozzarella für den weißen Teil, für den grünen brauchen wir Basilikum. Das gibt es bestimmt draußen. Kann jemand danach Ausschau halten?« Ralph wendet sich zum Gehen.

»Das Pastagericht werden wir – wie den Salat – einfach halten und eine Zitronen-Knoblauch-Soße machen. Ich zeige euch, wie das geht. Und als Nachtisch gibt es Eis.« Er nimmt einen großen Becher Zitroneneis aus der Tasche und lächelt mir zu. »Einfaches Essen, aber sehr besonders. Eure Gäste werden bestimmt glücklich und zufrieden sein.«

»Danke, Luca.« Wieder kann ich meinen Blick nicht von seinem losreißen. Hastig kremple ich die Ärmel auf und vermische Mehl und Eier gemäß seiner Anweisung. Ich muss damit aufhören, mich jedes Mal so zu fühlen, wenn er mit mir spricht. Es ist lächerlich! Nun, es gibt zumindest einen positiven Aspekt unserer baldigen Abreise: Luca kann mich nicht mehr davon ablenken, meine ganze Aufmerksamkeit auf Lennie zu konzentrieren.

»Hier, Luca, die Zitronen!« Tabitha taucht ein bisschen atemlos in der Küche auf. »Es ist nicht einfach, über diesen Zaun zu klettern.«

»Nicht einfach Zitronen, sondern Verdello-Zitronen«, korrigiert er sie und lächelt. Sie lächelt zurück.

»Verdello-Zitronen.«

»*Magnificio!*«, verkündet er und nimmt ihr die Früchte ab. »*Grazie, perfetto!* Sag mal: *prego*«, fordert er sie auf.

»*Prego!*«

»Jetzt sprechen wir alle Italienisch.« Er strahlt. »Als Nächstes versuchen wir es mit Sizilianisch.«

»Willst du damit sagen, dass es eine eigene Sprache nur für Sizilien gibt?«, fragt Barry.

»Und du sprichst Englisch!«, ruft Sherise.

»Na klar! Warum sollten wir nur eine Sprache benutzen, wenn drei möglich sind?« Während wir gemeinsam das Essen vorbereiten, erklärt er uns den Unterschied zwischen Italienisch und Sizilianisch.

»Ralph, kannst du bitte den Wein öffnen?« Luca bringt zwei Flaschen zum Vorschein. »Am besten behaltet ihr eine für eure Gäste; die andere können wir nun trinken. Der Wein stammt von weiter oben am Berg Richtung Ätna. Die Weinreben gedeihen an den steilen Berghängen. Die Vulkanasche macht den Boden fruchtbar und besonders nährstoffreich. Deshalb ist unser Obst auch so gut. Zum Beispiel wachsen hier auch Blutorangen, und wir waren mal bekannt für unsere Limonen«, sagt er und reicht uns eine Verdello-Zitrone, damit wir daran riechen können.

»Waren bekannt?« Tabitha ist die Vergangenheitsform aufgefallen.

»Auf Sizilien gab es überall Limonen. Man hatte entdeckt, dass Zitrusfrüchte Skorbut verhindern, und wenn Schiffe vorüberkamen, luden sie immer Zitronen, damit die Seeleute gesund blieben. Deshalb ist die Insel so reich geworden.«

»Und jetzt?«, frage ich.

»Und jetzt … na ja, es werden nach wie vor in vielen Geschäften Limonen verkauft. Die Supermärkte wollen sie zu Billigpreisen haben, daher sind sie nicht immer von bester Qualität.«

Während wir arbeiten, trinken wir den wunderbaren Rotwein und naschen von den köstlichen Oliven, den knackigen Möhren und den Fenchelsamen. Schließlich treten wir zurück und begutachten unser Werk. Sherise und ich haben den Tisch draußen im Hof unter dem Feigenbaum gedeckt. Die Zimmer sind fertig vorbereitet. Wir lächeln und nehmen unsere Weingläser mit hinaus in den Hof, wo die Sonne allmählich untergeht.

»Fertig?«

»Fertig. Und *grazie*«, sage ich zu Luca und stoße mit ihm an. Ich sehe Lennie an, der ebenfalls sein Glas hebt und uns zuprostet.

»*Grazie,* Luca«, schließt er sich an. »Ohne dich hätten wir das nicht hinbekommen.«

»Es ist das Mindeste, was ich tun konnte«, erwidert Luca.

»Ich muss ein Foto auf Facebook posten«, sagt Tabitha und läuft ins Haus, um ihr Handy zu holen.

»Dieses Haus … es war einmal ein wunderschöner Hof. Als Kind bin ich ständig hergekommen. Es ist Giuseppes Elternhaus, es gab immer viel Gelächter und Spaß. Es ist lange her, seit ich zuletzt hier war.« Er trinkt seinen Wein aus. »Viel Glück mit euren Gästen. Ich gehe dann jetzt.«

»Neeeiiin!« Wir hören Tabithas Aufschrei bis in den Hof, und schon taucht sie in der Tür auf und hält sich am Rahmen fest.

»Was ist denn los, Liebes?«, fragt Sherise.

»Sie kommen nicht!«

»Was?«

»Die Gäste. Sie kommen nicht. Sie haben geschrieben, dass sie uns nicht finden konnten und im Kreis herumgeirrt sind.«

»Aber meine Beschilderung war perfekt!«, ruft Barry.

»Sie schreiben, dass sie im Lebensmittelladen nachgefragt haben. Sie haben ihnen eine andere Unterkunft besorgt.«

»Zweifellos bei einer meiner anderen Cousinen«, murmelt Luca.

»Sie kommen nicht!«, wiederholt Tabitha. Schweigen senkt sich über den Hof.

»Was machen wir denn nun?«, frage ich schließlich. Ich fühle mich, als hätte mir jemand einen Schlag in die Magengrube versetzt. Die ganze Arbeit war umsonst.

»Wir könnten versuchen, sie zu finden«, schlägt Sherise vor.

»Ich suche sie mit dem Fahrrad und dirigiere sie hierher«, sagt Barry.

»Wir könnten darauf bestehen, dass sie einen Vertrag abgeschlossen haben«, wirft Ralph ein.

Ich seufze tief auf und schüttele den Kopf.

»Wir können sie nicht zwingen, hier zu übernachten«, sage ich und lasse mich auf einen Stuhl fallen. Ich bin zutiefst niedergeschlagen.

»Zelda, es war großartig von dir, wie du das auf die Beine gestellt hast. Du kannst nichts dafür.« Lennie legt mir eine Hand auf die Schulter.

»Aber wir haben doch schon alles fertig.« Ich betrachte die lange Tafel. »So eine Verschwendung. Und wir hätten das Geld so gut brauchen können. Was jetzt?«

»Wir essen erst mal«, sagt Luca entschlossen und nimmt das Heft in die Hand. »Nichts ist verschwendet. *Tutti a tavola!* Zu Tisch!«

Überrascht sehen wir ihn an, doch dann tun wir wie geheißen. Nichts sollte verschwendet werden.

Wir sitzen unter dem Feigenbaum und essen den Salat Caprese mit dem cremigen, zartschmelzenden Mozzarella, den saftigen, aromatischen Tomaten und dem würzigen Basilikum. Danach räumen wir ab und kochen die Nudeln. Dabei fangen wir das Kochwasser für die Soße auf. Wir drehen die Pasta um unsere Gabeln und genießen sie mit der Zitronen-Knoblauch-Soße. Zum Abschluss gibt es *gelato*. Wäre die ganze Situation nicht so vertrackt, hätte man sagen können, alles wäre perfekt.

Ich schaue zum Ätna auf, der sich beruhigt hat und fast heiter wirkt, während er nur noch kleine Rauchwolken ausstößt. Dann lasse ich den Blick um den Tisch schweifen und betrachte diese Menschen, die mutig einen Neustart wagen wollten. Rebellische Gedanken breiten sich in mir aus.

18. Kapitel

Nach der Mahlzeit räumen wir den Tisch ab. Trotz der widrigen Umstände bin ich zufrieden und gut gelaunt. Luca küsst die Frauen auf die Wangen und schüttelt den Männern die Hände und wünscht uns allen Gute Nacht. Als er auf seinem Roller davonfährt, muss ich unwillkürlich lächeln. Sanft berühre ich die Stelle an meiner Wange, die er zuvor geküsst hat.

Immer noch lächelnd steige ich die Treppe zum Schlafzimmer hinauf. Erst als ich die Tür aufmache und Lennie vorfinde, der gerade seine Hose auszieht, fällt es mir schlagartig wieder ein: Wir sind ein Paar! Wir teilen uns ein Zimmer!

Er erstarrt und zieht die Hose wieder hoch. Eindeutig ist er genauso verunsichert von unserem neuen Arrangement wie ich auch. Ich trete ein, schließe die Tür und nehme meinen Schal ab. Es ist nicht so, als hätten wir einander nicht schon häufiger im Schlafanzug gesehen. Häufig haben wir im Bett zusammen Kaffee getrunken, nachdem wir am Vorabend ausgegangen waren. Doch irgendwie fühlt es sich nun anders an.

»Hör mal, Zelda.« Wie so oft hat Lennie die Situation rascher im Griff als ich. »Ich möchte nichts überstürzen und dadurch ruinieren, dass es sich nicht richtig anfühlt. Wir haben alle Zeit der Welt, um uns kennenzulernen. Wir sollten uns nicht zu etwas gedrängt fühlen, nur weil wir uns jetzt ein Zimmer teilen. Warum lassen wir uns nicht einfach Zeit? Ich möchte, dass es ganz besonders wird, nicht nur eine schnelle Nummer, weil wir das Gefühl haben, wir müssten es tun. Irgendwie will ich nicht, dass es mit uns wie bei unseren anderen Beziehungen läuft. Lass es uns langsam angehen. Wichtig ist bloß, dass wir zusammen sind.«

Ich seufze vor Erleichterung tief auf. Siehst du! Wir sind uns tatsächlich wieder einig! Wir empfinden das Gleiche.

»Außerdem«, fügt er hinzu und lässt seine Hose wieder die langen, haarigen Beine hinuntergleiten, »weiß ich nicht, ob ich nach dieser Menge Pasta noch viel auf die Reihe bekommen würde.« Er legt sich die Hand auf den Bauch und rülpst leise, woraufhin wir beide in lautes Lachen ausbrechen. Wir lassen uns ins Bett sinken und machen es uns gemütlich. Als er zufrieden den Arm um mich legt, denke ich, dass ich ihn noch mehr liebe als zuvor.

Doch während ich seinem leisen Schnarchen lausche, geht mir auf, dass wir eigentlich keine Zeit mehr haben. Sobald die Asche sich gelegt hat, reisen wir ab, und damit ist das romantische Abenteuer, an einen neuen Ort zu ziehen und eine gemeinsame Zukunft aufzubauen, schon wieder beendet. Werden wir unseren Pakt noch mit den gleichen Augen betrachten, wenn wir wieder in gemieteten Zimmern wohnen und Berufe ohne Entwicklungsmöglichkeiten ausüben?

19. Kapitel

»Jemand hat sie ummontiert und umgedreht … da war wohl ein Profi am Werk!«

Barry steht im Hof unter unserem Fenster, wo Sherise und Ralph gerade Kaffee trinken. Am frühen Morgen hat er eine Runde mit dem Fahrrad gedreht. Nebelschwaden wälzen sich durch die aufgegebenen Zitronenhaine, während die aufgehende Sonne durch die Zweige der Bäume blitzt. Barry ist zurück, und er ist wütend.

»Wie bitte? Meinst du, das könnte Matteo gewesen sein?«, fragt Ralph.

Barry zuckt mit den Schultern und lehnt sein Fahrrad an einen Baum. Wir laufen die Treppe hinunter zu ihnen.

»Was ist passiert?«, fragen wir beide und versuchen, unsere Bettfrisuren in Ordnung zu bringen. Sherise schenkt uns ein wissendes Lächeln. Ich würde ihr nur sehr ungern erzählen, dass in unserem Bett letzte Nacht nichts gelaufen ist – wir haben bloß tief und fest geschlafen. Sie wäre sicher enttäuscht.

»Er muss es gewesen sein!«, sagt Barry und ignoriert uns. »Ich weiß nicht, wie viele andere Leute das so professionell hinbekommen würden.«

»Was?!«, sagen Lennie und ich gleichzeitig.

Tabitha stößt mit verquollenen Augen zu uns. Für sie ist es noch sehr früh. Sie hat ihr Handy dabei und sucht wieder mal nach Empfang.

»Jemand hat meine ganzen Schilder umgedreht, jedes einzelne«, erklärt Barry.

»Das ist ja schrecklich!« Alle machen ihrer Empörung Luft.

Wut überkommt mich, und ganz kurz frage ich mich, ob Luca wohl etwas davon weiß. War die Aktion vom Vorabend vielleicht ein ausgeklügeltes Ablenkungsmanöver?

»Bitte stell doch die Zimmer noch mal auf Airbnb ein«, sage ich zu Tabitha. »Sehen wir mal, was der nächste Versuch bringt. Und diesmal verabreden wir uns mit den Gästen an der Hauptstraße und holen sie ab. Es wird Zeit, dass jemand dieser Familie Paroli bietet.«

Der Rest der Woche verläuft reibungslos. Barry fährt mit dem Rad zum vereinbarten Treffpunkt, um die Gäste abzuholen, die online gebucht haben. Allmählich entwickelt sich eine gewisse Routine – Betten machen, putzen, kochen –, und unsere Haushaltskasse füllt sich. Wir machen frische Nudeln, Luca besorgt die übrigen Lebensmittel, und wir geben ihm das Geld zurück. Wir können uns sogar anständigen Wein von dem Weingut leisten, das Luca uns empfohlen hat.

Wir haben Ralph die Verantwortung über die Kasse und die Finanzplanung übertragen.

»Seid ihr sicher? Viele Leute im Bankenviertel in London würden euch dringend davon abraten, mich auch nur in die Nähe der Haushaltskasse zu lassen.«

»Wir sind uns ganz sicher«, erwidere ich. »Was auch immer in England passiert ist, es gehört der Vergangenheit an.«

Er sieht aus, als hätte ich ihm die Kronjuwelen anvertraut. »Es macht mir Sorgen zurückzumüssen«, sagt er leise.

Am Ende der Woche reisen die letzten Gäste ab, nachdem der Staub und die Asche sich gelegt haben und der Flugverkehr wieder aufgenommen werden konnte.

Tabitha telefoniert hochkonzentriert. Sie sitzt unter dem Feigenbaum, wo die ganze Woche lang der Tisch und die Stühle gestanden haben. Ihr Laptop steht aufgeklappt vor ihr. Das Wetter ist nach wie vor seltsam. Die Luft ist diesig, und hin und wieder gibt es einen Schauer aus schwarzer Asche. Das hat zur Folge, dass wir den Tisch und die Stühle immer wieder abfegen und abwischen müssen. Ab und zu hat die Erde auch leicht gebebt, doch im Großen und Ganzen scheint sich die Lage beruhigt zu haben. Die Luft wird allmählich klarer, ein Hauch von Blau ist am Himmel zu entdecken, und das Leben normalisiert sich wieder – was auch immer das heißen mag.

Ralph führt gerade eine abschließende Berechnung durch, wie viele Gäste wir beherbergt haben und wie hoch die Einnahmen und Ausgaben waren. »Es ist bemerkenswert gut gelaufen«, sagt er. »Wenn ich doch nur in London auch solche Gewinne erzielt hätte! Geringes Risiko, dafür aber jede Menge Arbeit und Mühen«, meint er nachdenklich. »Dann hätte ich vielleicht meine Frau und meine Kinder halten können … und mein Zuhause. Erwarten wir noch Gäste?«, erkundigt er sich.

Ich versuche, Tabithas Blick aufzufangen, um ihr zu bedeuten, dass ich auf ihrem Computer eventuelle Airbnb-Buchungen überprüfen will. Sie hat sich hervorragend um die Online-Buchungen gekümmert, das muss man ihr lassen. Momentan hat sie sich einen Finger ins Ohr gesteckt, läuft auf und ab und unterhält sich lebhaft. Wir sind alle ein bisschen gestresst, weil wir versuchen, Vorkehrungen für die Zukunft zu treffen. Ralph hat sich über Freiwilligenarbeit in einem Vogelschutzgebiet auf einer abgelegenen schottischen Insel informiert, weil er so weit wie möglich von London entfernt sein will. Barry wird bei seinem Bruder unterkommen. Und wir? Unsere einzige Option besteht darin, zu Lennies Mutter zu ziehen. Doch sosehr wir sie auch lieben, würden wir das dennoch gerne vermeiden.

Ein letztes Mal versuche ich, Tabithas Aufmerksamkeit zu gewinnen, aber sie bemerkt es nicht. »Ach, sie hat sicher nichts dagegen«, sage ich. »Gib mir den Laptop, ich sehe nach.«

Lennie reicht mir den Computer. Ein offenes Dokument befindet sich auf dem Bildschirm, wahrscheinlich der Roman, an dem Tabitha schreibt. Es wäre unhöflich, einen Blick darauf zu werfen, daher will ich die Datei schließen. Aber bevor ich mein Vorhaben umsetzen kann, springt mir etwas ins Auge. Ein Name. Ich zwinkere und lese den Namen erneut. Es ist nicht irgendein Name. Sondern meiner!

Tabitha tippt inzwischen wild auf ihrem Handy. Ruckartig hebe ich den Kopf, um sie anzusehen. Offensichtlich ist sie tief in Gedanken versunken. Ich kann den Blick nicht von ihr losreißen. Argwohn und Vorwürfe überschlagen sich in meinem Kopf.

»Alles klar bei dir, Zelda?«, erkundigt sich Ralph. Ich habe das Gefühl, dass ich leichenblass geworden bin und meine Augen Funken sprühen.

Immer noch starre ich Tabitha an, und allmählich scheint sie es zu spüren. Sie blickt von ihrem Handy auf und sieht mir direkt in die Augen. Sie weiß es, denke ich. Sie weiß, dass ich es weiß.

»Geht's dir gut, Zelda?«, fragt sie mit leicht zittriger Stimme.

»Ich wollte gerade die Airbnb-Buchungen checken«, sage ich. Ich bin so ruhig, wie es angesichts meiner Wut möglich ist. »Ich dachte, es macht dir sicher nichts aus.«

»Nein, natürlich nicht!« Sie will mir den Computer aus den Händen nehmen. »Ich rufe die Seite auf.«

Ich lege die Hand auf den Laptop und bringe ihn außer Reichweite. »Nicht nötig«, erwidere ich. »Ich habe alles gesehen, was ich sehen muss. Ralph, könntest du bitte alle zusammentrommeln. Ich glaube, alle sollten erfahren, woran Tabitha arbeitet und warum sie ständig so eifrig telefoniert.«

»Klar.« Ralph sieht verwirrt aus, tut aber, worum ich ihn gebeten habe. Ich lasse Tabitha keine Sekunde aus den Augen. Sie rührt sich nicht. Es ist eine Art Pattsituation. Keine von uns weiß, was die andere als Nächstes tun wird.

Inzwischen haben sich die anderen um den Tisch versammelt. Tabitha überprüft mit einem tiefen Seufzer ihr Handy, dann wirft sie einen Blick auf den Computer.

»Ich hätte gerne bitte meinen Laptop zurück«, sagt sie mit fester Stimme und streckt die Hand aus.

»Nein«, antworte ich. Ich werde keinen Rückzieher machen.

Ich hole tief Luft, meine Brust hebt und senkt sich.

»Ich glaube«, sage ich, »du solltest uns besser genau erzählen, was los ist und was du hier machst.«

Als Tabitha sich umsieht, ist die Atmosphäre genauso aufgeladen wie vor dem Ausbruch des Ätna.

»Was geht hier vor, Zelda?«, fragt Sherise.

Tabitha wirkt wie das sprichwörtliche Kaninchen vor der Schlange, das völlig erstarrt ist und keine Ahnung hat, in welche Richtung es davonlaufen soll. Ich wiederum weiß immer noch nicht, was ich sagen soll oder wie ich mit dem Problem umgehen will. Doch mein Verstand sagt mir, dass ich auf jeden Fall etwas unternehmen muss. Damit darf sie nicht davonkommen!

»Zelda?« Lennie sieht besorgt aus. Er kennt mich schon so

lange. Erst schießen, dann fragen – so lautet meine Devise. Und gleich werde ich schießen!

»Ich helfe dir, ja?« Meine Stimme klingt ruhig und gefasst, obwohl mein Herz rast und die Wut über den Verrat in meinen Adern pulsiert. »Du hast ja offensichtlich jede Menge geschrieben, seit du hier bist.« Ich suche ihren Blick. »Willst du uns nicht erzählen, worüber du schreibst?«

»Hör mal, gib mir einfach den Computer, ja?« Erneut streckt sie die Hand aus, aber ich ignoriere sie.

»Es ist kein Roman, den du da schreibst, nicht wahr, Tabitha?« Ich lasse nicht locker.

Alle starren sie an.

Sie schluckt. »Nein«, antwortet sie und hebt das Kinn, als sei sie bereit, sich ihrem Schicksal zu stellen.

»Was ist es denn dann?«, will Barry wissen.

Ich ziehe die Augenbrauen hoch, doch Tabitha schweigt.

»Es sieht aus wie ein …« Ich kämpfe damit, es auszusprechen: »… ein journalistischer Artikel. Wenn man es so nennen will. Eine Zeitungskolumne.«

»Über das Leben auf Sizilien?«, fragt Sherise.

»Über uns, Sherise: ›Ein Haufen Langweiler, die ihre allerletzte Chance nutzen wollen‹.« Ich versuche, den Text vom Bildschirm abzulesen. Meine Hände zittern genauso stark wie meine Stimme.

»Hört mal, das ist doch nur Spaß«, versucht Tabitha sich herauszureden.

»Ich würde das nicht Spaß nennen«, sage ich leise und kämpfe gegen den Wut-Tsunami an, der sich allmählich in mir aufbaut. »›Der einsame Barry, dreimal geschieden – was mich nicht wundert … Sherise und Billy, die beim alten Eisen der britischen Landwirtschaft gelandet sind, eher daran gewöhnt, sich mit Tieren als mit Menschen zu unterhalten … Lennie und Zelda, ein naives Paar, das glaubt, Ehe und Sex kommen immer noch in dieser Reihenfolge – sie haben keine Chance auf eine dauerhafte Beziehung, wenn sie nicht wissen, wie es im Bett läuft, bevor sie heiraten … Ralph, ein Finanzbetrüger aus dem Londoner Bankenviertel, der seine Familie hängen lassen hat, nachdem er Millionen verloren und ältere Menschen um ihre Pensionsfonds gebracht hat, und jetzt ein Luxusleben auf Sizilien führen will …‹«

»Wie bitte? Das ist nicht wahr!«, ruft Ralph aus.

»Das ist eine verdammte Frechheit!«, sagt Barry gleichzeitig.

Ich sehe Tabitha an. Alle starren sie ungläubig und voller Abscheu an.

Es ist Sherise, die schließlich das Schweigen bricht. »Das Dumme ist nur … es ist wahr, oder etwa nicht?«

»Was?« Wir drehen uns zu ihr um.

»Na ja, es stimmt doch. Wir sind alle hier, weil wir auf der Suche nach etwas sind – einer zweiten, dritten, vierten … oder letzten Chance –, weil wir unser Glück finden wollen, eine Art Sinn und Zweck.«

Wieder breitet sich Schweigen aus, niemand widerspricht ihr. Lennie legt seine Hand auf meine. Ich spüre seine Unterstützung und bin so dankbar, ihn an meiner Seite zu wissen.

Endlich spricht Tabitha. »Falls euch das tröstet, auf mich trifft es genauso zu.«

»Welcher Teil davon?«, fahre ich sie an.

»Alles, um ehrlich zu sein.« Sie lässt sich auf den Stuhl am Ende des Tisches fallen und stützt den Kopf in den Händen auf.

»Ach, Tabitha. Warum hast du das getan?«, fragt Lennie.

Sie blickt auf – sein freundlicher Ton scheint sie zu überraschen.

»Ich gehöre ebenfalls zu denen, bei denen es fünf vor zwölf ist«, gesteht sie. »Ich war die junge, vielversprechende, eifrige Journalistin, die auf ihren Durchbruch wartete. Ich sah Gelegenheiten kommen und gehen, doch sie gingen alle an mir vorüber. Nun sind mir jüngere, vielversprechende Journalisten auf den Fersen und übertrumpfen mich mit ihren Ideen, während ich die Leiter immer weiter hinuntergestoßen werde. Momentan klammere ich mich gerade eben noch mit den Fingerspitzen fest. Wenn ich mir nicht bald was einfallen lasse, bin ich weg vom Fenster. Ich habe keine Ahnung, wie es dann weitergehen soll.«

»Das ist keine Entschuldigung dafür, was du über uns geschrieben hast«, sagt Ralph. »Wenn du die Wahrheit über das verlorene Geld hättest wissen wollen, hättest du mich fragen sollen. Vielleicht hätte ich dir das Interview gegeben, das sämtliche Journalisten haben wollten – sie haben mich förmlich gejagt. Ja, ich habe ein Vermögen verloren. Ja, ich habe meine Familie verloren. Doch es waren nie Pensionsfonds im Spiel, und ganz bestimmt führe ich inzwischen kein Luxusleben. Genau genommen lebe ich mit euch, was mir aus jetziger Sicht eher die Hölle auf Erden zu sein scheint!«

Tabitha sieht aus, als wäre ihr jeder Kampfeswille abhandengekommen. »Nun, es wird euch sicher freuen, dass ich die Quittung bereits bekommen habe«, sagt sie. »Ich habe gerade mit meinem Redakteur telefoniert. Meine Kolumne ist in verkürzter Form auf die letzte Seite des Magazins verbannt worden, um Platz zu machen für einen jungen Koch aus einer dieser Realityshows.«

»Wir müssen für alles dankbar sein, denke ich«, erwidere ich kühl.

»Trotzdem könnten meine Kinder die Kolumne lesen«, wirft Ralph ein. »Und meine Frau wird keine Zweifel mehr daran hegen, warum sie einen derartigen Versager verlassen hat.« Er lässt den Kopf sinken. »Es ist mir nicht einmal gelungen, dieses Sizilienprojekt zu einer Erfolgsgeschichte zu machen; ich habe alles auf eine Karte gesetzt, aber das Projekt ist gescheitert, bevor es überhaupt begonnen hat. Das bin ich, ein Versager auf der ganzen Linie ... Ich glaube, so hast du mich beschrieben, nicht wahr, Tabitha?«

»Hör mal, es tut mir leid. Ich wollte keinen von euch verletzen. Ich bin über diese Anzeige gestolpert, und – wenn ich ehrlich bin, ich konnte mich selbst als Bewerber sehen, falls ich sonst nichts auf den Weg bringen sollte. Das war meine letzte Chance auf eine Schlagzeile für meine Kolumne.«

»Aber du hattest recht, was uns alle betrifft«, meint Sherise. »Und wohin kehren wir jetzt zurück? Zu dem gleichen Chaos, das wir hinter uns gelassen haben.«

Ich betrachte die niedergeschlagenen Gesichter, dann schaue ich Lennie an und denke an das Leben, das ich zurückgelassen habe; und plötzlich formen sich die Worte – schneller, als mein Gehirn arbeiten kann.

»Dann lasst uns nicht zurückgehen«, sage ich leise.

»Wie bitte?« Lennie sieht auf.

»Na ja, Sherise hat recht. Diese Kolumne, das sind tatsächlich wir! Wir alle sind auf der Suche nach etwas, und wir reisen schon wieder ab, ehe wir überhaupt die Gelegenheit hatten, damit zu beginnen.«

»Aber das Projekt wurde abgeblasen. Es gibt kein Geld«, widerspricht Lennie und sieht mich an, als hätte ich einen Dachschaden.

»Wir haben das Startkapital nicht bekommen, das stimmt.

Allerdings sind wir in der vergangenen Woche auch so zurechtgekommen, stimmt's? Wir haben kein Vermögen verdient, doch es hat gereicht. Es wäre genug, um hierzubleiben und ein neues Leben anzufangen. Barry, du wolltest einen Neubeginn, ein Leben, in dem du du selbst sein kannst, nicht die Hälfte eines Paars. Ralph, du wolltest ein Zuhause gründen, in dem deine Kinder dich besuchen können. Sherise und Billy, ihr wolltet Grund und Boden haben, auf dem ihr Vieh halten könnt. Lennie und ich, wir wollten endlich erwachsen werden, heiraten und Wurzeln schlagen.«

»Ja, aber ...«, setzt Sherise an.

»Aber nichts. Wir haben diese Träume immer noch, und wenn wir jetzt zurückgehen, werden sie genau das bleiben: Träume. Hier können wir wenigstens versuchen, diese Träume wahr werden zu lassen. Giuseppe wollte, dass wir dieser Gemeinde neues Leben einhauchen; er wollte, dass wir Teil der Gemeinschaft werden und dass es eine Hochzeit gibt. Ist das nicht genau das, was wir alle wollen?« Ich sehe Lennie an. Er lächelt mir zu, so liebevoll, und ich bin so glücklich, mit ihm hier zu sein.

»Ja.« Er nickt.

»Warum wollen wir dann abreisen?« Ich sehe in die Runde. Die einzige Gemeinsamkeit, die wir haben, ist die Tatsache, dass wir unsere Lebensziele aus den Augen verloren haben. Warum wären wir sonst hier? »Wir sollten bleiben ... wir alle. Warum sollen wir zurückkehren? Ich wurde schon einmal aus meinem Geschäft und meiner Zukunft gedrängt; ich lasse nicht zu, dass es noch mal passiert. Was wäre so schlimm daran, in Il Limoneto zu wohnen, bis wir einen Weg gefunden haben, unsere eigenen Häuser zu finanzieren? Lasst es uns wenigstens versuchen!«

Ich sehe nur ausdruckslose Mienen.

»Billy, du willst bestimmt nicht wieder herumreisen, oder doch? Du willst ja wohl kaum für Leute arbeiten, die ihren Traum von einem Leben im Ausland leben. Willst du nicht lieber deinen eigenen Traum leben?«

Traurig schüttelt Billy den Kopf, und Sherise schluchzt leise auf. »Ich will nur wieder ein eigenes Heim haben«, sagt sie. »Ich will meinen eigenen Kühlschrank aufmachen und überlegen, was ich kochen möchte. Ich möchte in meinem eigenen Bett schlafen, jede Nacht.«

»Fragen wir Giuseppe, ob wir weiterhin in dem Haus wohnen und Zimmer vermieten können, während wir uns ein neues Leben aufbauen, uns geschäftlich niederlassen und ein Zuhause schaffen. Ich weiß, wie es sich anfühlt, alles zu verlieren, wofür man gearbeitet hat.« Ich schaue Sherise und Billy an, dann Ralph und schließlich Barry. »Und ich lasse nicht zu, dass es noch mal passiert. Ich möchte bleiben. Ich will für mein Recht kämpfen, meine Träume zu verwirklichen!« Rund um den Tisch sehe ich nur verwirrte Mienen. »Lasst es uns ausprobieren! Wenigstens drei Monate lang. Lasst nicht zu, dass Tabithas Worte wahr werden. Lasst nicht zu, dass wir zu diesem Haufen Versager werden, über die sie geschrieben hat.«

Tabitha sieht beschämt aus, und das völlig zu Recht.

Plötzlich tritt Giuseppe aus dem Haus. »Es gibt gute Neuigkeiten! Die Asche hat sich gelegt. Ihr könnt abreisen.«

Alle sehen ihn an.

»Was ist los? Was ist passiert?«, fragt er.

»Wir bleiben, Giuseppe. Wenn du uns lässt. So ist es doch, oder?« Ich blicke in die Runde.

Alle nicken, anfangs noch etwas zögernd, aber dann mit mehr Nachdruck. Alle außer Tabitha, die den Kopf hängen lässt.

»Ich bin dabei«, sagt Barry.

»Ich auch!« Das ist Ralph.

»Und wir auch.« Sherise und Billy reden gleichzeitig.

Tabitha hebt den Kopf mit den blonden Stachelhaaren. »Und ich auch, wenn ihr mich noch haben wollt.«

»Nur wenn du versprichst, keine weiteren Kolumnen mehr zu schreiben«, erwidert Sherise streng. Barry nickt zustimmend, doch Ralph kann Tabitha nicht ansehen. Er starrt vor sich hin, als würde er sie vollständig ausblenden.

»Ich verspreche es.« Sie lächelt mit Tränen in den Augen.

»Und die Hochzeit?«, will Giuseppe wissen.

»Sie findet statt! Definitiv!«, antworte ich. Stürmisch umarmt Giuseppe Lennie und mich.

»Lasst es uns allen erzählen!«, ruft er begeistert aus.

20. Kapitel

Ich stehe vor dem Schaufenster und betrachte das vergilbte Hochzeitskleid. Es gibt drei Schaufensterpuppen in aufwendigen Kleidern. Die Robe ganz vorn aus verblichener Spitze ist sehr tief ausgeschnitten, ich könnte sie niemals tragen. Ich bin mir nicht sicher, ob ich überhaupt eines der Kleider haben möchte. Ehrlich gesagt fühle ich mich ein bisschen benommen.

Giuseppe tauchte heute Morgen im Bauernhaus auf, als wir gerade den Frühstückstisch abräumten.

»*Buongiorno!*«, rief er strahlend. »Seht mal!« Er bückte sich und hob zwei Brotlaibe von der Türschwelle auf.

»Wo kommen die denn her?«

»Ein Geschenk, würde ich sagen«, erwiderte er. »Die Menschen sind dankbar, dass ihr hier seid und dass es eine Hochzeit geben wird!«

Als ich die Brote entgegennahm, wurde ich rot. »Sie müssen vom Bäcker im Ort sein«, sagte ich. »Er hatte nie geöffnet, wenn ich Brot kaufen wollte.«

»Und …«, verkündete Giuseppe, »ihr habt Besuch. Einen Gast, der heute Morgen mit dem ersten Flug angekommen ist.«

»Mum?«, sagte Lennie und starrte Valerie mit ihrem ausladenden Sonnenhut, einen großen Koffer neben sich, verblüfft an.

»Ich habe gehört, dass eine Hochzeit zu planen ist!« Sie strahlte über das ganze Gesicht.

»Aber ich habe dich doch erst gestern Abend angerufen!«, entgegnete er.

»Ja! Und ich habe gleich den erstbesten Flug gebucht! Das ist so aufregend!« Sie stürmte ins Haus und umarmte erst Lennie, dann mich.

»Wie kam es, dass Giuseppe dich abgeholt hat?«

»Seine Nummer stand in den Kontaktdaten, die du mir gegeben hast. Ich habe ihn angerufen, erklärt, wer ich bin, und gefragt, ob es vor Ort ein Taxiunternehmen gibt. Er sagte, er würde mich abholen. Und hier bin ich!« Sie breitete die Arme aus. »Eine Hochzeit! Mehr hätte ich mir nicht wünschen können. Ich bin gekommen, um euch zu helfen.«

»Na ja, wir dachten eher an eine kleine Feier«, antwortete ich.

»Blödsinn! Mein einziger Sohn und meine Zelda werden heiraten. Ich möchte es der ganzen Welt mitteilen. Zuallererst kommt das Kleid! Du brauchst ein Kleid, in dem du dich wunderschön fühlst.«

Und jetzt bin ich also hier und betrachte die Auslage des Brautgeschäftes. Die beiden Kleider im Hintergrund wirken eher wie Brautjungfernkleider – eines, das zu Valerie passen würde, und eines aus türkisgrünem Satin. Es hat einen großen Fleck auf der Vorderseite, wo die Sonne die Farbe ausgeblichen hat. Ich denke an Valerie. Sie ist in eines der Gästezimmer im Nebengebäude gezogen und besteht darauf, für die Unterkunft zu zahlen. Einerseits ist das großartig für uns. Andererseits sorge ich mich, dass sie ihr ganzes Geld ausgibt, und frage mich, wie lange sie zu bleiben vorhat. Sicherlich nicht bis zur Hochzeit in zwei Monaten!

Doch bevor die Hochzeit stattfinden kann, muss ich ein Brautkleid finden.

Ich denke an die Kisten, die wir aus den Gästezimmern geräumt haben und die nun in meinem – unserem – Schlafzimmer gestapelt sind. Vielleicht findet sich darin etwas, was ich anpassen könnte. Ich meine, das ist es doch, was ich mache – alte Dinge umarbeiten und ihnen eine Auffrischung verpassen.

»Guten Morgen.« Eine klare und höfliche Stimme hinter mir lässt mich zusammenzucken. Als ich mich umdrehe, sehe ich zuerst niemanden, aber als ich den Blick senke, entdecke ich das kleine Mädchen aus dem Lebensmittelgeschäft.

»Guten Morgen«, antworte ich und muss unwillkürlich lächeln. »Sophia, nicht wahr?«

»Ja, aber ich mag Sophie lieber, die englische Variante, erinnerst du dich?«

»Na klar, tut mir leid. Mein Fehler.«

»Ja, ich mag Sophie, weil es ein englischer Name ist. Meine Mutter mag es nicht, wenn ich Englisch spreche, aber eines Tages werde ich in England leben. Wenn du möchtest, werde ich bei dir wohnen.«

»Nun, ich glaube, du wohnst hier an einem sehr schönen Ort. Außerdem will ich hierbleiben, ich werde also gar nicht in England sein.«

»Oh, das ist schade. Hast du Verwandte, bei denen ich wohnen könnte?« Sie legt den Kopf schief und sieht mich ernst an.

»Ähm … na ja, nein, habe ich nicht. Es gibt nur mich und meinen … und Lennie. Und er ist auch hier. Hör mal, bist du sicher, dass du dich mit mir unterhalten darfst? Ich möchte nicht, dass du Ärger bekommst.« Ich werfe einen Blick auf den Lebensmittelladen. Ich glaube, ich höre den Kanarienvogel singen.

Sophie zuckt mit den Schultern. »Ich sage einfach, ich habe mich mit Freunden getroffen.«

»Hast du viele Freunde hier?«

»Nein, es gibt niemanden in meinem Alter.«

»Wie sieht's in der Schule aus?«

Wieder zuckt sie mit den Schultern. »Ich werde zu Hause unterrichtet. Ich lese sehr gerne. Ich würde so gerne in England zur Schule gehen! In ein englisches Internat! Habe ich dir schon erzählt, dass mein Vater Engländer ist?«

»Ja, hast du. Sag mal, kennst du die Besitzerin dieses Kleidergeschäfts?«

»Ja.«

»Oh, nun ja, vielleicht gibt es noch andere Kleider, die ich mir ansehen kann.«

Sophie schüttelt den Kopf. »Das glaube ich nicht.«

»Das können doch nicht alle Kleider sein. Vielleicht kann sie mir eins nähen .«

Gemeinsam betrachten wir das öde Schaufenster.

»Sie kann nichts für dich nähen. Sie ist vor drei Jahren gestorben.«

»Das ist ja schrecklich. Es tut mir leid.«

»Muss es nicht. Sie war siebundneunzig, ein stolzes Alter.«

»Und wer führt den Laden jetzt?«

»Niemand. Es ist wie mit den meisten anderen Geschäften. Die Besitzer sind tot, und es gibt keine Nachfolger.«

Erneut mustere ich das Schaufenster.

»Sophia!« Die vertraute Stimme, mit der ich hier nicht gerechnet habe, erschreckt mich. Luca tritt aus dem Lebensmittelladen und bleibt unter der verwitterten grün-weißen Markise stehen. »Oh, hi!« Er lächelt und hebt grüßend eine Hand. »Sophia, deine Mama sucht nach dir.«

»Ich habe mich nur mit meiner Freundin unterhalten.« Sophia blickt strahlend zu mir auf.

»Du musst lernen.«

»Oh nein, bestimmt Biologie und Mathe. Warum kann ich nicht in England zur Schule gehen? Kannst du mich unterrichten?«, fragt sie mich. »Ich will nur Englisch lernen.«

»Ach, ich weiß nicht. Ich bin keine Lehrerin, und deine Mama wäre bestimmt nicht begeistert …«

»Außerdem werden Zelda und ihre Freunde uns bald verlassen«, fügt Luca hinzu.

»Nun …« Ich sehe ihn an. »Ich bin überrascht, dass du es noch nicht gehört hast.« Ich hebe das Kinn an. »Wir bleiben doch. Vielleicht kannst du deinem Vater diese Neuigkeit mitteilen.« Das klingt schärfer als beabsichtigt. »So leicht wird er uns doch nicht los. Sag ihm, dass wir bleiben.«

Ein strahlendes Lächeln breitet sich auf Lucas Gesicht aus. »Um ehrlich zu sein, ich hatte es schon aufgeschnappt, aber ich wollte es aus deinem Mund hören. Das sind wirklich tolle Neuigkeiten!« Er legt Sophie den Arm um die Schultern und führt sie zum Geschäft.

»Wie gesagt, ich habe meine Zweifel, dass dein Vater dir da zustimmen würde!« Sofort beiße ich mir auf die Zunge. Ich wünschte, ich könnte einfach mal die Klappe halten! Schließlich war es nicht Luca, der uns aus dem Dorf jagen wollte. Wir alle müssen lernen, nebeneinander zu leben. Nicht miteinander, das ist klar. Lucas Vater will nichts mit uns zu tun haben und – ehrlich gesagt – ich auch nicht mit ihm. Allerdings müssen wir einen Weg finden, im gleichen Ort zu leben, ohne uns zu stören.

»Heißt das, du kannst mich jetzt unterrichten?«, fragt Sophie über die Schulter.

»Deine Mutter macht das sicher viel besser als ich«, antworte ich. Ich gebe mir Mühe, diplomatisch zu klingen, doch eigentlich bin ich der Meinung, dass es diesem Mädchen guttun würde, eine Schule zu besuchen, um Kontakte zu knüpfen und Freunde zu finden. Sie ist ganz offensichtlich sehr intelligent.

Ich höre ihre Mutter nach ihr rufen und scheuche das Mädchen rasch ins Haus, bevor es wieder Streit geben kann. Als Sophia zögernd verschwindet, dreht Luca sich lächelnd zu mir um.

Ärgerlicherweise habe ich schon wieder Schmetterlinge im Bauch. Ich hebe das Kinn und versuche, meine Gefühle in den Griff zu bekommen. Ich habe keine Ahnung, warum dieser Mann mich so durcheinanderbringt und warum dieses Lächeln diese lächerliche Wirkung auf mich ausübt.

»Ich habe gehört, dass die Hochzeit hier in Città d'Oro stattfinden wird. Stimmt das?« Fragend hebt er die Augenbrauen.

»Ja, das stimmt, Lennie und ich werden hier heiraten«, antworte ich in der Hoffnung, dass die Wiederholung dieser Tatsache die Schmetterlinge und das Lächeln vertreiben werden. Es funktioniert nicht. »Wir bleiben«, sage ich mit fester Stimme und rufe mir dabei ins Gedächtnis, dass die Familie dieses Mannes unseren Plänen beinahe ein Ende bereitet hätte. »Wir lassen uns nicht von deinem Vater vertreiben. Wir sind mit Hoffnungen und Träumen hergekommen, und wir lassen uns nicht von ihm aufhalten.«

Er lächelt noch breiter, woraufhin sich die Schmetterlinge in meinem Bauch förmlich überschlagen.

»Das freut mich«, erwidert er.

Ich schlucke, senke den Blick, und dann spreche ich die Worte aus, die mir ständig durch den Kopf gehen, Antworten fordern und dafür sorgen, dass ich mir wie ein Idiot vorkomme. Und – seltsamerweise – betrogen. »Sag mal, ich muss das wissen … Als du uns an jenem Abend beim Kochen geholfen hast, war das auch Teil des Planes deines Vaters, um uns zu vertreiben? Hast du uns abgelenkt, damit jemand anders die Hinweisschilder umdrehen und unsere Gäste vergraulen konnte?«

Er sieht mir direkt in die Augen. Ich wünschte, er würde das nicht tun, denn ich spüre, wie mir die Knie weich werden.

»Ich versichere dir, Zelda, so war es nicht. Ich wusste nichts davon. Matteo hat wahrscheinlich auf Anweisung meines Vaters gehandelt. Aber ich gebe dir mein Wort, ich hatte nichts damit zu tun.« Und irgendwie bedeuten mir seine Worte richtig viel. »Mein Vater hat hier die finanzielle Kontrolle«, fährt Luca fort. »Auch wenn es den Leuten nicht gefällt, tun sie, was er sagt.«

»Nun, ich werde mich nicht von ihm vertreiben lassen.« Dabei wünschte ich, ich würde mich nicht so unwohl bei dem Gedanken fühlen, mir seinen Vater zum Feind zu machen. »Sag ihm einfach, dass wir entschlossen sind, die Sache zu einem Erfolg zu machen, wir alle. Unsere Frühstückspension läuft, und wir suchen nach Wegen, beruflich tätig zu werden. Lennie und ich werden hier heiraten«, wiederhole ich. Wenn ich es nur oft genug sage, denke ich, wird es irgendwann greifbar werden. »Wir werden bleiben«, bekräftige ich abschließend.

Die braunen Augen mit den grünen Sprenkeln sehen mich an. »Gut«, sagt Luca. »Ich sage es ihm.« Ich erschaudere. »Ich freue mich. Der Ätna wird ebenfalls zufrieden sein, genauso wie das ganze Dorf. Sie sehnen sich nach einer Hochzeit. Sogar mein Vater will eine Hochzeit – meine Hochzeit«, fügt er lächelnd hinzu und hebt wieder die Augenbrauen. »Ich habe schon vieles für meine Familie getan. Beispielsweise bin ich zurückgekommen, als mein Vater mich brauchte. Bin hiergeblieben und nicht wieder aufs Festland gezogen. Doch du hast recht, ich sollte nicht heiraten, bloß um ihn bei Laune zu halten. Ich werde seinen Befehl nicht befolgen. Ich glaube, man sollte nur aus wahrer Liebe heiraten.«

Als er mich anstarrt, steigt Hitze in mir auf, und ich werde knallrot.

»Das Dorf will eine Hochzeit feiern, aber ich glaube nicht, dass der Ätna eine Scheinehe will.«

»Du glaubst doch nicht wirklich an diese Legende ... dass es eine Hochzeit geben muss, um den Ätna glücklich zu machen?«

Er zuckt mit den Schultern. »Wer weiß? Das Dorf glaubt jedenfalls daran, und wir brauchen definitiv neue junge Familien. Du hast miterlebt, wie unzufrieden der Ätna war, als er dachte, ihr würdet abreisen. Vielleicht will er diese Hochzeit tatsächlich so sehr wie das Dorf.«

»Aber dein Vater will sie nicht.«

»Mein Vater ist ein misstrauischer und gieriger Mann. Wie gesagt, er hat Angst, dass jemand kommt und seinen eigenen Gewinn schmälert.«

»Er muss lernen zu teilen«, erwidere ich nüchtern. Ich drehe mich zu dem Kleidergeschäft um. »Und ich muss eine Hochzeit planen. Als Erstes muss ich ein Brautkleid finden.«

»Lass mich es wiedergutmachen«, sagt Luca.

»Was, schon wieder? Das hast du doch bereits«, erinnere ich ihn, »als du uns mit den Nudeln geholfen hast.«

»Noch mal«, wiederholt er und hält meinen Blick fest.

»Dann kennst du also einen Damenschneider?«, frage ich. Wahrscheinlich kann ich mir keinen Schneider leisten, selbst wenn Luca einen kennen sollte.

»Nein, dieses Geschäft hat zugemacht, als die Besitzerin starb.«

Ich werfe wieder einen Blick auf das vergilbte Kleid im Schaufenster.

»Momentan gibt es keinen Bedarf für ein Modegeschäft«, fährt er fort.

»Wie kannst du mir dann helfen? Gibt es in einer Stadt in der Nähe eins, das du mir empfehlen kannst?«

»Es gibt eins, aber die Anfahrt ist weit, und es gibt keine Busverbindung.«

»Also?«

»Ich könnte dir ein Kleid schneidern«, sagt er.

Meine Augenbrauen schießen in die Höhe. »Du bist Damenschneider?«, frage ich erstaunt.

Als er den Kopf senkt, komme ich mir auf einmal lächerlich vor und habe Angst, ihn in Verlegenheit gebracht zu haben.

»Maßschneider, um genau zu sein. Ich habe in Mailand gelernt – bevor ich zurückkommen musste, um das Restaurant zu führen. Ich werde ein Kleid für dich schneidern ... wenn du mich lässt. Aber zuerst muss ich dich besser kennenlernen. Kommst du zu mir in den Zitronenhain? Da können wir uns unterhalten, ohne dass uns jemand sieht. Diese Mauern haben überall Augen.« Als er sich umschaut, sehe ich diverse Gardinen zucken. »Ich muss die Limonen ernten, und«, er lacht, »ehrlich gesagt könnte ich ein bisschen Hilfe gebrauchen.«

»Und du kannst mir wirklich ein Kleid schneidern?« Ich denke an unser knappes Budget.

»Ja, natürlich. Als Geschenk ... um die schlechten Manieren meines Vaters wiedergutzumachen.«

Ich sehe ihn an. Erneut denke ich an unsere schwindenden finanziellen Mittel. Ich kann nicht erwarten, dass er für seine Arbeit kein Geld verlangt. Das erscheint mir unfair. Genau wie wir versucht auch er, in dieser Geisterstadt seinen Lebensunterhalt zu verdienen. Doch ich kann es mir nicht leisten, viel zu zahlen, und handgefertigte Kleider sind bestimmt alles andere als billig. Ich will nicht in seiner Schuld stehen. Ich meine, warum sollte er das für mich tun, wenn er nicht eine Gegenleistung erwartet? Bietet er mir allen Ernstes an, mein Brautkleid zu schneidern, oder ist er wie sein Vater, und ich muss mich revanchieren? Als ich an Matteo denke, der auf Romanos Befehl hin unsere Schilder umgedreht hat, steigt Misstrauen in mir auf.

»Ich habe einige Kisten mit Kleidern zu Hause«, sage ich. »Ich werde mal sehen, was sich da findet. Aber danke für das Angebot.« Liebend gerne würde ich Ja sagen, das Geschenk erscheint mir allerdings zu großzügig, um es annehmen zu können. Ach, gäbe es doch bloß eine Möglichkeit, wie ich ihn dafür bezahlen könnte!

»Wenn du nichts findest – du weißt, wo ich bin. Und wenn der Rest von euch etwas braucht, komm auf mich zu. Anzüge zum Beispiel. Wir sind eine aussterbende Gemeinde; Anzüge werden oft weitergegeben. Ich könnte die notwendigen Änderungen vornehmen.«

Als er lächelt, hellt sich meine Stimmung wieder auf. Die Hochzeit, rede ich mir ein – es sind die Gedanken an die Hochzeit.

»Ich helfe gerne«, sagt er freundlich. »Wir sind alle so froh, dass es eine Hochzeit geben wird.«

Meine Nerven vibrieren.

Als ich zum Haus zurückkehre, sitzt Valerie in der Küche und fächelt sich mit einem billig aussehenden spanischen Fächer Luft zu.

»Oh, es ist so heiß! Ich weiß gar nicht, wie ihr das aushaltet.«

»Warum bist du nach Sizilien gekommen, Valerie?«, fragt Barry. »Wenn du doch Hitze gar nicht magst.«

»Na ja, als ich die Neuigkeiten von Lennie und Zelda gehört habe, war ich begeistert. Ich möchte jede Minute genießen. Ich meine, ich war von Anfang an der Meinung, dass die beiden perfekt zusammenpassen. Habe immer gehofft, es würde irgendwann passieren ... Sie stehen sich bereits seit so vielen Jahren nahe. Nach dem College haben sie sich ein bisschen aus den Augen verloren, aber kurz darauf waren sie schon wieder beste Freunde. Und jetzt das!« Sie strahlt über das ganze Gesicht.

»Meine Eltern sind nicht zu meiner Hochzeit gekommen«, meint Barry.

»Wirklich nicht?« Sie sieht traurig aus.

»Na ja, jedenfalls nicht zur dritten.«

»Du warst dreimal verheiratet?« Valerie fällt die Kinnlade runter.

»Ja. Nichts, worauf man stolz sein müsste. Ich habe nur darauf gewartet, diejenige zu finden, mit der ich zusammenbleiben würde. Ich glaube, ich war nicht mal bei der letzten Hochzeit sicher, aber ich habe gehofft, dass sie die Richtige ist.« Er lächelt wehmütig.

»Ich habe bloß einmal geheiratet, Lennies Dad. Er war älter als ich, viel älter. Doch er war der einzige Mann für mich«, erwidert sie mit feuchten Augen.

»Das Gefühl habe ich nie gehabt. Ich dachte einfach, wenn wir daran festhalten, na ja, dann kommt das Gefühl von selbst. Wir würden lernen, uns tief und innig zu lieben. Ich habe geglaubt, alle wesentlichen Bestandteile wären vorhanden, aber offensichtlich hat etwas gefehlt.«

»Die Chemie muss einfach stimmen. Man kann nie wissen, mit wem sie das wird.« Valerie strahlt wieder.

Ich huste, und sie sehen auf und entdecken mich.

»Oh, hallo, Liebes. Ich habe Barry gerade erzählt, wie sehr ich mich über die Hochzeit freue. Ich bin so aufgeregt!«

»Sieht so aus, als ginge es dem Dorf genauso!«, entgegne ich und halte zwei Tomatenpflanzen hoch. »Die habe ich auf der Türschwelle gefunden. Noch ein Willkommensgeschenk.«

»Wir haben niemanden gehört, oder, Barry?«

Er schüttelt den Kopf. »Anscheinend haben die Leute Angst, mit uns zusammen gesehen zu werden. Wie wäre es, wenn ich diese beiden einpflanze?«, sagt er und nimmt mir die Pflanzen ab. »Sie sollten einen hübschen Ertrag bringen. Ich sehe mal, ob Billy mir helfen möchte.«

»Und wie sieht es mit einem Kleid aus? Bist du weitergekommen?« Valerie lächelt mir zu. »Ich würde dir ja meins anbieten, aber es ist zu Hause auf dem Dachboden. Ist aber wahrscheinlich ohnehin nicht dein Stil.« Sie seufzt.

»Ich wollte mal diese Kisten durchsehen, in denen ich auch die Latzhose gefunden habe. Vielleicht stoße ich ja auf verborgene Schätze.«

»Oh, wunderbar, ich helfe dir dabei!« Sie hievt sich hoch und folgt mir ins obere Stockwerk.

»Das kannst du nicht anziehen. Es ist deine Hochzeit, keine Beerdigung«, kommentiert Valerie.

Ich blicke in den Spiegel. Wenn ich Luca fragen würde, ob er den Saum ein bisschen rauslassen kann, wenn ich vielleicht etwas abnehmen würde, und mit ein paar Bordüren … Ich drehe mich nach rechts und links. Vielleicht eine Jacke dazu? Ich nehme eine aus der Kiste und schlüpfe hinein. Valerie hat recht. Das Kleid ist zu eng, und es ist nicht für eine Hochzeit geeignet.

Ich habe schon einige Kisten durchforstet. Darin befinden sich jede Menge Klamotten, allerdings habe ich keine Ahnung, wem sie gehören. Ich muss Giuseppe fragen. Schließlich ist es das Haus seiner Familie.

»Ich hole uns was zu trinken«, sagt Valerie. »Ich weiß nicht, wie man diese Hitze aushalten kann!« Sie fächelt sich Luft zu und steuert auf die Tür zu. Dann bleibt sie stehen. »Ich freue mich so sehr für Lennie und dich, meine Liebe. Ich wünschte, sein Vater könnte das noch miterleben. Du machst mich sehr glücklich.« Ich lächele. Es sieht so aus, als würden sich viele Leute sehr freuen, dass Lennie und ich heiraten – Valerie, Giuseppe, und jetzt auch die Dorfbewohner, die Geschenke vor unsere Tür legen. Und Luca!

Seufzend betrachte ich mich im Spiegel. Ich schlüpfe aus der Jacke und packe sie zu den anderen Kleidungsstücken: klassischer italienischer Vintage-Look. Die Sachen wären hervorragend geeignet, um mein Geschäft in Gang zu bringen. Ich nehme mir vor, Giuseppe zu fragen, ob er sie mir verkauft … oder ob ich ihn wenigstens mit einer Provision an jedem verkauften Stück beteiligen kann.

Ich stoße auf ein paar Handtaschen, die sich richtig gut verkaufen lassen würden. Kleine Clutches und alltagstaugliche Henkeltaschen, Klassiker aus den Fünfzigern. Ich öffne eine davon und prüfe das Futter. In einer der Innentaschen raschelt etwas. Ich stecke die Hand hinein und ziehe eine gefaltete Postkarte heraus. Vorsichtig falte ich sie auseinander und streiche sie glatt. Es sieht aus, als hätte sich jemand ein Rezept notiert. Ich versuche es zu entziffern, doch es gelingt mir nicht vollständig. Ich glaube, es hat etwas mit Limonen zu tun.

Plötzlich fühle ich mich wie ein Eindringling, der in den persönlichen Habseligkeiten und Erinnerungen eines anderen Menschen herumschnüffelt. Es handelt sich offensichtlich um sehr private Dinge, in denen ich nicht einfach so herumstöbern sollte. Ich beschließe, Giuseppe aufzusuchen, denn ich kann diese Sachen nicht weiter durchsehen, ohne von ihm grünes Licht bekommen zu haben.

Also schlüpfe ich aus dem Kleid und packe es wieder weg. Ein hellgrünes Samtband gleitet zu Boden. Ich bücke mich, um es aufzuheben, doch ich habe keine Ahnung, zu welchem Kleidungsstück es gehört. Also rolle ich es auf und stecke es in die Handtasche.

Ich trage die Kiste mit der Handtasche die Treppe hinunter, wo Valerie gerade mit Barry Wasser trinkt.

»Hier, Liebes, ich wollte dir auch gerade ein Glas Wasser bringen. Lennie ist im Ort, um sich nach Arbeit umzuhören. Und Tabitha ist in ihrem Zimmer und kontaktiert Zeitschriften für Auswanderer. Vielleicht kann sie Artikel für sie schreiben. Ralph will eine Geldkassette für das Pensionsgeschäft kaufen, damit das Bargeld nicht mehr rumliegt. Wie läuft es bei dir? Hast du in diesen Kisten noch was gefunden?«

Ich schüttele den Kopf. »Nichts, was passend für eine Hochzeit wäre. Außerdem ist der Inhalt dieser Kisten irgendwie zu persönlich. Ich glaube, ich sollte Giuseppe fragen, wem die Sachen gehören und was er damit tun möchte. Das hier ist schließlich sein Elternhaus.«

»Ganz recht«, bestätigt Valerie.

»Ich denke, ich besuche Giuseppe gleich mal.«

»Und was willst du wegen des Kleides unternehmen? Du brauchst definitiv ein Hochzeitskleid.«

»Na ja …« Ich habe keine Ahnung, warum ich zögere. »Jemand hat mir angeboten, ein Kleid zu schneidern.«

»Zu schneidern?«

»Ja, als Dank dafür, dass wir bleiben und hier heiraten wollen.«

»Es gibt eine alte Legende, weißt du«, erklärt Barry an Valerie gewandt. »Der Ätna ist unglücklich, wenn nicht alle zehn Jahre eine Hochzeit stattfindet.«

»Eine Legende?« Valerie lacht. »Nun, wenn du dafür gratis ein Kleid bekommst … Worauf wartest du dann? Geh! Geh hin und sag bitte Ja!«

Es ist für die Hochzeit, für Lennie und mich und für Città d'Oro, sage ich mir, als ich ins Dorf spaziere. Er tut das nur, um sicherzugehen, dass die Hochzeit erfolgreich wird – und für das Dorf. Es ist sein Geschenk an das Dorf. Luca sagte, er möchte sich damit für das unmögliche Verhalten seines Vaters entschuldigen. Ich sollte kein schlechtes Gewissen haben, weil ich ein derart großzügiges Angebot annehme. Es ist nichts dabei. Zwar ist er attraktiv und sorgt dafür, dass ich mich wie ein verknalltes Schulmädchen fühle, aber es wird nichts passieren. Ich heirate Lennie, und Luca hilft mir dabei. Endlich werden wir im Dorf willkommen geheißen – das ist immerhin ein Anfang!

21. Kapitel

»Giuseppe! *Ciao*«, sage ich leicht außer Atem, weil ich gerade die steilen Stufen zum Rathaus hinaufgestiegen bin.

»Zelda!« Er steht auf, geht um seinen Schreibtisch herum und küsst mich auf beide Wangen. Ich bin überrascht, wie schnell ich mich an diese Art der Begrüßung gewöhnt habe. »Wie geht's? Ich bin so entzückt, dass ihr bleibt. Und natürlich könnt ihr so lange im Bauernhaus wohnen, wie es nötig ist. Momentan werden in der Gegend nur wenige Häuser verkauft.« Er versucht zu lächeln, aber ich erkenne, dass er sich immer noch um das Schicksal seines Dorfes sorgt.

»Giuseppe, ich habe etwas für dich. Als wir die Zimmer in der Scheune ausgeräumt haben, sind wir auf Kisten voller Kleidung gestoßen. Die Sachen sind ganz entzückend. Ich möchte dich fragen, was wir damit tun sollen.«

Ich öffne den Karton, den ich mitgebracht habe.

»Ah …« Tränen treten ihm in die Augen. »Das ist die Kleidung meiner verstorbenen Frau. Ich habe die Sachen nach ihrem Tod in die Scheune gebracht. Ich konnte es nicht ertragen, ihre Garderobe zu sehen. Sie war eine wunderschöne Frau, immer makellos gekleidet.« Er lächelt traurig und legt seine Hand eine Minute lang in den offenen Karton, als fühle er sich in die Zeit vor ihrem Tod zurückversetzt. »Wir haben uns sehr geliebt. Doch sie wurde mir zu früh genommen.« Er schnieft ein wenig und zieht die Hand zurück. »Ich werde die Sachen abholen lassen. Sie können weitergegeben werden. Einige der Kleidungsstücke stammen noch von ihrer Mutter.«

»Habt ihr Kinder, die vielleicht etwas davon haben wollen?«

»Leider nein. Wir hatten keine eigene Familie. Damals hat es keine Rolle gespielt. Dieses Dorf fühlte sich wie eine einzige große Familie an. Wir hatten uns gegenseitig. Heutzutage ... nun, es ist ganz anders.«

»Giuseppe, falls du die Kleidung niemandem geben willst, könnte ich sie für dich verkaufen. Ich hatte mal ein Vintage-Modegeschäft, und ich hatte gehofft, hier auch eins aufmachen zu können. Ich könnte die Sachen im Internet verkaufen und den Gewinn mit dir teilen.«

»Damit könntest du einen Shop eröffnen? Die Leute wollen tatsächlich Secondhandkleidung kaufen?«

»Ja, natürlich. Ich meine, das sind wunderschöne Stücke. In der heutigen Zeit erkennen alle die Bedeutung von Wiederverwertung und von *aus Alt mach Neu*. Aus dieser Kleidung kann man jede Menge machen, weil es sich um echte Wertarbeit handelt. Viele davon sind handgefertigt. Wie zum Beispiel diese Tasche.« Ich nehme die Handtasche aus der Kiste und öffne sie, um erneut das Futter zu betrachten. Dabei stoße ich auf die gefaltete Postkarte und das Band. »Oh, und ich habe das hier gefunden«, sage ich und zeige ihm die Postkarte. »Ich weiß nicht, was es ist.«

Er nimmt die Karte und klappt sie auf. »Ach ... « Erneut treten ihm Tränen in die Augen. »Limoncello.«

»Ein Rezept deiner Frau?«

Er schüttelt den Kopf. »Nein, es ist von ihrer Mutter. Und davor mit Sicherheit wiederum von deren Mutter. Nonnas Limoncello. Sie muss das Rezept vor ihrem Tod für meine Frau aufgeschrieben haben. Sie war immer sehr genau, was Mengenangaben anging. Irgendwann wollte sie wohl sichergehen, dass das Rezept nicht in Vergessenheit gerät.«

Er gibt mir die Postkarte zurück. »Der Gedanke, was sie denken würde, wenn sie Città d'Oro jetzt sehen könnte, macht mich traurig. Es ist nicht mehr dasselbe Dorf. Wir haben keine Limonen mehr, nichts ist mehr wie früher. Aber Sizilien hat im Laufe der Zeit schon viele Einflüsse erlebt: die der Griechen, der Römer, im Mittelalter die der Araber. Wir müssen nach vorne blicken und das Dorf erneuern – mit neuen Menschen und neuen Familien. Wir müssen die Traditionen integrieren, die sie mitbringen. Wie zum Beispiel Marmite. Ich liebe Marmite!« Er strahlt. »Und Tee! Hättest du jetzt gerne einen Tee? Ich kann welchen kochen.«

»Nein, danke, ich muss gleich weiter, wirklich. Ich muss mich …« Ich lächele bei dem Gedanken, dass ich Teil des erneuerten Dorfes sein und neue Traditionen beisteuern werde. »Ich muss mich um mein Brautkleid kümmern.«

Ich werde Lucas Angebot annehmen, sein Willkommensgeschenk. Ich werde ihm vertrauen und ihm so viel Bezahlung anbieten, wie ich leisten kann. Ich tue das für den Ort, für uns alle. Für unseren Neubeginn.

Ich schlage den Weg zum Zitronenhain ein und laufe die steile Kopfsteinpflasterstraße hinunter, die zum Ortsrand führt. Der zarte Geruch der Zitronenblüten begleitet mich bis zum Tor. Limone mit einem Hauch Seeluft. Als ich die eingravierten Initialen betrachte, F + A, begreife ich, dass die Besitzerin der Kleidungsstücke in den Kisten Lucas Großmutter gewesen sein muss. Die Besitzerin der Handtasche und des Rezeptes. Nonna. Ich streiche mit der Hand über die Initialen, dann öffne ich das Tor und spaziere hinein.

»*Ciao!*«, rufe ich. »Luca!«

Ein Hund taucht aus den Schatten unter den Zitronenbäumen auf und bellt. Ich bleibe stehen, als er auf mich zutrottet und mich neugierig beschnuppert. Der Hund ist groß, hat ein dickes Fell und weist Ähnlichkeiten mit einem Schäferhund auf. Ich lasse ihn schnüffeln und atme den Duft des Zitronenhains ein. Es riecht, nun ja, himmlisch. Als der Hund die Sicherheitskontrolle abgeschlossen hat, zieht er sich wieder in den Schatten zurück.

Ich rufe erneut: »Luca! Hello? *Buongiorno!*«

Der Hund bellt wieder, diesmal mit mehr Nachdruck, und ich folge ihm durch den Zitronenhain, der sich in sorgfältig angelegten Terrassen über den Hang erstreckt. Die Bäume sehen fantastisch aus und hängen voller dicker Limonen – wie gelbe Kricketbälle.

»Luca?« Allmählich mache ich mir Sorgen. Ist ihm etwas zugestoßen? Gab es Streit wegen der Zitronen? Vielleicht eine Prügelei? »Luca!«, rufe ich wieder. Mein Herz pocht heftig.

Plötzlich taucht ein Kopf auf – aus einem Loch im Boden!

»Aha, du hast meine Hündin kennengelernt. Sie heißt Rocca und ist ein sizilianischer Schäferhund. Ein *cane di mannara.*« Er lächelt und streichelt Roccas Kopf, während er aus der Öffnung klettert. »Diese Rasse gibt es bereits seit der Bronzezeit, doch leider ist sie vom Aussterben bedroht – wie der Rest der Einwohner Siziliens.«

Als ich Rocca vorsichtig streichele, hechelt sie zufrieden.

»Was hast du da unten gemacht?«

»Oh … du hast mich erwischt«, erwidert er und reibt sich den Staub von den Händen.

»Wobei denn?«

Er seufzt und streicht sich das Haar aus dem Gesicht.

»Kann ich dir vertrauen, Zelda?«, fragt er ernst.

»Sicher, ich glaube schon.« Ich bin auf jeden Fall vertrauenswürdig. Sogar zu vertrauensvoll – ich muss an die Männer denken, die einfach grundlos von jetzt auf gleich den Kontakt zu mir abgebrochen haben.

»Irgendetwas sagt mir, dass ich dir tatsächlich vertrauen kann«, meint er leise. Mein Mund wird trocken. Er zögert, dann sagt er: »Ich liefere Limonen aus.«

Fragend sehe ich ihn an. »In einem Loch?«

Er nickt und grinst spitzbübisch. »Willst du mal sehen?«

Ich runzele die Stirn. »Ich soll in ein Loch im Boden steigen?«

»Es ist nicht bloß ein Loch.« Sein Grinsen wird breiter. »Es handelt sich um eine Tunnelanlage. Sie wurde vor langer Zeit von den Griechen angelegt, als Wasserspeicher. Willst du mal sehen?«

»Tunnel«, wiederhole ich.

»Sie führen zur Küste. Davon gibt es jede Menge auf Sizilien, hauptsächlich rund um Palermo. Wie so viele Dinge wurden sie von der Mafia übernommen – geheime Tunnel, durch die man an den gewünschten Ort gelangen kann, ohne gesehen zu werden.« Traurig zuckt er mit den Schultern.

»Was machst du in diesem Tunnel?«

»Wie gesagt, ich liefere Limonen aus. Bestimmt ist dir schon aufgefallen, dass sonst niemand hier Zitronenfarmen bewirtschaftet. Diese kleine Ecke hier, der erste Zitronenhain meiner Großeltern, wurde übersehen. Ich baue hier Limonen an und liefere sie an meine britische Handelsvertreterin. Die Früchte werden außerhalb des Dorfes abgeholt und dann verladen.«

Ich bin mir nicht sicher, ob er die Wahrheit sagt oder mich auf den Arm nehmen will.

»Willst du mal sehen?« Seine Augen funkeln, und da weiß ich, dass ich ihm sogar glauben würde, wenn er mir erzählte, dass der Mann auf dem Mond tatsächlich existiert – dabei kenne ich Luca kaum!

Ich schüttele den Kopf. »Nein. Es ist in Ordnung.«

»Warum nicht?«

»Ich habe ein Problem mit engen Räumen, tut mir leid. Wegen … wegen etwas, was in der Vergangenheit passiert ist.«

Ich verdränge den Gedanken sofort, aber dennoch erfasst mich ein Gefühl der Klaustrophobie. Kindheitserinnerungen Hand in Hand mit beklemmenden Ängsten. Die Nächte, die ich zusammengekauert in meinem Schlafzimmerschrank verbrachte, um mich vor dem Chaos ihres Partylebens zu verstecken, als ich noch bei meiner Mutter lebte. Häufig wurde ich unsanft geweckt, wenn die Wohnung sich mit Fremden füllte, die feierten und Party machten. Schränke waren immer mein sicherer Zufluchtsort, bis mich eines Tages ein Junge im Pflegeheim in einem Schrank einsperrte.

Ich war sechzehn und stand kurz davor, von der Schule abzugehen. Wir spielten Verstecken, und ich versteckte mich im Schrank. Richard, ein Junge, mit dem ich mich nicht verstand, schloss mich im Schrank ein und ließ mich dort, während alle anderen zum Essen gingen. Ich war so verängstigt und wütend, als ich schließlich herausgelassen wurde, dass ich die Beherrschung verlor und auf Richard losging. Das war der Tag, an dem ich weglief. Ich passte nicht ins Heim. Sie hätten mich ohnehin rausgeworfen, ich wusste es. Ich kam mit den Regeln nicht klar und geriet ständig in Schwierigkeiten und Streitereien. Ich hing mit den falschen Leuten herum, und jener Tag brachte das Fass zum Überlaufen. Valerie war es, die mich rettete. Und Lennie. Seitdem halte ich mich von engen dunklen Räumen fern. Ich hatte geglaubt, ich würde ersticken oder verrückt werden, eins von beiden. Das will ich nie wieder erleben.

»Außerdem«, scherze ich und versuche, die Erinnerung abzuschütteln, »kenne ich dich ja gar nicht. Du könntest mich in den Tunnel verschleppen und mir die Kehle durchschneiden!« Als ich lache, klingt meine Stimme ein bisschen schrill.

»Du hast recht. Du musst mich besser kennenlernen, dann wirst du mir vertrauen.«

Mein Magen schlägt einen Salto, und mein Mund wird wieder trocken.

Einige Hühner spazieren auf den Zitronenbaum zu, unter dem ich stehe, und picken auf dem Boden herum. Luca merkt, dass ich sie beobachte.

»Ah, sie gehören dem Nachbarn.« Er zeigt auf zwei zerrupft aussehende Hühner. »Diese beiden verstecken sich offensichtlich hier. Ich glaube, sie werden von den anderen, wie sagt man, gemobbt?«

»Gequält oder drangsaliert«, antworte ich. »Sag mal, warum ist das hier der einzige Zitronenhain, der bewirtschaftet wird?« Endlich habe ich Gelegenheit, die Frage zu stellen, die mich schon seit unserer Ankunft umtreibt.

Er seufzt. »Na ja, das ist der Grund, warum Giuseppe und mein Vater nie einer Meinung sein werden. Das Dorf stirbt, und während Giuseppe neue Einwohner rekrutieren will, damit der Ort wieder florieren kann, glaubt mein Vater, der richtige Weg zu erneutem Wohlstand sei das Abgreifen von EU-Subventionen. Deshalb liegen all diese Zitronenhaine brach. Mein Vater …«, er schluckt, weil es ihm offensichtlich schwerfällt, die Tatsachen auszusprechen, »er hat alle quasi übernommen. Er hat Zugang zu den Wasserreserven. Er wollte die Zitronenhaine, damit er die Subventionen beantragen konnte.«

»Welche Subventionen?«

»Um anderen Ländern die Chance zu geben, ihre Limonen zu verkaufen. Wir haben hier jede Menge Limonen angebaut, Früchte von hoher Qualität, doch das bedeutete, dass andere Länder kein Bein auf die Erde bekamen. Also bot die EU uns Subventionen an, wenn wir keine Limonen mehr anbauen. Das war Musik in den Ohren meines Vaters: Geld, ohne etwas dafür zu tun! Er hat die Zitronenhainbesitzer praktisch erpresst, indem er sie von der Wasserzufuhr abgeschnitten hat. Also haben sie ihm ihr Land verpachtet oder verkauft; in manchen Fällen sind sie auch einfach gegangen. Doch meinen Zitronenhain kann er nicht von der Wasserzufuhr abschneiden ... ich habe eine eigene Versorgung.« Er nickt in Richtung des Loches im Boden. »Wenn es regnet, füllen sich einige Kammern dort unten mit Wasser. Es sind quasi Wasserlöcher im Fels. Daher habe ich Wasser.«

»Was, alle Dorfbewohner haben ihre Zitronenhaine aufgegeben, damit er die Subventionen einstreichen kann?«

Luca nickt.

»Und sie haben nichts, und er hat alles?«

Erneut nickt er.

»Einschließlich der Gelder für unsere Neuansiedlung?«

Er nickt ein drittes Mal. »Die Bank braucht ihn als Kunden, sonst muss sie schließen.«

»Nur damit ich dich richtig verstehe«, sage ich langsam, während ich versuche, die in mir aufsteigende Wut über diese Ungerechtigkeit unter Kontrolle zu halten. »Dein Vater, der Mann, der das Geld für unsere Umsiedlung gestohlen hat, hat auch sämtliche Dorfbewohner aus dem Geschäft gedrängt? Um den ganzen Kuchen für sich zu behalten?« Ich bin so wütend! Jemand muss etwas dagegen unternehmen. »Das ist nicht fair!

Er kann die Leute doch nicht derart drangsalieren! Warum gibt es niemanden, der das unterbindet?«

Plötzlich ist lautes Gackern zu hören.

»Hey!«, sagt Luca zu den Hühnern, klatscht in die Hände und verdreht die Augen. »Das ist die Hackordnung, ich glaube, so nennt man das doch. Die Stärkeren verbünden sich gegen die Schwächeren.«

»Wie Giuseppe?«, frage ich. »Er versucht, dem Dorf sein Leben zurückzugeben. Wohingegen Leute wie dein Vater diejenigen schikanieren, die nicht auf seiner Seite sind!«

Luca lächelt etwas schief und nickt. »Es klingt zwar hart, aber ja, so ist es.«

Wir betrachten beide gedankenverloren die Hühner. Ich bin fest entschlossen, mich und die anderen nicht vertreiben zu lassen.

»Giuseppe hat mir von deiner Tante erzählt«, sage ich. »Er überlässt mir ein paar Kisten mit Kleidung von ihr. Ich werde damit mein Geschäft auf die Beine stellen. Ist das für dich in Ordnung?«

»Na klar! Ich bin Schneider. Ich brauche keine Kisten voller Frauenkleider.« Luca lacht. »Giuseppe ist ein guter Mensch, ein sehr guter sogar. Er hat sein ganzes Leben damit verbracht, meinen Vater davon abzuhalten, dieses Dorf zu zerstören.«

»Kannst du deinem Vater nicht Paroli bieten, Luca? Irgendjemand muss es doch tun!«

»Es ist schwierig. Wie gesagt, er hat ein Herzleiden. Es geht ihm nicht gut, wenn er unter Stress steht. Weißt du, als ich aus Mailand zurückkam, war es, als wäre die Sonne in mein Herz eingezogen. Ich war glücklich, wieder hier zu sein und meiner Familie zu helfen. Doch inzwischen gibt es fast keine Zitronenhaine mehr, und mein Vater interessiert sich nur noch für Geld.

Ich glaube, Giuseppe könnte seinen Kampf, dem Dorf wieder Leben einzuhauchen, verlieren.«

»Nein«, sage ich plötzlich. »Nicht, wenn wir alle bleiben. Und die Hochzeit! Der Ort wird wieder florieren, wenn es eine Hochzeit gibt, oder nicht?«

»Ich dachte, du hältst nichts von diesem Aberglauben?« Als er lächelt, wird meine Welt heller.

»Das ist der Grund, warum ich gekommen bin, wegen der Hochzeit. Du hast angeboten, mir ein Kleid zu schneidern. Steht das Angebot noch?«

Er nickt. »Ich werde dir ein Kleid nähen. Wie gesagt, ich schenke es dir. Eine Entschuldigung, eine Willkommensgabe und ein Dankeschön, weil ihr bleibt und den Ätna glücklich macht.«

»Das ist sehr nett. Aber das kann ich nicht annehmen. Ich bestehe darauf, das Kleid zu bezahlen, auch wenn ich nicht viel Geld habe.« Ich winde mich vor Verlegenheit. »Ich werde so viel geben, wie ich kann.«

Er überlegt eine Weile.

»Ich mache dir einen Vorschlag: Ich nähe das Kleid, und du hilfst mir hier ein paar Stunden täglich im Zitronenhain. Meine Handelsvertreterin hat mir einen neuen Vertrag in England organisiert. Eine Feinkostkette. Ich muss jede Woche eine Palette voll Limonen pflücken, verpacken und verschicken – das schaffe ich nicht allein.«

»Oh ja! Aber bist du sicher, dass das genug ist?«

»Ja, das ist in Ordnung. Außerdem habe ich dir ja gesagt, dass ich dich besser kennenlernen muss, wenn ich ein Kleid für dich entwerfen soll. Hier im Zitronenhain werde ich mehr über dich erfahren, und du wirst lernen, mir zu vertrauen. Ich werde ein Hochzeitskleid entwerfen, in dem du deine Hochzeit feiern und dein neues Leben mit dem Mann beginnen kannst, den du liebst. Doch dieser Ort muss geheim bleiben. Falls mein Vater davon erfährt, wäre er alles andere als glücklich.«

»Natürlich, kein Problem.« Ein perfekter Austausch von Leistungen, denke ich froh. Das Leben bessert sich.

Eine Reihe von Kleidungsstücken, die ich waschen und bügeln werde, um sie zu verkaufen, und ein Job, um für mein Brautkleid zu zahlen – und zwar in einem Zitronenhain! Ein Schauder läuft mir den Rücken hinunter; ein Schauder der Begeisterung über mein neues Leben. Ganz plötzlich entwickeln sich die Dinge in meinem Sinne.

22. Kapitel

Ich wanke schwer beladen die Zufahrt entlang und erreiche schließlich den Hof. Neben der Kiste mit der Vintage-Kleidung trage ich eine zweite Kiste und eine Tragetasche voller dicker, saftiger Zitronen.

»Billy, ich habe was für dich!«, sage ich und stelle alles auf dem Küchentisch ab. Limonen rollen über den Tisch und fallen herunter. Lennie und ich jagen ihnen hinterher und sammeln sie lachend ein.

»Dadrin«, sage ich zu Billy und zeige auf eine der beiden Kisten. »Ein Geschenk von Lucas Nachbarn«, füge ich nicht ganz wahrheitsgemäß hinzu. »Sie heißen uns alle willkommen und bedanken sich. Doch eigentlich sind sie für dich. Ich dachte, du könntest dich um sie kümmern.«

Vorsichtig öffnet er die Box. Zwei etwas kahle, zerrupfte Hennen strecken die Köpfe heraus und sehen sich um.

Billy betrachtet die Vögel, dann wirft er Sherise einen Blick zu, und plötzlich breitet sich ein Lächeln auf seinem Gesicht aus. Ein Lächeln, wie ich es seit seiner Ankunft in Città d'Oro noch nicht gesehen habe.

»Es ist zwar keine Kuhherde, aber immerhin ein Anfang«, sage ich.

Er lächelt immer noch, als er eine der Hennen aus dem Karton hebt und vorsichtig ihre Flügel umfasst hält. Sherise strahlt über das ganze Gesicht. Das zweite Huhn unternimmt einen

Fluchtversuch, flattert aus der Kiste und hüpft auf dem Küchentisch herum. Kleine Federn fliegen durch die Luft. Die Henne hat kahle Stellen, wo andere Hühner nach ihr gepickt haben. Lachend fangen Sherise und Billy das Huhn ein.

»Ich glaube, wir suchen euch am besten ein schönes Plätzchen, wo ihr hausen könnt«, sagt Billy. »Mal sehen, was uns da einfällt. Barry, hast du Lust, mit mir zusammen ein Hühnerhaus zu bauen?«

»Unbedingt!«, antwortet Barry und steht auf.

»Vielleicht könnten wir unter den Bäumen einen Auslauf für sie einplanen?«, schlägt Billy grinsend vor.

»Ich sehe keinen Grund, warum nicht. Man kann Hühner nicht davon abhalten, ein Grundstück unbefugt zu betreten. Sie können ja schließlich die Schilder nicht lesen!« Barry lacht.

»Sie werden im Handumdrehen wieder glücklich sein«, meint Billy.

»Werden sie Eier legen? Ich liebe Frühstückseier«, fragt Barry.

»Ich denke schon. Sie brauchen nur eine zweite Chance im Leben. Vielleicht könnten wir ein paar Küken kaufen, um die Schar zu vergrößern?«, schlägt Sherise vor, während die drei bereits in Richtung des verwilderten Obstgartens verschwinden.

Eins zu null für die Neuansiedler, hier hat Lucas Familie das Nachsehen, denke ich.

»Das hast du ganz wunderbar gemacht.« Lennie legt den Arm um mich und drückt mir einen Kuss auf die Stirn. Valerie sieht lächelnd zu.

»Na ja, ich dachte mir, sie könnten sich gegenseitig aufheitern, die Hühner und Billy.«

»Wo warst du?«, will Lennie wissen.

»Ich habe mich um Hochzeitsangelegenheiten gekümmert und nach Arbeit Ausschau gehalten. Und du?« Ich lächele.

»Ich habe nachgedacht ...« Sein Gesichtsausdruck sagt mir, dass er eine Idee hat. »Über unsere Zukunft.«

Die Limonen wollen wieder vom Tisch rollen, als ich sie in eine große Holzschüssel lege, die ich in einem Schrank gefunden habe. Valerie unternimmt nicht mal einen Versuch, mir zu helfen. Sie sitzt am Tisch und fächelt sich mit einem Zettel Luft zu, auf dem Lennie sich Notizen gemacht hat.

»Was hast du mit den ganzen Limonen vor?« Er lacht. »Und woher hast du sie überhaupt?«

»Luca hat sie mir gegeben«, antworte ich und hebe ein paar vom Boden auf.

»Luca? Wann hast du denn Luca getroffen?«

»Heute Nachmittag, als ich mit ihm über mein Brautkleid gesprochen habe!«

»Über dein Brautkleid?«

»Mhm. Er ist Schneider, er hat in Mailand gelernt. Er wird für mich ein Kleid entwerfen und auch nähen.«

»Oh, das sind ja wunderbare Neuigkeiten! Ein eigens für dich gefertigtes Brautkleid. Viel besser als diese alten Klamotten, die du dir angesehen hast!«, wirft Valerie ein.

»Ich glaube, er steht auf dich, dieser Luca«, scherzt Lennie.

»Nein!«, entgegne ich schnell. Fast zu schnell, denke ich. »Und selbst wenn es so wäre«, füge ich hinzu, sehe zu Lennie auf und meine es auch so, »du bist es, den ich heirate. So lautet unser Pakt. Keine Jagd mehr auf Luftschlösser. Ich möchte mein Leben mit dir verbringen, ein Leben voller Loyalität, Freundschaft und gemeinsamem Lachen.«

Diesmal fühlt es sich ganz natürlich an, den Arm um seine

Taille zu legen und den Kopf an seine Brust zu lehnen. Mit kleinen Schritten, denke ich. Wie ein langsam gekochtes Essen.

»Und mit einem Haus voller Spezialfälle, die sich jetzt um zwei zerrupfte Hühner kümmern, denen es hier richtig gut zu gefallen scheint!« Er zeigt auf Barry und Sherise, die den Hühnern im Hof hinterherjagen und versuchen, sie in Schach zu halten, während Billy im offenen Schuppen nach geeigneten Holzlatten Ausschau hält.

»Perfekt!« Ich lächele und verstärke meine Umarmung. Lennie küsst mich wieder auf die Stirn. Allmählich frage ich mich, ob wir je miteinander schlafen werden. Ich meine, wir teilen uns ein Bett, und es ist richtig schön, jemanden zu haben, mit dem man sich am Ende des Tages austauschen kann und mit dem man am Morgen Kaffee trinkt. Aber bisher hatte keiner von uns das Bedürfnis, sich auf den anderen zu stürzen. Wir fühlen uns wohl miteinander – wie ein altes Ehepaar. Wie lange werden wir noch warten, oder müssen wir es überhaupt tun? Könnte es das sein? Kann man eine liebevolle Beziehung führen, ohne Sex zu haben? Denn ich liebe Lennie, und ich bin gerne mit ihm zusammen. Vielleicht reicht das ja aus.

Als mein Blick auf die Limonen fällt, blitzt ein Bild von Luca vor meinen Augen auf, wie er die Früchte mit seinem Taschenmesser vom Baum schneidet und mir gibt. Als unsere Hände sich dabei fast berühren, fährt ein Stromschlag durch meinen Körper. Es kann sein, dass er tatsächlich auf mich steht, und vielleicht, ich gebe es zu, stehe ich ja auch ein bisschen auf ihn. Ich heirate Lennie, sage ich mir mit Nachdruck. Ich heirate Lennie, und davon lasse ich mich nicht abbringen.

»Was hast du mit den Limonen vor?« Lennie betrachtet die Früchte auf dem Tisch und in der Schüssel.

Ich nehme eine und rieche daran.

»Wie wäre es mit Limonade?«, schlägt er vor.

»Oh, das wäre erfrischend!«, sagt Valerie und fächelt sich weiter Luft zu.

»Nein, keine Limonade.« Als ich zu der anderen Kiste gehe, runzelt Lennie fragend die Stirn. Ich öffne den Deckel und nehme die Handtasche mit dem Band und dem handgeschriebenen Rezept heraus.

»Bitte sag jetzt nicht, dass du Zitronenaufstrich machen willst.«

»Oh, du hast Zitronenaufstrich geliebt, als du noch klein warst.«

»Nein, Mum, hab ich nicht. Das hast du bloß gedacht.«

Und sie lachen beide. Valeries Gesicht leuchtet bei der Erinnerung an ihren kleinen Jungen auf.

Ich ziehe die alte Postkarte aus der Handtasche. »Nein, kein Zitronenaufstrich. Ich werde das hier machen, es ist ein Rezept für Limoncello. Genau genommen ein Rezept von Lucas Großmutter. Ich möchte Giuseppe etwas von dem Limoncello geben, als Dankeschön für die Kleidung und dafür, dass wir weiterhin hier wohnen dürfen.«

»Tolle Idee!«, sagt Lennie und umarmt mich wieder. »Das ist das perfekte Geschenk, um Danke zu sagen.«

»Und du kannst mir erzählen, worüber du dir Gedanken gemacht hast«, sage ich, zeige auf einen Stuhl und schenke zwei Gläser Rotwein ein. »Valerie?«, frage ich, obwohl ich weiß, dass sie kaum Alkohol trinkt.

»Nein, danke. Nehmt ihr zwei euch jetzt mal Zeit, um euch zu unterhalten. Ich glaube, ich lege mich vor dem Abendessen ein bisschen hin«, sagt sie. »Apropos, was gibt es eigentlich zu essen?«

»Pasta!«, antworten Lennie und ich einstimmig und lachen.

Inzwischen sind wir Experten in Sachen Nudeln und auch in der Zubereitung von kostengünstigen und schmackhaften Soßen.

Als Valerie gegangen ist, setze ich mich neben Lennie, und wir tauschen ein Lächeln.

»Dann erzähl mal«, sage ich, »was hast du für Pläne?«

Und während ich mit Lennies Hilfe das Rezept entziffere und wir plaudern und Wein trinken, fühlt sich wirklich alles perfekt an.

23. Kapitel

»Luca!«, rufe ich, als ich am folgenden Nachmittag im Zitronenhain eintreffe. Wieder scheint der Duft der Zitronenblüten mich zur Begrüßung förmlich einzuhüllen.

»Hey! *Ciao!*« Er hebt die Hand, dann kommt er auf mich zu und küsst mich auf beide Wangen, so wie auch Giuseppe es immer tut. Warum fühlt es sich dann so intim an? Warum habe ich das Bedürfnis, meine Wange an der Stelle zu berühren, wo er mich geküsst hat?

»Ich komme zur Arbeit – wie vereinbart. Wo soll ich anfangen?«, sage ich, denn ich bin darauf erpicht, mich gleich in meine Aufgabe zu stürzen.

»Das hat keine Eile, lass mich dir erst mal das Haus zeigen«, sagt er und zeigt auf ein lang gestrecktes, einstöckiges Gebäude.

»Und ich habe dir auch meine Maße mitgebracht«, sage ich und öffne mit leicht zitternden Händen meine Tasche.

»Nicht nötig«, erwidert er lächelnd. »Zunächst muss ich herausfinden, welche Art von Kleid am besten zu dir passt, welches Kleid die echte Zelda darstellt. Wie du tickst. Was dafür gesorgt hat, dass du dich verliebt hast«, erklärt er ruhig und entspannt. »Und dann kann ich deine Maße nehmen, wenn wir wissen, wie das Kleid werden soll.«

Bei dem Gedanken daran läuft mir unwillkürlich ein Schauer über den Rücken. Rasch greife ich nach meiner Wasserflasche und trinke einen großen Schluck.

»Warum bist du nach Città d'Oro zurückgekommen?«, frage ich Luca, während ich die Limonen von den Bäumen schneide.

»Mein Vater hat mich gebraucht. Seit meine Mutter nicht mehr da ist, kann er nicht mehr alles bewältigen – die Leitung des Familienunternehmens und des Restaurants.«

»Deine Mutter, ist sie ... gestorben?«

»Nein, sie lebt jetzt in einem anderen Teil der Insel. Sie ... na ja, mein Vater und sie haben sich getrennt. Und nun braucht er jemanden, der ihn im Auge behält, weil er Herzprobleme hat.« Er streckt den Arm aus und pflückt eine Limone von einem hohen Ast. Dabei flattert sein Hemd in der sanften Brise und gibt einen kurzen Blick auf seinen Bauchnabel und den Streifen dunkle Haare frei, der von dort zum Hosenbund läuft. Ich schneide mir fast den Finger ab.

»Autsch!«

»Sei vorsichtig! Alles in Ordnung?«

»Ja, alles gut.« Ich sauge an meinem Finger, um mich abzulenken.

»Also, dann erzähl mir mal von Lennie und dir«, sagt er.

Und ich stürze mich in die Geschichte über unser Kennenlernen und die Zeiten, die wir geteilt haben. »Wir kennen uns praktisch schon unser ganzes Erwachsenenleben«, sage ich abschließend, »und wir haben begriffen, dass ... nun ja, es ergab einen Sinn.«

»Sinn? Was hat Sinn mit Liebe zu tun?« Luca lacht.

»Wir haben einfach begriffen, dass alles, wonach wir je Ausschau gehalten haben, sich direkt vor unseren Nasen befindet. Es war bereits die ganze Zeit da.«

»Eher ein langes, langsames Entflammen als Liebe auf den ersten Blick.« Er schmunzelt vor sich hin.

»Genau! Und wie sieht es bei dir aus?«

»Ich habe jemanden in Mailand kennengelernt. Aber ihr hat es hier nicht gefallen. Außerdem hat mein Vater immer wieder versucht, mir Frauen aus Familien vorzustellen, die er kennt. Wie gesagt, er ist ein ausgesprochen misstrauischer Mensch. Er möchte das Geschäft gerne in der Familie behalten.«

»Und für die Familie«, sage ich, ohne nachzudenken.

»Ja.«

»Und jetzt? Glaubst du, du wirst irgendwann wieder nach Mailand gehen?«

Nachdenklich sieht er mich an. »Ich weiß es nicht. Das hängt davon ab …«

»Wovon?«

»Davon, wie es hier weitergeht. Mein Vater hat es drauf, uns allen ein schlechtes Gewissen zu machen. Er möchte, dass wir in der Nähe bleiben. Momentan bin ich zufrieden – ich habe alles, was ich brauche.«

»Abgesehen von Liebe«, führe ich an.

Er zuckt mit den Schultern. »Das kann sich ja vielleicht noch ändern«, erwidert er, ohne mich anzusehen, und reckt sich nach einem hohen Ast.

Als ich am nächsten Nachmittag die Arbeit im Zitronenhain für den Tag beende und meine Habseligkeiten einsammle, bricht Luca gerade zum Restaurant auf.

»Ich kann dich mitnehmen«, bietet er an.

Ich hebe eine Hand. »Danke, ich gehe zu Fuß und genieße den Spaziergang.«

»Okay, wie du willst. Morgen zur selben Uhrzeit? Ich muss die Obstkisten für die Lieferung fertigbekommen.«

»Durch den Tunnel?« Bei dem bloßen Gedanken daran läuft mir ein Schauer über den Rücken. »Luca, ich kann nicht …«

Er sieht mich an und legt fragend den Kopf schief.

»Ich kann nicht durch den Tunnel gehen. Ich ... ich ertrage keine engen Räume. Ich leide unter Klaustrophobie«, beende ich den Satz mit Mühe.

Er nickt und lächelt. »Verstehe. Das ist auch nicht jedermanns Sache.«

»Um genau zu sein«, stoße ich hervor, »ich habe Panik davor!« Ich merke, dass meine Hände feucht sind und zittern.

»Das ist kein Problem«, entgegnet Luca. »Du hilfst mir bei der Ernte und legst die Limonen in die Kisten. Dann stapeln wir sie hier, und ich trage sie durch den Tunnel zur Palette. Meine Kontaktperson wird sie dort abholen. Auf die Weise bekommt niemand mit, was ich tue – auch nicht mein Vater. Jeder hat so seine Geheimnisse!« Als er mir zuzwinkert, denke ich an Lennie und mich – auch wenn ich keine Ahnung habe, warum.

»Glaubst du, dein Vater wird uns je akzeptieren?«, frage ich plötzlich.

»Du darfst das nicht zu eng sehen. Er muss erst den Nutzen für sich erkennen. Mein Vater stimmt nur Dingen zu, die in seinen Augen funktionieren. Aber er liebt das Dorf und seine Familie, also wird er alles dafür tun, um sie hierzubehalten.«

24. Kapitel

»Irgendwas stimmt nicht damit.« Ich halte eine der Limoncelloflaschen hoch.

Es ist der 30. Juni, und der Frühsommer ist auf Sizilien schon richtig heiß! An den vergangenen fünf Tagen habe ich zusammen mit Luca die Limonen von den Bäumen geschnitten. Als die Sonne über der Insel untergeht, packen wir die Früchte in die Kisten und unterhalten uns dabei – über Dinge, die wir mögen, Musik, Filme und so etwas. Diese Tageszeit mag ich am liebsten.

»Es sieht nicht wie etwas Besonderes aus, und es schmeckt auch nicht so. Ich dachte, na ja, weißt du, es wäre ganz anders«, sage ich jetzt.

Wir haben die Limonen geschält und die Schalen drei Tage lang in Alkohol ziehen lassen. Danach fügten wir Zucker und Wasser hinzu, strikt nach den Vorgaben des Rezeptes. In dem Schrank unter der Spüle in der Küche fanden wir Flaschen, die wir gründlich spülten, bevor sie gefüllt wurden.

»Gib dem Ganzen mehr Zeit … es muss richtig durchziehen«, meint Lennie. »Ein bisschen wie bei dir und mir! Und bei uns ist es ja auch was geworden, oder?« Er lächelt.

Ich stelle die Flasche auf den Tisch neben meine Tasche.

»Ich glaube, ich statte heute Giuseppe mal einen Besuch ab«, sagt Lennie. »Wir hatten immer noch kein Glück bei der Arbeitssuche, wir müssen etwas unternehmen. Wir haben auch keine Pensionsgäste mehr, seit der Flugverkehr wieder aufgenommen wurde.«

»Morgen zusammen!«, sagt Sherise. Billy und Tabitha, die gestresst wirkt, folgen ihr in die Küche.

»Alles in Ordnung bei dir?«, frage ich Tabitha.

»Nicht wirklich. Ich versuche, einen Auftrag für eine Story zu bekommen. Aber ich weiß nicht, worüber ich schreiben und wem ich die Story verkaufen soll. Etwas anderes kann ich nicht. Ich habe einen Abschluss in Anglistik und einen in Journalismus. Was könnte ich sonst tun?«

»Ich weiß, was du meinst. Wir haben gerade darüber gesprochen, dass wir keine Gäste mehr haben. Zum Glück wohnt Lennies Mutter momentan hier. Wir müssen Werbung für das Haus machen«, sage ich, während ich den Tisch mit Brot vom Bäcker, Marmelade, Butter, Käse und wundervoll dicken Tomaten decke – alles Geschenke, die auf der Türschwelle abgelegt wurden.

»Ja«, wirft Ralph ein, der gerade die Küche betritt. »Man muss investieren, um Erträge zu erzielen. Das ist der Schlüssel.«

»Die Sache ist die«, meint Lennie, »es ist schwierig, wenn man nur für ein einziges Unternehmen wirbt. Als ich als Immobilienmakler gearbeitet habe, haben wir uns mit anderen Maklern zusammengetan, um ein Internetportal zu gründen. Auf die Weise erreicht man mehr Kunden.«

»Was meinst du, wie zum Beispiel Immowelt?«, fragt Tabitha.

»Ganz genau. Ähnlich war es, als wir alle hergezogen sind – es ging nicht nur um eine Person, die auswandern wollte. Du wolltest über uns als Gruppe schreiben. So waren wir interessanter.«

»Und manche waren skandalträchtiger als andere.« Als

Ralphs Gesicht sich verfinstert, hat Tabitha den Anstand, betreten zu wirken.

»Du schlägst hoffentlich nicht vor, dass sie noch mal versuchen soll, die Geschichte über uns zu verkaufen, oder etwa doch?« Sherise ist empört.

»Nein, nein.« Lennie macht eine abwehrende Geste. »Ich habe von diesem kanadischen Geschäftsmodell gehört. Es geht nicht darum, lediglich ein Business auszuüben; es geht darum, den ganzen Ort zu vermarkten. Hier fahren die Leute einfach nur durch, ohne anzuhalten, aber ein Dorf wie dieses ist dazu prädestiniert herumzuwandern. Wir müssen die Touristen auf ihrem Weg zum Ätna dazu bewegen anzuhalten, zu bummeln und ihr Geld auszugeben.«

Alle sehen ihn an.

»Wie Leute, die ein Einkaufszentrum besuchen. Sie gehen hin, weil es eine Vielzahl an Läden gibt. Oft verbringen sie den ganzen Tag dort. Essen etwas. Erstehen viele Dinge, die sie eigentlich gar nicht kaufen wollten.«

»Aber wir können nicht einfach viele Läden aufmachen; dafür fehlt uns das Geld. Wir brauchen die Frühstückspension, um überhaupt ein Einkommen zu erzielen.«

»Und sobald es dem Dorf gut geht, wählen die Gäste für ihre Übernachtungen Häuser wie dieses hier«, meldet sich Ralph zu Wort.

»Aber wie können wir Touristen anlocken?«, frage ich.

Lennie strahlt. »Wir veranstalten ein Straßenfest!«

»Ein was?«

»Wie zu einem Jubiläum?«, hakt Sherise nach.

»So in der Art. Wir bauen Stände auf der Straße auf, verkaufen Waren und Essen; sorgen für Musik, organisieren eine Bar. Die Leute werden das Straßenfest besuchen und das Dorf kennenlernen. Und wenn es ihnen gefällt, wollen sie auch hierbleiben.«

»Das klingt wie etwas, über das man schreiben könnte.« Tabitha strahlt. »Genial! Den Straßen von Città d'Oro wird neues Leben eingehaucht.«

»Aber was sollen wir denn verkaufen ... und wie bewegen wir die Dorfbewohner dazu, sich zu beteiligen?«, fragt Sherise.

»Es gibt einen Weg ...«, erwidert Lennie. »Wenn wir es schaffen, Lucas Vater ins Boot zu holen, wird der Rest des Dorfes ihm folgen. Irgendwie müssen wir ihn davon überzeugen, unseren Plan zu unterstützen.«

»Viel Glück dabei«, brummt Barry. »Wie ich gehört habe, ist er nur daran interessiert, Profit für sich selbst rauszuschlagen.«

Lennie sieht mich an. »Warum fragen wir Luca nicht, ob es eine Möglichkeit gibt, seinen Vater für unsere Idee zu gewinnen? Ihr beide seid schließlich inzwischen Freunde geworden.«

»Es gibt doch dieses Sprichwort, dass man seine Freunde um sich scharen soll, aber seine Feinde erst recht«, lacht Barry.

Ist es das, was Luca ist, ein Feind?, frage ich mich. Ich denke an unsere Gespräche im Zitronenhain.

»Ich glaube, ich kenne vielleicht einen Weg«, sage ich langsam. »Ich denke, ich weiß, wie Lucas Vater tickt.«

25. Kapitel

Auf dem Weg ins Dorf sehe ich ein paar Häuser mit offenen Haustüren. Die Bewohner sitzen direkt hinter den Türschwellen im kühlen Schatten. Gardinen, die sonst immer zuckten, wenn ich vorüberging, sind nun zurückgezogen. Als ich winke, winken die Leute zaghaft zurück. Sie wissen alle, wer ich bin. Als zukünftige Braut habe ich eine gewisse Berühmtheit erlangt.

Gerade gehe ich an einem von Mauern umgebenen Garten vorbei, als ich von der anderen Seite ein Rascheln höre. Plötzlich streckt ein älterer Mann den Kopf aus dem Tor und blickt nervös die Straße hinauf und hinunter.

»*Buongiorno*«, sagt er. Seine Frau, die hinter ihm steht, tut es ihm gleich.

»*Buongiorno*«, antworte ich. Die direkte Ansprache verblüfft mich – es passiert zum ersten Mal seit unserer Ankunft.

Und dann tritt der Mann auf die Straße und überreicht mir einen wunderschönen Blumenstrauß.

»*Grazie. Grazie mille*«, sagen die beiden.

Ich betrachte die Blumen und schaue das ältere Paar an.

»*Grazie*«, wiederholt die Frau. »*Per il matrimonio* …« Sie nickt und lächelt vorsichtig.

»Oh, für die Hochzeit. Sie ist aber erst in einigen Wochen«, erkläre ich.

»*Per l'Etna.*« Sie dreht sich um und blickt zum rauchenden Gipfel des Ätna.

»Ah …«, sage ich, als ich schließlich verstehe. Sie bedanken sich mit dem Blumenstrauß dafür, dass wir heiraten und damit den Ätna besänftigen werden. Genauso verhält es sich mit den anderen Geschenken, die wir auf unserer Türschwelle vorgefunden haben.

Als der Mann auf seinen wundervollen Garten voller Blumen zeigt, glaube ich, er wolle mir mitteilen, ich könne so viele Blumen haben, wie ich möchte – für den großen Tag. Dann wünschen die beiden mir eine lange und glückliche Ehe, wie die ihre. Genau das wünsche ich mir auch für Lennie und mich. Und wir erfüllen alle Voraussetzungen dafür. Ich glaube, ich sehe uns in den kommenden Jahren schon genauso vor mir.

Ich danke ihnen gerührt und küsse sie auf die Wangen. Danach setze ich meinen Weg ins Dorf fort, in einer Hand meinen Blumenstrauß und in der anderen eine Flasche Limoncello. Er mag zwar nicht so besonders sein, wie ich es mir erhofft habe, doch es ist dennoch Limoncello und zudem hausgemachter! Der Duft der Blumen ist überwältigend – Zitronenblüten sind eindeutig ebenfalls darunter. So etwas in der Art möchte ich unbedingt auch als Brautstrauß haben.

Ich spaziere durch den Ort, vorbei am Lebensmittelladen, wo ich den Kanarienvogel singen höre. Im Haus sehe ich Carina. Sie hört auf, den Holzboden zu fegen, dreht sich zu mir um und wirft mir einen finsteren Blick zu. Ich recke das Kinn und gehe weiter. Die Blumen in meiner Hand verleihen mir Kraft. Ich lasse mich nicht vertreiben!

Dann richte ich meine Aufmerksamkeit auf den Ätna und seinen rauchenden Gipfel, der hinter den Häusern aufragt. Als ich den Platz erreiche, sagt eine Stimme hinter mir: »Hallo!«

Ich drehe mich um. Es ist Sophia.

»Hallo!«, antworte ich.

»Wie geht es dir heute Morgen?«, erkundigt sie sich.

»Wo hast du Englisch gelernt?«, will ich wissen.

»Ich gucke sehr oft Netflix.«

Wie traurig, denke ich. Diese tolle Landschaft, und sie vergräbt sich im Haus, macht allein Hausaufgaben und schaut online Filme.

Als ich weitergehe, hält sie mit mir Schritt.

»Solltest du nicht zurücklaufen und lernen?«

»Ich lerne doch gerade, und zwar Englisch. Mit dir. Du bist meine Lehrerin.«

»Aber ich bin ja gar nicht deine Lehrerin.« Ich schmunzele über ihre Hartnäckigkeit. »Und ich glaube nicht, dass es deiner Mama gefällt, wenn du dich bei mir herumtreibst.«

»Meine Mama ist sauer, weil mein Papa nicht da ist und sie mich allein großziehen muss. Außerdem sagt Il Nonno, dass keine neuen Leute ins Dorf ziehen können, weil sie uns unsere Arbeit und das bisschen Geld, das wir haben, wegnehmen würden. Wir müssen uns um die Familie kümmern.«

»Vielleicht sollte Romano sich ein bisschen weltoffener zeigen. Neue Menschen bringen zusätzliches Geschäft und zusätzliche Arbeitsplätze«, erwidere ich. Jetzt höre ich mich tatsächlich wie eine Lehrerin an.

»Die Familie ist ihm wichtig, und er kümmert sich um uns alle«, sagt sie. Es ist offensichtlich, dass sie nachplappert, was man ihr eingetrichtert hat. »Aber du hast recht … er hat sehr altmodische Ansichten. Als Nächstes will er noch, dass wir aus der EU austreten und unabhängig werden!«

Ich lache laut auf vor Bewunderung, nicht nur wegen der Sprachkompetenz dieses Mädchens, sondern auch wegen seiner Kenntnisse in Bezug auf aktuelle Themen.

»Bis später, Sophia«, sage ich, als wir das andere Ende des Platzes erreichen.

»Okay, sehr gerne. Und ich heiße Sophie! Es ist super, eine Freundin zum Quatschen zu haben«, fügt sie hinzu, dreht sich um und kehrt zum Laden zurück.

Ich sehe zu der großen Villa auf und muss schlucken. Noch könnte ich einen Rückzieher machen, doch ich möchte Romano wissen lassen, dass wir uns nicht vertreiben lassen. Ich möchte ihn sogar mit ins Boot nehmen, damit er uns bei der Organisation des Straßenfestes hilft und versteht, dass das ganze Dorf davon profitieren könnte.

Dann atme ich tief durch und gehe auf das große Metalltor zu. Ich bin fest entschlossen, ihm zu vermitteln, dass unser Auftauchen im Dorf eine gute Sache ist.

26. Kapitel

Ich warte vor der großen messingbeschlagenen Eingangstür der Villa, nachdem ich am Tor geklingelt und mich über die Gegensprechanlage angemeldet habe. Währenddessen betrachte ich den großen Steinbalkon, auf dessen Brüstung Lolli-ähnliche Leuchten verteilt sind, die Statuen von nackten Männern und Frauen und den riesigen Swimmingpool mit wasserspeienden Löwen an jeder Ecke. Ein Weg führt vom Haus zu dem Fundament für ein neues Gebäude, das ganz offensichtlich die Sporthalle werden wird. Für die Gemeinschaft ... pah! So wie es aussieht, ist das Gebäude für seine ganz persönliche Nutzung bestimmt!

Ich spüre, wie schon wieder Wut in mir aufsteigt. Dieser Mann gibt sich größte Mühe, die Wurzeln erneut herauszuziehen, die wir zu schlagen versuchen. Das werde ich nicht widerstandslos hinnehmen, sage ich mir gerade, als ich höre, wie Riegel zurückgeschoben werden und die Tür sich langsam öffnet.

Vor mir steht der Mann, den ich an unserem ersten Abend im Restaurant gesehen habe. Heute trägt er ein langärmeliges Hemd, das über seinem Kugelbauch spannt, und – trotz der Hitze – eine Lederweste. Ohne den schwarzen Hut ist sein Kopf kahl.

Als ich ihn anblicke, kann ich mein eigenes Spiegelbild in seiner dunklen Brille erkennen. Herausfordernd hebe ich das Kinn.

»Ich bin Zelda, Zelda Dickenson«, sage ich.

»Ich weiß, wer Sie sind«, erwidert er nüchtern. »Warum sind Sie hier?«

Ich antworte, ohne zu zögern: »Um ein neues Leben zu beginnen. Um ein Geschäft zu gründen und hoffentlich neue Kunden ins Dorf zu bringen. Wir wollen Città d'Oro zu unserem Zuhause machen. Ich glaube, wir haben alle etwas beizutragen, was auch Ihnen helfen wird. Die Häuser stehen leer, die Straßen sind verwaist. Sogar die Zitronenhaine sterben. Niemand kommt mehr her – außer uns. Wir wollen ein neues Leben beginnen, ohne Ihnen etwas wegzunehmen.«

Nach meiner spontanen Rede voller Herzblut ist mir leicht schwindelig. Du darfst nicht vergessen zu atmen, sage ich mir, doch meine Brust ist eng, und mein Mund fühlt sich trocken an. In einer Hand halte ich immer noch den Blumenstrauß, mit der anderen greife ich in meine Tasche und nehme die Wasserflasche heraus. Es ist die Tasche, die ich in der Kleiderkiste gefunden habe. Die Tasche von Lucas Großmutter. Und von Romanos Mutter, wie mir jetzt aufgeht.

Nachdenklich mustert er die Tasche. »Nein, ich meine, warum stehen Sie hier vor meiner Tür?« Er sieht mich an, jedenfalls vermute ich das. Ich kann nur mein eigenes Gesicht erkennen, das mich aus den verspiegelten Gläsern der Brille anstarrt.

»Oh«, sage ich. Mit sinkendem Mut begreife ich, dass nichts von dem, was ich gesagt habe, bei ihm angekommen ist. Er wird mich nicht plötzlich ins Haus bitten, um mir einen Aperol und ein paar Oliven anzubieten. Auf einmal fühle ich mich sehr unbehaglich. Dennoch muss ich ihn dazu bringen zu verstehen, wie großartig Lennies Idee sein könnte, wenn alle mitmachen.

»Wir alle, die wir auf dem Hof Il Limoneto wohnen, wollen arbeiten und uns beruflich etwas aufbauen«, sage ich. Als er ein zorniges Schnauben ausstößt, bin ich mir nicht sicher, ob mir noch viel Zeit bleibt, um ihm die Idee schmackhaft zu machen. »Wir wollen eine Veranstaltung organisieren, ein Straßenfest, damit Leute kommen, bummeln und ein bisschen Zeit in Città d'Oro verbringen.« Er schnaubt erneut. »Wir wollen auch Essen anbieten …«

»Damit würden Sie meinem Restaurant Konkurrenz machen«, unterbricht er mich scharf.

»Nein … wir würden mit Ihrem Restaurant zusammenarbeiten. Die Leute würden kommen und etwas essen wollen. Je mehr Leute kommen, desto mehr … Ich habe Ihnen das hier mitgebracht.« Ich will ihm die Flasche Limoncello geben. Dann, als er keine Anstalten macht, sie zu nehmen, füge ich hinzu: »Und die hier.« Ich biete ihm den Blumenstrauß an.

Als er eine abwehrende Geste macht, fühle ich mich, als wolle er mich von seiner Türschwelle wegscheuchen.

»Wenn Sie sich an dem Fest beteiligen und Ihren Segen geben, werden auch andere Dorfbewohner mitmachen«, sage ich bittend. Doch er weist mich ab. Ich will mich nicht unterkriegen lassen, aber unwillkürlich trete ich einen Schritt zurück.

»Sie sind hier nicht erwünscht. Es gibt nicht genug Geschäftsmöglichkeiten für uns alle. Es ist eine lächerliche Idee, neue Einwohner in den Ort zu holen. Es ist so schon kaum genug für alle da. Ich muss an meine Familie denken.«

Erneut macht er diese Geste, und ich finde mich auf der untersten Treppenstufe wieder. Ich sehe mich gezwungen, den Weg zu dem imposanten Tor einzuschlagen, dessen Flügel sich wieder knarrend öffnen.

»Wir wollen Sie hier nicht! Wir haben keinen Platz für Flüchtlinge, wo immer sie auch herkommen. Gehen Sie nach Hause!«

Ich lasse die Blumen fallen. Ich habe keine Zeit, sie aufzuheben, weil er drohend auf mich zukommt. Als ich durch das Tor schlüpfe, schließen sich die Flügel automatisch.

»Bitte ...«, flehe ich. »Hören Sie einfach zu ... Wir können uns gegenseitig helfen.« Doch das Tor schließt sich endgültig, das Surren verstummt, und ich stehe davor und starre auf das braune Metall vor meiner Nase. »Wir sind nicht gekommen, um gegen Sie zu kämpfen!«, rufe ich. Aber es kommt keine Antwort.

Ich koche vor Wut. Gierige Vermieter haben mich aus dem Geschäft gedrängt, das ich liebte; von hier werde ich mich allerdings nicht vertreiben lassen. Auf gar keinen Fall! Romano ist ein engstirniger Zeitgenosse, doch wir werden es ihm zeigen. Wir können es schaffen. Ich denke an meine Blumen, die nun verstreut auf dem Weg liegen. Viele Leute wollen, dass wir bleiben, nicht zuletzt wegen der Hochzeit. Ich bin fest entschlossen, ihm das Gegenteil zu beweisen.

»Ich werde es Ihnen zeigen!«, rufe ich wütend. »Wenn Sie Streit wollen, dann können Sie ihn haben!«

Als ich mich abwenden will, fällt mein Blick auf eine Statue neben dem Tor. Ich marschiere zu dem verwilderten Zitronenhain gegenüber, hebe einen heruntergefallenen Ast vom Boden auf, trage ihn zum Tor und hole aus. Als der Kopf der Statue herunterfällt, blicke ich auf und schaue direkt in das blinkende Auge der Überwachungskamera.

Mit vor Wut und Empörung brennenden Wangen mache ich mich auf den Rückweg zum Hof, der sich seltsamerweise zunehmend wie ein Zuhause anfühlt.

27. Kapitel

»Du hast was getan?!«

»Ich habe einen Zitronenast in Richtung dieser Statue geschwenkt und ihr damit den Kopf abgeschlagen«, sage ich kleinlaut. Meine Wut hat sich in Beschämung und Bedauern verwandelt, und als ich den Hof erreiche, ist mir die Sache äußerst peinlich.

»Oh, Zelda! Du und dein impulsives Verhalten!«, sagt Valerie, die jede Auseinandersetzung miterlebt hat, in die ich während der Schulzeit und auch später noch geraten bin. Sie hat sich immer auch meine Seite der jeweiligen Geschichte angehört und mich unterstützt, mir aber auch gesagt, wenn sie der Meinung war, dass ich nicht richtig mit der Situation umgegangen bin. Als ich auf der High Street mit Plakaten gegen die Pachterhöhungen demonstrierte, sagte sie mir nicht, ich solle aufhören, mich zum Affen zu machen; sie nahm einfach ein Plakat und stellte sich an meine Seite. Am meisten hat mich immer schon Ungerechtigkeit in Wut versetzt. Ich kann Menschen nicht ausstehen, die andere schikanieren.

»Ich weiß, Valerie. Es tut mir auch leid«, sage ich. Dabei wünschte ich, ihr sagen zu können, dass ich mit großer Würde agiert hätte und sie stolz auf mich sein könnte.

Es war Valerie, die in einer Tageszeitung einen Artikel über ADHS bei Mädchen und Frauen las und mir half, eine Diagnose zu erhalten. Ich dachte, dass nur Jungen betroffen wären und sie einfach unruhig seien und viel herumliefen. Wie sich herausstellte, war dem nicht so. Menschen, die an ADHS leiden, sind impulsiv und chaotisch, handeln häufig im Affekt und stürzen sich förmlich auf jeden neuen Tag. Das erklärt vielleicht, warum ich immer der letzte Gast bei Partys war und nachts nie richtig schlief, weil mir so viele Gedanken im Kopf herumschwirrten. Warum ich keinen Job behielt, bis ich schließlich ein eigenes Geschäft aufzog. Risiken einzugehen war nie ein Thema für mich. Ich tat die Dinge einfach, ohne mir Gedanken darüber zu machen, was schieflaufen könnte. Deshalb geriet ich in der Schule immer in Schwierigkeiten, was sich auch im Berufsleben fortsetzte. Aber genau diese Eigenschaft hat mir auch den Mut verliehen, mich allein selbstständig zu machen. Meinen eigenen Laden aufzumachen passte so gut zu mir: Jeder Tag war anders, und ich musste nur gegenüber mir selbst Rechenschaft ablegen.

Valerie half mir dabei, meine eigenen Verhaltensweisen zu verstehen und zu lernen, damit umzugehen. Obwohl es heute nicht funktioniert hat. Irgendwann wird sie einen Grund haben, stolz auf mich zu sein. Ich glaube, die Hochzeit wird sie stolz machen. Ich möchte ihr für all das, was sie für mich getan hat, etwas zurückgeben. Doch zunächst müssen wir ein Straßenfest organisieren.

»Ralph, wie sieht es mit deinen Grillfertigkeiten aus? Wir werden dieses Straßenfest feiern, egal ob es Romano nun gefällt oder nicht!«

Ralph wirft mir einen Blick zu und beißt sich auf die Unterlippe. »Vielleicht sollten wir Luca bitten, uns ein paar Tipps zu geben«, schlägt er vor.

»Ich finde die Idee super, und ich möchte liebend gern mitmachen. Je mehr Leute ins Dorf kommen, desto mehr Gäste besuchen mein Restaurant.« Luca strahlt.

»Ganz genau!«, erwidere ich lachend. Wir arbeiten im Zitronenhain, pflücken Früchte von Hand und legen sie in die Holzkisten.

»Und Lennie hatte die Idee, ein Straßenfest abzuhalten?«, fragt er und reckt sich, um einen hohen Ast zu erreichen. Wieder schiebt sich sein Hemd nach oben und ermöglicht mir einen verstohlenen Blick auf seine olivfarbene Haut. Rasch gucke ich weg.

»Lennie hat immer tolle Ideen.«

»Und das ist eine Seite an Lennie, die du magst?«, will Luca wissen.

»Er gibt mir Halt und hat eine beruhigende Wirkung auf mich. Auf die Weise handele ich nicht so impulsiv«, antworte ich und rufe mir ins Gedächtnis, dass Lennie mein Ein und Alles ist.

»Wie beispielsweise, als du der Statue meines Vaters den Kopf abgeschlagen hast?«

Ich versuche, das Lachen zu unterdrücken, leider vergeblich. Luca muss auch lachen.

»Das war nicht richtig, es tut mir leid.«

»Ich wünschte, ich hätte den Mumm, selbst so was zu tun. Die Statue und er haben es zweifellos verdient.« Wir verstummen beide. »Ich entschuldige mich für meinen Vater, Zelda.«

»Du kannst nichts dafür.«

»Ich hätte ihm schon vor Jahren Paroli bieten sollen. Ich hätte mir kein schlechtes Gewissen einreden lassen dürfen – jetzt bin ich hier, nur damit er sich sicher fühlen kann, weil er die Familie um sich versammelt hat. Aber er ist ständig krank, es ist schwierig. Ich will nicht dafür verantwortlich sein, dass sich sein Herzleiden verschlimmert. Er wird schließlich auch nicht jünger.«

»Das geht uns allen so.«

»Stimmt.«

»Du musst auch an dich selbst denken, Luca.«

»Ich weiß. Aber du hast recht, es muss sich was ändern. Wenigstens hat sich etwas geändert, seit du hier bist: Ich werde nicht mehr dazu gedrängt, meine Cousine zu heiraten!«

»Wo wir gerade von heiraten reden, wie läuft es mit meinem Kleid? Kann ich die Entwürfe schon sehen?«

Er lächelt und schüttelt den Kopf. »Noch nicht.« Als er wieder lächelt, schlägt mein Magen einen Salto. »Nun, zurück zu diesem Straßenfest. Wie kann ich helfen?«

»Du könntest uns nicht zufällig beibringen, wie man grillt?«

»Gehst du zurück zum Hof?«, fragt Luca, als wir unsere Schicht im Zitronenhain beendet haben.

»Nein, zu Giuseppe, um ihm mitzuteilen, dass wir die Idee mit dem Straßenfest durchziehen wollen. Und um ihm das hier zu geben.« Ich zeige Luca eine Flasche mit selbst gemachtem Limoncello. Er nickt interessiert.

»Ich kann dich mitnehmen«, sagt er und reicht mir einen offenen Helm.

»Was, auf deinem ... darauf?« Ich zeige auf das Moped.

»Natürlich. Wie sonst?«

Und plötzlich erlebe ich meine ganz persönliche Filmromanze wie in *Ein Herz und eine Krone*. Lächelnd setze ich den Helm auf. Warum nicht? Es geht nur um eine Mitfahrgelegenheit!, sage ich mir. Nur eine Mitfahrgelegenheit, bei der ich die Arme um den Mann schlinge, der die Schmetterlinge in meinem Bauch bei jeder Gelegenheit in den Wahnsinn treibt … Aber vielleicht ist das der richtige Weg, um mich von diesen dummen Gedanken zu befreien.

»Ja, gerne, danke.«

Luca befiehlt Rocca, zu bleiben und den Zitronenhain zu bewachen, dann klettern wir beide auf das grün-weiße Moped.

Ich beschließe, mich lieber am Moped als an Luca festzuhalten, doch als er die Straße entlangfährt und den Schlaglöchern ausweicht, klammere ich mich verzweifelt an Luca fest. Mein Körper wird gegen seinen gepresst, und es hilft nichts, im Geiste kaltes Wasser über meine hyperaktiven Hormone zu gießen. Im Gegenteil: Das Feuer in meinem Magen wird weiter angefacht.

»Giuseppe!«, rufe ich.

Er sitzt in seinem Büro und wirkt gestresst.

»Zelda, meine Liebe, komm doch herein.« Er lächelt bei meinem Anblick, dann steht er auf und breitet die Arme aus, um mich auf beide Wangen zu küssen. Luca hat das Moped auf der Straße abgestellt und ist mir gefolgt.

»Ist alles in Ordnung?«, erkundige ich mich.

»Ja, ja … Ich suche immer noch nach einem Weg, die Gemeindekasse wieder zu füllen. Doch es gibt keinen. Gestern Abend ist wieder ein Balkon abgestürzt und hat nur ganz knapp einen unserer älteren Dorfbewohner verfehlt, die nicht mehr so gut zu Fuß sind. Es ist richtig gefährlich. Wir müssen mit der Renovierung dieser Häuser anfangen, bevor alles einstürzt!« Er seufzt.

»Wir hatten ein paar Pensionsgäste«, teile ich ihm mit, »aber es waren bloß wenige, und sie bleiben nie länger als eine Nacht. Ich habe dir das hier mitgebracht, um mich für die Kleidung zu bedanken.« Ich gebe ihm den Limoncello. »Ich habe ihn selbst gemacht. Ich dachte, wir könnten ihn auf dem Straßenfest ausschenken. Wir werden Lennies Idee in die Tat umsetzen. Luca wird das Restaurant öffnen und draußen Eis servieren. Und Ralph und Barry werden grillen.«

»Ein Straßenfest! Das sind hervorragende Neuigkeiten!«, sagt Giuseppe erfreut. »*Grazie*, Luca«, fügt er hinzu.

Luca nickt. »Mein Vater wird einfach glauben, dass ich das Restaurant an dem Abend aufmache. Doch ich will mithelfen. Es ist gut, dass Zelda und die anderen hier sind.«

Wieder schlägt mein Magen einen Salto, und meine Oberschenkel brennen, als säße ich noch auf dem Mofa. Ich spüre nach wie vor den Wind im Gesicht, die Haare, die sich aus dem Helm gestohlen haben, mein Kinn, das auf Lucas Schulter ruht.

»Ich finde, wir sollten alle ein Glas davon trinken«, meint Giuseppe. Er geht zu einem Schrank aus dunklem Holz und macht die quietschende Tür auf. Es scheint länger her zu sein, seit sie zuletzt geöffnet wurde. Er kehrt mit drei Schnapsgläsern zurück.

»Wenn der Likör gut ist, könnte ich ihn vielleicht auch bei der Hochzeit ausschenken«, sage ich. Ich schlucke, weil mein Mund auf einmal ganz trocken ist.

»Er ist nach dem Rezept, das du in der Handtasche gefunden hast, *sì?*«

»*Sì.*«

»Der Likör«, sagt Giuseppe zu Luca, »wurde nach dem Rezept deiner Nonna hergestellt.«

Während er die gelbe Flüssigkeit einschenkt, wechselt er einen Blick mit Luca, der die Augenbrauen hochzieht. Giuseppe verteilt die Gläser, wir heben sie und sagen: »*Saluti!*« Luca nickt anerkennend, um meine Italienisch-Versuche zu würdigen.

Nachdem wir an unseren Gläsern genippt haben, warte ich

auf die Reaktion der beiden Männer. Der Likör schmeckt besser als bei meiner ersten Kostprobe – deutlich besser, doch er ist immer noch nichts Besonderes.

»Das schmeckt … wunderbar«, sagt Giuseppe zögernd.

Ich drehe mich zu Luca um.

»Der Limoncello ist gut, aber …«

»Es gibt ein Aber?«, frage ich niedergeschlagen. Kann denn hier für mich nichts gut ausgehen? Ich bin noch nicht mal in der Lage, einem einfachen Rezept zu folgen!

Luca wirft Giuseppe einen Blick zu und lächelt wissend, danach wendet er sich an mich. »Es ist gut, aber nicht so, wie wir hier unseren Limoncello machen.«

»Nein?«

»Hast du das Rezept dabei?« Er streckt die Hand aus, die ganz glatt ist – trotz der täglichen Arbeit im Zitronenhain.

Ich nehme die Karte aus der Handtasche und gebe sie ihm.

»Ah …« Ein Grinsen breitet sich auf seinem Gesicht aus. »Es ist in Ordnung, aber nicht ganz genau so, wie Nonna es gemacht hat.«

»Oder davor deren Mutter«, wirft Giuseppe ein. Beide strahlen, als hätte Nonna sie gerade höchstpersönlich besucht.

»Das hier sind nur die Mengenangaben, aber es fehlt etwas«, erklärt Luca. »Ich habe meiner Großmutter oft zugesehen, wenn sie Limoncello gemacht hat.«

»Es fehlt etwas?« Ich lese erneut das Rezept, doch die Wörter purzeln durcheinander. Ich versuche es erneut und fahre mit dem Finger unter den Wörtern entlang, um mich darauf zu konzentrieren.

Giuseppe lacht. »Du wirst es nicht erraten. Sag es ihr, Luca. Spann sie nicht länger auf die Folter.«

»Es sind die Verdello-Zitronen«, sagt er und rollt dabei das *r*. Ich betrachte seine Zunge, als er das *lo* ausspricht, und muss zu meiner Schande gestehen, dass ich wie gelähmt bin. Als ich Giuseppes Blick auffange, reiße ich mich zusammen und gucke rasch zur Seite.

»Die kleinen, nicht ganz reifen Zitronen«, erklärt Giuseppe.

»Komm!«, fordert Luca mich auf. »Ich zeig's dir.«

Auf Lucas Moped fahren wir zum Hof zurück. Giuseppe folgt uns in seinem verbeulten alten Fiat. Während Luca den Schlaglöchern ausweicht und an zwei Autos vorbeifährt, die sich nicht einigen können, wer Vorfahrt hat, lehne ich mich entspannt an ihn.

Nachdem wir die Fahrzeuge abgestellt haben, sucht Luca nach einem Weg in den Zitronenhain.

»Oh, hier kannst du rein.« Billy blickt auf und zeigt in die entsprechende Richtung. Er sägt gerade Holz – offensichtlich will er ein weiteres Hühnerhaus bauen. Luca lächelt, und schon stehen Giuseppe und er im langen Gras zwischen den Wildblumen und den Schmetterlingen. Luca pflückt eine der kleinen grünen Früchte mit knotiger Schale.

»Erinnerst du dich, was ich euch erzählt habe, als wir zusammen Pasta gemacht haben? Diese Limonen hier werden im Sommer geerntet, bevor sie richtig reif sind, Wasser einlagern und größer werden. Zitronenbäume tragen dreimal im Jahr Früchte, was bedeutet, dass sie eigentlich das ganze Jahr über Blüten und Früchte haben. Aber oft tragen Bäume, die nicht genug Wasser bekommen, mehr Verdello-Zitronen.«

»Und seit dein Vater die Wasserzufuhr eingeschränkt hat, bekommen die Bäume zu wenig Wasser, und es gibt viele grüne Zitronen?«

»Ganz genau! Sie sind unreif, aber sie haben ein fantastisches Aroma.« Er sieht sich um. »Hier, riech mal.« Er ritzt die Schale der kleinen Frucht in seiner Hand an und hält sie mir hin.

»Wow!« Das wunderbare Aroma steigt mir in die Nase. Viel zitroniger als alles, was ich je gerochen habe. Während Luca mir die Frucht unter die Nase hält, atme ich den Zitrusduft zusammen mit Lucas Geruch ein und schmelze beinahe dahin.

»Vielleicht sollten wir den Limoncello bei unserer Hochzeit ausschenken, Zelda.« Lennie steht hinter mir und spricht den gleichen Gedanken aus, den ich selbst zuvor schon hatte. Rasch wende ich mich von Luca ab.

»Riech mal«, sage ich hastig in einem Versuch, der Situation das Sinnliche zu nehmen und ihr einen Anstrich von Normalität zu verleihen.

Tabitha gesellt sich zu uns. Luca hält ihr ebenfalls die Verdello-Zitrone zum Riechen hin, als wäre es das Natürlichste auf der Welt. Warum hat es sich dann für mich so besonders angefühlt?

Irgendwie wird mein Körper von ihm angezogen wie von einem Magneten ... obwohl ich weiß, dass ich zu Lennie gehöre. Wenn wir erst verheiratet sind, hat sich das erledigt, denke ich. Mutter Natur scheint mich durcheinanderbringen zu wollen. Sie führt mich in Versuchung, damit ich mir sicher bin, was ich tue. Doch ich werde nicht schwach werden.

Ich betrachte den verwilderten Zitronenhain. *Ve-r-del-lo,* wiederhole ich im Kopf und sehe erneut die Bewegungen von Lucas Mund vor meinem inneren Auge. Wenn ich mich nicht täusche, haben wir hier jede Menge Verdello-Zitronen. Ist es das, wonach wir Ausschau gehalten haben? Könnte das die Lösung für unsere Probleme bedeuten? Liegt die Antwort hier im Zitronenhain? Als ich Luca einen schnellen Blick zuwerfe, lächelt er mir zu, und ich schmelze schon wieder dahin.

28. Kapitel

»Heute wird's heiß«, sagt Barry, als er von seiner Morgenrunde aus dem Dorf zurückkommt. »Ich habe für das Straßenfest ein paar neue Schilder angebracht. Hoffentlich versucht Matteo nicht wieder, sie umzudrehen. Ich habe die neuen Schilder an den Hinweisschildern für das Restaurant befestigt – also müsste er sich Mühe geben, nicht auch Romanos Schilder für das Restaurant zu verfälschen.«

Es ist der Tag des Straßenfestes; nur noch fünf Wochen bis zur Hochzeit, denke ich. Jeden Morgen nach dem Aufwachen denke ich an unsere bevorstehende Vermählung.

Jeder im Haus ist mit seinen Aufgaben beschäftigt. Lennie hat eine Liste vorbereitet, um uns alle zu organisieren, und Ralph hat daraus ein Spreadsheet erstellt.

»Den Grill stellen wir auf der Piazza in der Ortsmitte auf«, erklärt Ralph und betrachtet das große leere Ölfass im Hof.

»Schade, dass wir kein Auto haben«, meint Barry.

»Was ist eigentlich mit diesem alten Kleinbus?«, fragt Valerie. »Ich wette, den könnte man wieder zum Laufen bringen. Ich habe jahrelang so einen gefahren.« Die drei gehen raus zum offenen Schuppen, um zu sehen, ob sie ein Wunder bewirken können.

Bereits seit Wochen haben wir keine Pensionsgäste mehr gehabt, aber vielleicht sehen die Leute heute, wie viel im Dorf los ist, und wollen übernachten.

Barry und Ralph haben den Grill nach Lucas Kochkurs am Vorabend gereinigt. Wir haben ein paar traditionelle sizilianische Gerichte ausprobiert, die für den Straßenverkauf geeignet sind. Die gegrillten Artischocken und Auberginen waren himmlisch. Dann gab Luca uns noch eine Lehrstunde für Arancini, trendige frittierte Reisbällchen aus Sizilien. Die knusprigen goldenen Bällchen können mit Erbsen, Mozzarella und allen Resten gefüllt werden, die man gerade zur Hand hat. Luca wird eine große Portion davon zubereiten, die Sherise vor dem Restaurant verkaufen kann, während Ralph und Barry gegrilltes Gemüse anbieten werden. Billy ist für die Getränke zuständig, zu denen auch meine jüngste Limoncello-Charge gehört. Luca hat mir geraten, den Likör genauso wie beim ersten Mal zuzubereiten, jedoch Verdello-Zitronen zu verwenden. Und ich sollte darauf achten, dass die weiße Haut vollständig entfernt ist, damit der Likör nicht bitter wird. Außerdem sollte ich den Zucker und das Wasser mit einer paar Rosmarinzweigen aus dem Garten von Il Limoneto aufkochen – in Gedenken an seine Nonna.

Tabitha wird alles fotografieren, damit wir eine Facebook-Seite und einen Twitter-Account erstellen können, um die Leute zu ermuntern, Città d'Oro zu besuchen und hoffentlich in unserer Pension zu übernachten.

»Das wird eine großartige Story: Ein Straßenfest erweckt ein Dorf zum Leben«, sagt sie. »Bestimmt kann ich die Story an das Magazin *La Dolce Vita* verkaufen, und wer weiß, vielleicht wollen auch ein paar andere Zeitschriften sie haben.«

Valerie hat jeden Abend am Küchentisch gesessen und Girlanden gebastelt, die sie auch für die Hochzeit verwenden will – obwohl ich ihr immer wieder sage, dass es nur eine kleine Feier geben wird. Lennie wird für Luca Eis verkaufen. Billy hat ein paar neue Hennen gekauft, und eines Tages haben wir vor der Haustür einen jungen Hahn vorgefunden. Billy verkauft Eier, Vogelkäfige und Hühnerhäuser.

»Er war immer schon handwerklich begabt«, meint Sherise lächelnd, während Billy vor sich hin arbeitet. »Er will bald auch Bänke und Stühle bauen.«

Alles in allem war es eine arbeitsreiche Woche in Il Limoneto.

Neben der Herstellung einer frischen Charge Limoncello habe ich täglich mit Luca im Zitronenhain gearbeitet, ihm bei der Ernte geholfen, die Früchte in Kisten verpackt und hinunter zum Tunneleingang getragen. Von dort aus bringt er sie in den dunklen Tunnel, wo sie auf die Abholung warten. Ich habe die Entwürfe für mein Kleid immer noch nicht gesehen, obwohl ich darauf brenne. Wir haben sämtliche Dokumente angefordert, die für die Trauung erforderlich sind, und Valerie hat sie zu Giuseppe gebracht. Am Ende ist sie bei ihm hängen geblieben und hat ihm im Garten geholfen. Die beiden haben Tomaten und Zwiebeln gepflückt, die sie beim Straßenfest auf kleinen Tellern servieren wollen – in Scheiben geschnitten und mit würzigem dunkelgrünem Olivenöl beträufelt.

Auf einmal röhrt draußen ein Motor los, und lauter Jubel brandet auf. Offensichtlich hat Valerie es geschafft, den alten Kleinbus zum Laufen zu bekommen, und fährt vorsichtig die mit Schlaglöchern übersäte Zufahrt entlang. Nachdem wir alles, was wir im Dorf brauchen, im Bus verstaut haben, quetschen wir uns selbst hinein.

»Ist das auch sicher?«, fragt Barry. »Ich könnte stattdessen mit dem Rad fahren!«

»Ich glaube, bei der Geschwindigkeit, die wir fahren werden, wäre man zu Fuß schneller!« Valerie lacht. Als der Bus holprig den Weg entlangrollt, applaudieren wir alle, als befänden wir uns auf einem Busausflug zum Strand.

Nachdem Valerie den Bus unweit der Piazza abgestellt hat, machen wir uns alle an die Arbeit. Valerie verteilt Wildblumen aus dem Zitronenhain in Marmeladengläsern auf den Tischen mit den karierten Tischtüchern, die Luca bereits auf der Piazza aufgestellt hat. Die Girlanden schwingen sanft in der Brise, nachdem Barry und Ralph sie zwischen den Laternenpfählen aufgehängt haben. Ich beobachte die beiden Männer und denke, dass sie inzwischen richtig gute Freunde geworden sind. Luca und Lennie lachen und scherzen ebenfalls miteinander, während sie die Lautsprecher aufhängen und die Kabel rund um die Piazza verlegen. Auf einmal erfüllt Musik die Luft, und die beiden strahlen wie kleine Jungs. Mein Herz zieht sich vor Liebe und Stolz zusammen … und vielleicht auch ein bisschen vor Verwirrung.

Giuseppe verteilt kleine Schüsseln mit süßen Köstlichkeiten – Mandeln in zuckrigem Orangen-, Zitronen- und Pistazienmantel und Nougat in Goldpapier –, als wolle er seine Enkel zu einem Fest einladen. Er wäre ein wunderbarer Großvater, denke ich. Der Rauch aus dem Grill steigt spiralförmig auf und weht über die Piazza. Sherise und Valerie zünden Teelichter in Marmeladengläsern an und stellen sie neben die Wildblumen. Es sieht wunderschön aus. Schon bald hängt der Duft von karamellisierten Auberginen und Artischocken in der Luft und lässt mir das Wasser im Mund zusammenlaufen.

Luca kommt mit einem Tablett voller Arancini aus dem Restaurant. »Probier mal«, fordert er mich auf, während er das Tablett in Schulterhöhe auf einer Hand balanciert.

Ich beiße in ein Reisbällchen, das von außen knusprig und

innen fantastisch fluffig ist. Es schmeckt himmlisch. Ich betrachte die Girlanden, die Blumen und die Kerzen. In der Ferne schickt sich die Sonne an, als großer orangefarbener Ball unterzugehen. Genau das braucht das Dorf, denke ich. Wir stoßen mit einem Glas Verdello-Limoncello an und warten auf die Ankunft der Gäste.

Sizilianer essen immer spät, erst nach Sonnenuntergang, sage ich mir, während ich über die Piazza schlendere in der Hoffnung, Leute anzulocken. Autos fahren vorüber, deren Insassen uns interessiert betrachten, aber niemand hält an. Ein älteres Paar in Mänteln, gebeugt unter den Taschen voller Einkäufe, bleibt stehen, um die Girlanden und die Tische zu begutachten. »Kommen Sie, setzen Sie sich doch!«, rufe ich ihnen zu. Sie nicken, lächeln und gehen mit einem entschuldigenden Lächeln weiter.

Niemand hält an. Niemand ist mutig genug. Es kommt überhaupt niemand.

29. Kapitel

Ich habe kaum geschlafen. Das könnte an meinen pulsierenden Kopfschmerzen liegen. Die wiederum könnten auf die Menge an Limoncello zurückzuführen sein, den ich getrunken habe, als sämtliche Gläser unberührt stehen blieben. Niemand kam zum Straßenfest. Nur Sophia, die von ihrer grimmig dreinblickenden Mutter jedoch schnell wieder ins Haus geholt wurde, wo sie wahrscheinlich zusammen mit dem Kanarienvogel im Käfig saß. Wütend stürme ich durch den Zitronenhain und pflücke kleine grüne Limonen, weil mir sonst nichts einfällt, womit ich mich ablenken könnte.

Ich verstehe es nicht. Alle, denen wir begegnen, freuen sich, dass wir hier sind und dass eine Hochzeit stattfinden wird. Doch niemand möchte sich mit uns sehen lassen. Niemand ist bereit, Romano die Stirn zu bieten.

Ich gehe zurück in die Küche, wo die anderen gerade ihr Frühstück beenden, und lasse die Verdello-Zitronen auf den abgenutzten Holztisch kullern.

»Hey!«, sagt Lennie in einem Versuch, meine schlechte Laune zu besänftigen. Polternd hantiere ich in der Küche herum. Die anderen verdrücken sich und murmeln etwas von Dingen, die zu erledigen sind, Aufräumarbeiten von gestern Abend.

»Niemand ist gekommen!« Ich reiße Schubladen auf und suche etwas, doch ich habe vergessen, was es ist. In meinem

Kopf herrscht Chaos. »Niemand, kein Einziger!«, wiederhole ich.

»Hey!«, sagt Lennie noch mal, packt mich an den Handgelenken und zieht mich an sich. Anfangs leiste ich Widerstand, Frust und Wut pulsieren in meinem Körper. Aber er lässt nicht los, bis ich irgendwann nachgebe und meinen Kopf gegen seine Brust sinken lasse. Ich vergrabe mein Gesicht und verdränge alle Gedanken, die in meinem Kopf herumwirbeln. Lennie kennt mich, er weiß, was ich brauche.

»Die ganze Arbeit!« Ich schluchze fast. »Du hattest die Idee, und du hast so schwer gearbeitet. Du machst das alles, um ein neues Leben für uns aufzubauen. Ich habe das Gefühl, ich hätte mehr tun müssen.«

»Du hast es versucht. Wir alle haben das«, sagt Lennie besänftigend.

»Was machen wir denn jetzt? Wenn es schiefgeht, was machen wir dann? Nach England zurückkehren in eine ungemütliche Mietwohnung und zu einem Job, der in eine berufliche Sackgasse führt?«

»Mum sagt, wir können bei ihr wohnen«, antwortet Lennie. Ich löse mich von ihm, um ihn anzusehen. Wir erlauben uns ein leichtes Lächeln.

»Das ist ja wohl kaum der richtige Weg, um endlich erwachsen zu werden!«, sage ich. »Hier haben wir alles, was wir brauchen, wenn sie uns nur eine Chance geben würden!«

Ich halte nach einem Taschentuch Ausschau, um mir die Nase zu putzen, und Lennie holt mir ein Stück Toilettenpapier.

»Danke.«

»Und jetzt Nase putzen«, sagt er und sieht auf mich herunter, als wäre ich ein Kleinkind. Während ich mich schnäuze, fühle ich mich auch wie eines. Doch Lennies liebenswürdige

Art tröstet mich dennoch. Ich umarme ihn erneut, dann sehe ich zu ihm auf und frage mich, wie es sich wohl anfühlen würde, wenn unsere Lippen sich berühren.

Langsam bewege ich mein Gesicht auf ihn zu. Ich habe Lennie, und das ist es, was wirklich wichtig ist. Ich gehe keine Risiken mehr ein. Ich habe Lennie, wiederhole ich. Ich fühle mich, als wäre ich im Landeanflug – wie ein Raumschiff. Ich werde auf einem Terrain landen, das ich zuvor bloß gesehen habe und nun zum ersten Mal berühren und schmecken werde. Ich strecke mich, und er beugt sich etwas ungelenk zu mir herunter und schließt die Augen. Ich betrachte sein Gesicht, so vertraut, und dann treffen unsere Lippen endlich aufeinander und lösen sich genauso schnell wieder voneinander. Lennie richtet sich auf, sieht mich an und versucht sich an einem strahlenden Lächeln. Ich fühle mich, als hätte mitten in einem Tanz schlagartig die Musik ausgesetzt. An diesen Dingen muss man eben arbeiten. Wenn ich zum Beispiel Pianistin werden wollte, könnte ich mich auch nicht einfach ans Klavier setzen und sofort Beethoven spielen.

»Es wird sich etwas ergeben. Wir bekommen das hin«, sagt er. Ich bin mir nicht sicher, ob er von unserem Leben auf Sizilien oder unserer körperlichen Beziehung spricht.

»Aber an allem ist dieser Mann schuld!« Plötzlich wallt die Wut wieder in mir auf. »Wieso kann Luca ihm nicht die Stirn bieten und ihm sagen, er soll aufhören, so engstirnig und tyrannisch zu sein?«

»Ja, warum tut er das nicht?«

»Weil sein Vater Probleme mit dem Herzen hat. Und wenn Luca ihm irgendetwas sagen will, erinnert sein Vater ihn sofort an seinen kritischen Gesundheitszustand.«

»Das könnte die Antwort auf all unsere Probleme sein!«

Lennie lacht, und ich schlage mit einem Küchenhandtuch nach ihm.

»Ich gehe zum Aufräumen ins Dorf«, sagt er. »Vielleicht fällt mir ja noch was ein. Du bleibst hier und versuchst, einen klaren Kopf zu bekommen.«

»Okay.« Er beugt sich zu mir herunter und küsst mich auf die Wange; ich bin dankbar, dass wir den ziemlich feuchten Kuss auf die Lippen nicht wiederholen.

Ich wende mich den vielen Früchten auf dem Küchentisch zu und krempele die Ärmel hoch. Es gibt nur eine Sache, die ich jetzt tun will, und ich höre nicht auf, bis ich alle Limonen verarbeitet habe. Ich stecke meine ganze Enttäuschung und den Frust in das Schälen und Zerkleinern der Früchte, die ich dann in den Alkohol gebe, den Luca für mich bei einem Händler außerhalb des Dorfes besorgt hat. Dabei zerbreche ich mir den Kopf, wie wir es verhindern können, Sizilien verlassen zu müssen. Hoffentlich hält das Leben noch etwas anderes als Limonen für uns bereit.

30. Kapitel

Ich mustere die Reihe der Flaschen mit Verdello-Limoncello, die ich auf dem Küchenboden aufgereiht habe. Der Inhalt ist leuchtend grün – er hat die gleiche Farbe wie das Band, das ich gefunden habe. Nach kurzem Überlegen greife ich nach einer Flasche und stecke sie in meine Tasche, dann zögere ich und nehme noch eine.

»Ich gehe arbeiten«, sage ich zu Lennie.

»Ich wünschte, das könnte ich auch sagen«, entgegnet er. Er hat die Hände in die Hosentaschen gesteckt und wirkt ungewohnt deprimiert. »Kann ich dir bei irgendwas helfen?«

Ich wünschte, mir würde etwas einfallen, doch ich muss passen.

Während die Limonen im Alkohol ziehen mussten, habe ich in den vergangenen Tagen die Kleidung, die Giuseppe mir überlassen hat, gewaschen und gebügelt. Valerie hat mich mit kleinen Flickarbeiten unterstützt, und Tabitha hat die Kleidungsstücke mit ihrem iPad fotografiert und eine Webseite für den Verkauf erstellt. Handtaschen, Schuhe, Mäntel und Kleider. Das einzige Stück, das ich nicht auf der Webseite eingestellt habe, ist Nonnas Handtasche, die ich inzwischen täglich benutze. Ich liebe sie, auch jetzt trage ich sie am Arm. Ich strecke mich und küsse Lennie auf die Wange.

»Irgendwas wird sich ergeben«, sage ich und klinge dabei optimistischer, als ich mich fühle. Um ihn aufzumuntern, zerzause ich ihm die Haare, wobei ich denke, dass das nicht unbedingt verführerisch ist. Ich liebe Lennie; er ist mein bester Freund, und ich will ihn nicht verlieren. Mit der Tatsache, dass er momentan kein Interesse daran hat, mit mir ins Bett zu gehen, kann ich leben. Denn ich habe festgestellt – wenn ich ehrlich zu mir selbst bin und mit einer gewissen Erleichterung –, dass ich meinerseits auch nicht mit ihm schlafen will. Doch das bedeutet, dass wir keine Familie haben werden und ich mich an diese Vorstellung gewöhnen muss. Dieser Teil meines Lebens ist vorbei, sage ich mir, dennoch tut es weh, damit abzuschließen. Und dann frage ich mich, ob Lennie genauso empfindet. Schließlich war die Gründung einer Familie ein wesentlicher Teil des Paktes, den wir beide wollten. Zieht er gerade dieselben Schlussfolgerungen wie ich? Dass es nicht besser geht? Wird es ihm reichen, mit mir zusammen zu sein? Fühlt er sich irgendwie im Stich gelassen?

Auf meinem Weg ins Dorf mache ich einen Bogen um etwas, was wie ein abgestürzter Balkon aussieht. Ein Haufen Schutt, der nur zu leicht jemanden hätte umbringen können. Dieses ganze Dorf fällt auseinander, im wahrsten Sinne des Wortes. Ich winke Sophia zu und passe auf, dass ihre Mutter es nicht mitbekommt. Das Mädchen grinst von seinem Platz unter der Markise hervor, wo es sich mit gezücktem Stift über ein Buch beugt, und hebt grüßend die freie Hand. Als ich den Zitronenhain erreiche, rufe ich nach Luca. Rocca erhebt sich steif und tappt auf mich zu, um mich zu begrüßen. Ich tätschele ihr den Kopf, während sie mich höflich beschnuppert und sich dann unter einem Baum in den Schatten plumpsen lässt. Es ist beinahe August. Schon in einem Monat werde ich heiraten.

»*Ciao!*«, höre ich Luca vom Balkon seiner Wohnung rufen. »Komm rauf!« Er winkt mir zu.

»*Ciao!*«, antworte ich, schiebe den Perlenvorhang zur Seite und betrete den kühlen Raum. Luca hat Notizen und Zeichnungen auf dem Wohnzimmertisch ausgebreitet, die er sorgfältig einsammelt, als ich hereinkomme. Als er mich auf beide Wangen küsst, atme ich wieder den Duft seines zitronigen Aftershaves ein.

»Kaffee, bevor wir mit der Arbeit beginnen?« Er geht in den Küchenbereich und nimmt eine Dose mit gemahlenem Kaffee aus einem Regal.

»Ich habe dir das hier mitgebracht«, sage ich schüchtern.

Was, wenn es nicht richtig ist? Was, wenn es nicht diese leuchtend grüne Farbe haben sollte? »Ich weiß nicht, ob es so in Ordnung ist«, füge ich hinzu. »Ich würde den Likör wirklich gerne bei der Hochzeit servieren. Wir haben nicht genug Geld für Champagner, deshalb dachte ich ... Magst du mal probieren?«

Luca betrachtet die Flasche, geht zu einem Schrank im Wohnzimmer und kehrt mit zwei Gläsern zurück. Ich lasse meinen Blick schweifen und entdecke eine große Landkarte an der Wand, in der verschiedenfarbige Stecknadeln stecken.

»Was ist das?«, frage ich und mustere die Karte.

»Orte, an denen ich gewesen bin, und solche, die ich gerne sehen möchte«, erklärt er und nimmt mir die Flasche ab. »Die roten Stecknadeln markieren die Orte, an denen ich schon war, die blauen diejenigen, die ich irgendwann noch besuchen will.«

»Wenn dein Vater ...« Ich bremse mich, bevor ich mit dem Offensichtlichen herausplatze.

Er zuckt mit den Schultern und beschäftigt sich mit der Flasche.

»Wenn ich das Gefühl habe, dass es geht«, sagt er.

»Wohin würdest du als Erstes reisen?«

»Ich weiß nicht. Vielleicht nach Paris oder sogar nach London. Vielleicht kann ich eine Zeit lang in einem der Modehäuser als Schneider arbeiten. Ich habe Freunde aus meiner Collegezeit, die dort arbeiten und mich eingeladen haben.«

Als er die Flasche geöffnet hat, bin ich plötzlich nervös und komme mir ein bisschen dämlich vor, weil ich ihm ein Getränk mit dieser giftigen Farbe anbiete.

»Vielleicht solltest du den Likör probieren, wenn ich nicht dabei bin. Wahrscheinlich ist er nicht so, wie er sein sollte ...«

»Wir probieren ihn jetzt, ich bestehe darauf.«

»Nein, du musst nicht ...«

Doch er ignoriert meine Proteste und bringt die Gläser mitsamt der Flasche hinaus auf den Balkon, von dem aus man auf den Zitronenhain und das in der Ferne glitzernde Meer blicken kann. Er gibt mir ein Glas des dickflüssigen, praktisch neongrünen Getränks, und ich halte es nervös fest.

»Ich möchte, dass der Likör zur Hochzeit fertig ist.« Misstrauisch mustere ich mein Glas. »Aber was ist, wenn ...«

»Pst«, unterbricht er mich und hebt eine Hand, um mich zum Schweigen zu bringen. Er setzt sich auf die Tischkante und hält sich das Glas unter die Nase. Während er daran riecht, macht er die Augen zu und atmet den Duft tief ein. Danach schlägt er die Augen wieder auf und sieht mich an, ohne etwas preiszugeben. Als er meinen Blick festhält, flattern die Schmetterlinge in meinem Bauch aufgeregt herum, und ich schmelze aufs Neue dahin. Schließlich hebt er das Glas an den Mund. Seine Lippen ziehen meinen Blick an wie ein Magnet, ganz anders als Lennies Lippen heute Morgen. Lennies Lippen waren tröstlich und vertraut. Lucas dagegen sind voller Verheißung; ich weiß zwar nicht, was sie verheißen, aber der bloße Gedanke ist aufregend.

Langsam kippt Luca das Glas und lässt die Flüssigkeit in den Mund und über seine Zunge gleiten.

Ich sehe zu und warte … und warte.

Endlich senkt er das Glas und blickt nach unten. Er wirkt, als schmecke er die Flüssigkeit immer noch auf der Zunge. Das Licht auf dem Balkon lässt ein paar silberne Strähnen in seinem ansonsten dunklen, welligen Haar aufleuchten. Nach einer Weile hebt er den Kopf und sieht mich an. Doch er schweigt nach wie vor.

»Nun?«, frage ich. »Oh, hör mal, es ist schon in Ordnung. Tut mir leid. Ich habe bereits an der Farbe erkannt, dass es wahrscheinlich so nicht richtig ist. Ich hätte nicht … Ich mache dann mal mit der Zitronenernte weiter.«

Ich mache Anstalten, mein Glas auf dem Tisch abzustellen und zu gehen. Als er mich anlächelt, bin ich plötzlich sauer und ziemlich durcheinander.

»Ich bin nicht gekommen, um mich auslachen zu lassen!«, sage ich. Doch sein Lächeln wird nur noch strahlender.

»Ich weiß«, erwidert er. Er trinkt noch einen Schluck von der grünen Flüssigkeit, dann hält er das Glas gegen das Sonnenlicht. Es sieht aus, als würden um ihn herum tausend Glühbirnen aufleuchten. »Das hier«, sagt er, »ist der Geschmack Siziliens.«

»Wirklich? Du magst den Likör?«, sage ich und fühle mich, als würde auch ich von den Glühbirnen erleuchtet.

Er nickt. »Ich mag ihn nicht nur …« Er starrt mich an, dann hebt er das Kinn und fügt hinzu: »Ich liebe ihn!« Wieder breitet sich dieses besondere Lächeln auf seinem Gesicht aus. »Probier mal!«

Ich senke den Blick auf mein Glas und nehme einen kleinen Schluck. Es schmeckt … Ich erstarre und werfe Luca einen

Blick zu. Er lächelt immer noch, nickt und lässt die Flüssigkeit in seinem Glas kreisen.

Dann nehme ich noch einen Schluck, diesmal sehr bewusst und überlegt. Ich lasse den Likör über meine Zunge gleiten, von wo aus er meinen Mund mit seinem spritzigen zitronigen Aroma erfüllt. Es schmeckt nach Sonnenschein, warmer Erde und Wildblumen, all das, was ich auf Sizilien gefunden habe. All das, was meine Seele erfüllt und dafür sorgt, dass ich mich lebendig fühle.

»Oh mein Gott! Das ist …« Ich betrachte den Limoncello in meinem Glas. »… fantastisch!« Ich reiße die Augen weit auf, während meine Stimme anschwillt.

»Ja, nicht wahr? Das erinnert mich an alles, was dieses Dorf einst ausgemacht hat. Und es erinnert mich an Nonna.«

»Ich fasse es nicht! Dieser Likör schmeckt wirklich nach … na ja, nach den Zitronenhainen. Grün, frisch, zitronig, voller Möglichkeiten.«

Wir trinken beide noch einen Schluck – das wärmende Gefühl des Alkohols steigt mir zu Kopf und hüllt mich ein wie eine beruhigende Umarmung.

»Und jetzt«, er stellt sein Glas ab, »habe ich etwas für dich.« Er verschwindet im Haus und kehrt mit einem DIN-A3-Zeichenblock zurück. »Hier.« Er hält mir den Block hin.

»Was ist das?«

»Öffne ihn«, fordert er mich mit einem Nicken auf.

Ich schlage das Deckblatt zurück und betrachte die Bleistiftzeichnung auf der ersten Seite. Auf der nächsten Seite gibt es weitere Skizzen mit Detailansichten. Ich hole tief Luft.

»Das ist dein Hochzeitskleid. Gefällt es dir?«, will er wissen. Jetzt ist es an ihm, nervös zu sein. Ich hebe den Kopf und sehe ihn an.

»Ich … ich …« Während ich vergeblich nach Worten suche, wird seine Miene immer besorgter. »Ich liebe es!«, bringe ich schließlich hervor. »*Grazie mille!* Danke!«

Ich bin den Tränen nahe. Ich hätte es mir nicht schöner vorstellen können – das Kleid spiegelt mich und mein Wesen einfach perfekt wider. Und um die schmale Taille – als perfekte Ergänzung zu der Spitze und den Fransen mit den Perlen – hat er das Samtband gezeichnet, das ich in der Kiste gefunden habe – in der Farbe des Verdello-Limoncellos.

»Etwas Altes«, erklärt er. »Ein kleines Stück Vergangenheit, das an die Zukunft weitergegeben wird.« Tränen treten mir in die Augen, und eine fällt mitten auf die Skizzen.

»Wow!« Er lacht und bringt den Zeichenblock in Sicherheit.

Was für ein wunderbares Erinnerungsstück an die Hochzeit – jede Seite spiegelt in ihren Details wider, wer ich bin. Der Herzausschnitt mit den Spitzenapplikationen. Das kurze Bolerojäckchen mit den langen Ärmeln, denn Luca hat erkannt, dass ich zwar selbstsicher wirke, allerdings nicht mutig genug bin, ein trägerloses Kleid zu tragen. Zudem würde ein trägerloses Kleid der Last meiner beachtlichen Oberweite auch nicht standhalten. Der dreiviertellange Rock, weil Luca weiß, dass ich Sorge hätte, über ein langes Kleid zu stolpern. Die schmale Taille, die von meinen etwas üppigeren Hüften ablenkt. Die wunderschönen Stickereien in Form von Zitronenblüten am Ausschnitt. Die Satinschuhe, die Luca im gleichen zarten Gelbton wie den Unterrock einfärben will. Und der Brautstrauß aus Zitronenblüten und gelbem Ätna-Ginster, zusammengebunden mit einem weiteren grünen Band. Es sind die Farben des Zitronenhains, wie er mir sagt.

Luca lehnt sich zurück, nimmt sein Glas und beobachtet meinen Gesichtsausdruck, während ich die Skizzen betrachte.

»Gefällt es dir auch wirklich?«

»Es ist vollkommen, könnte nicht besser sein. *Grazie, grazie mille.* Danke!« Wieder sehe ich mir die Zeichnungen an. »Was passiert als Nächstes?«, frage ich aufgeregt.

»Ich muss deine Maße nehmen. Ist das in Ordnung für dich?«

Mir wird plötzlich ganz heiß. »Natürlich, klar doch«, antworte ich. Ich bekomme kaum einen Ton heraus – wie an dem Tag, an dem ich Luca zum ersten Mal gesehen habe.

Er rutscht vom Tisch, geht hinein und kehrt mit einem Maßband zurück. »Bereit?«, fragt er und sieht mich mit seinen dunklen Augen an.

Ich werfe einen Blick auf den Zeichenblock und denke daran, wie wunderschön dieses Kleid werden wird; dabei versuche ich auszublenden, wie es sich anfühlen wird, wenn seine Hände meinen Körper berühren. Zur Beruhigung nehme ich noch einen großen Schluck Limoncello.

»Bereit!«, sage ich heiser. Mir ist nach wie vor sehr heiß.

»Streck die Arme aus«, fordert er mich entschlossen auf, nachdem er seine Brille aufgesetzt hat.

Ich spüre seine Hände an meiner Haut, sein warmer Atem streift mich. Meine Nerven fühlen sich an, als würde ein Elektrozaun durch meinen Körper verlaufen, der in höchster Alarmbereitschaft ist, wenn Luca sich nähert, und bei jeder Berührung Schockwellen aussendet.

Luca arbeitet bedächtig und misst meine Armlänge aus. Dann dreht er sich um und notiert die Maße in den Bleistiftskizzen auf dem Zeichenblock.

Ich versuche, mich auf das Meer zu konzentrieren, wo die

sinkende Sonne einen glitzernden Streifen auf das Wasser legt, als wolle sie mich zu einer goldenen Stadt führen – an einen Ort, nach dem ich mich sehne, einen Ort, in dem ich zu Hause sein möchte. Ich sehe kurz runter auf Lucas Kopf und suche nach etwas, um mich abzulenken. In mir baut sich ein Feuer auf – wie im Vulkan Ätna –, das darauf wartet, mitten in meinem Herzen zu explodieren.

Das Maßnehmen stellt eine seltsame Qual dar, die gleichzeitig unerträglich und köstlich ist; ich möchte, dass es aufhört, aber gleichzeitig wünsche ich mir, dass es nie enden möge. Ich möchte, dass seine Hände meine Haut richtig berühren, statt sie nur zu streifen. Ich muss meine gesamte Willenskraft aufbringen, um nicht unter dem Druck zu zerbrechen. Der Teil meines Körpers, von dem ich dachte, er wäre abgeschaltet worden und eingeschlafen, seit ich mich für Lennie entschieden habe, ist auf einmal sehr wach und fordert Aufmerksamkeit.

»Was wird Lennie empfinden, wenn er dich in dem Kleid sieht, was meinst du?«, will Luca wissen.

Ich sehe Luca an, wende den Blick ab und denke an Lennie.

»Er … er wird das Gleiche empfinden wie ich. Als wären die Sterne aufgegangen. Das ist es, was immer schon passieren sollte. Es ist unser Augenblick.«

»Ihr habt euch ganz schön Zeit gelassen.« Seine Hände fahren von meiner Taille über meine Oberschenkel zu den Waden. Mein Magen fühlt sich an, als hätte er sich in glühende Lava verwandelt.

»Wir wollten uns ganz sicher sein. Mein ganzes Leben lang habe ich falsche Entscheidungen getroffen, weil ich auf mein Bauchgefühl gehört und im Affekt gehandelt habe. Lennie ist keine dieser impulsiven Entscheidungen. Wir haben uns auf

Anhieb gut verstanden und waren immer beste Freunde. Wir haben einen Pakt geschlossen …«

»Einen Pakt?«

Ich beiße mir auf die Unterlippe und wünschte, ich hätte den Mund gehalten.

»Was für einen Pakt?« Luca hebt die Augenbrauen.

Ich hole tief Luft. »Als wir Teenager waren, noch zu Collegezeiten, haben wir beschlossen, dass wir heiraten und zufrieden miteinander leben wollten, falls wir mit vierzig Mr. oder Miss Right noch nicht gefunden haben sollten.«

Er schweigt einen Moment lang, dann sagt er: »Weil du die wahre Liebe nicht gefunden hast, entscheidest du dich für die zweitbeste Option?«

»Lennie ist nicht nur der Zweitbeste!«, erwidere ich kampflustig.

»Nein. Aber wenn ihr nicht aufeinander steht …« Forschend mustert er mich.

»Bei einer Beziehung geht es darum, was man in sie investiert. Es ist mehr dran als Feuerwerk und Erregung.« Mir ist bewusst, dass ich mich wie eine Lehrerin anhöre.

»Dann glaubst du also nicht an Liebe auf den ersten Blick?« Wieder zieht er die Augenbrauen hoch und sieht mich über seine Brille hinweg an.

»Ich glaube einfach nicht, dass das Leben so simpel ist: dass man jemanden kennenlernt, sich verliebt und dann bis ans Lebensende glücklich zusammenlebt. Nicht in unserem Alter. Es geht eher um Kameradschaft und gemeinsame Ziele.«

»Also hast du dich für Plan B entschieden, nachdem Mr. Right nicht rechtzeitig aufgetaucht ist.«

»So was in der Richtung. Es ist ein guter Plan, einer, der funktionieren wird. Weißt du, von klein auf erzählt man dir, dass du, wenn du dies oder jenes im Leben tust, die nächste Lebensphase erreichen wirst. Den Schulabschluss machen, einen Beruf erlernen, einen Partner finden, ein eigenes Nest bauen. Ich möchte nur diese Dinge haben, die man uns versprochen hat, als wir erwachsen wurden.«

»Und was wäre, wenn ... wenn du entdecken würdest, dass es doch so etwas wie Liebe auf den ersten Blick gibt? Was würdest du dann tun?«

Ich liebe Luca nicht, sage ich mir. Es ist nichts weiter als eine Schwärmerei.

»Was, wenn du feststellen würdest, dass in deiner Beziehung ein wesentlicher Bestandteil fehlt? Niemand kann sagen, was es ist. Es ist bloß ... die Chemie. Wie die Sonne und der Boden am Ätna, die den Limonen etwas Besonderes verleihen, was sie woanders nicht haben. Niemand kann es herstellen ... es passiert einfach. Was, wenn du feststellen würdest, dass diese Chemie zwischen dir und einer Person einfach stimmt? Wenn du feststellen würdest, dass es Liebe auf den ersten Blick doch gibt?«

Mein Mund ist trocken, mein Kopf fühlt sich so leicht an, als würde er gleich davonschweben.

»Ich würde sagen ...« Ich überlege schnell. »Ich würde sagen, dass es sich um eine Illusion handelt. Sie existiert nicht, es gibt keine Liebe auf den ersten Blick. Ich weiß es, ich habe lange genug danach gesucht!«

Er nickt und sieht weg. Die Atmosphäre ist so aufgeladen, dass es sich anfühlt, als würde gleich ein Gewitter losbrechen oder als stünde ein erneuter Ausbruch des Ätna bevor.

»Vielleicht hat sie gewartet, bis du nicht mehr danach Ausschau gehalten hast, ehe sie zugeschlagen hat«, sagt er. »Jetzt die Brust.«

»Wie bitte?«

»Ich muss deine Brust ausmessen.« Er lacht, und ich muss ebenfalls lachen. Und ich glaube, es ist nicht übertrieben, wenn ich sage, dass diese wenigen Worte die flüssige Lava in meinem Bauch zum Explodieren gebracht haben.

»Hallo! Luca! Oh, hallo, *scusi*. Entschuldigung.«

Die aufgeladene Atmosphäre zerplatzt wie ein Luftballon.

»Hey.« Luca dreht sich um und lächelt. »*Buongiorno*, Emily, komm rein.«

Der Neuankömmling tritt aus der kühlen Wohnung auf den sonnigen Balkon.

»Ich störe hoffentlich nicht, oder doch?« Sie ist schlank und dunkelhaarig, trägt ein leichtes Trägerkleid und eine große, elegante Schultertasche aus Leder.

»Oh nein, gar nicht«, antwortet Luca freundlich und legt den Stift und das Maßband auf den Tisch.

Als er sie auf beide Wangen küsst, verflüchtigen sich meine Gefühle von eben. Wenn ich mich nicht sehr täusche, bin ich ... kann das sein? ... eifersüchtig.

Oh, reiß dich zusammen, Zelda!, schimpfe ich mit mir. Du heiratest Lennie. Den reizenden, loyalen Lennie. Deinen Lebensgefährten. Ich liebe Lennie, das tue ich wirklich! Ich liebe es, dass er weiß, wie ich meinen Tee mag – mit einem halben Teelöffel Zucker. Ich liebe es, dass er mich auswählen lässt, auf welcher Bettseite ich schlafen möchte. Ich liebe es zu wissen, dass er in der Nacht da ist und mir ein Gefühl von Sicherheit gibt. Ich liebe die Tatsache, dass er genauso glücklich ist wie ich, weil wir uns entschieden haben, diesen Schritt zu gehen. Ich liebe es, wie viel Mühe und Arbeit er in das Straßenfest gesteckt hat. Ich liebe es, mit ihm zusammen ein Team zu bilden. Wir passen einfach zusammen, immer schon. Es gibt zwar kein

Feuerwerk und keine Chemie, aber das Ganze ist solide und real.

»Was macht ihr?«, will Emily wissen und betrachtet das Maßband und den Skizzenblock.

»Wir nehmen Zeldas Maße für ihr Brautkleid; ich nähe es für sie.«

»Ach ja, natürlich«, antwortet Emily. Woher weiß diese Fremde so viel über mich? »Die Hochzeit, die den Ätna wieder glücklich machen wird und einen weiteren Ausbruch verhindern soll.« Ein wunderschönes strahlendes Lächeln erscheint auf ihrem Gesicht.

»Ja, wir haben großes Glück, dass Lennie und Zelda hier sind«, meint Luca.

»Darf ich?« Emily zeigt auf den Zeichenblock und wirft mir einen fragenden Blick zu.

»Sicher«, antworte ich höflich.

Prüfend betrachtet sie die Zeichnungen. »Oh, die sind einfach wunderschön! Hast du das Kleid wirklich entworfen, Luca?«

»Ja. Ich arbeite zwar hauptsächlich als Schneider, doch auf dem College haben wir auch Entwürfe gemacht.«

»Du hast richtig Talent. Meine Güte! Du bist nicht nur ein sagenhafter Zitronenbauer, sondern auch noch ein fantastischer Modedesigner. Du solltest mehr in der Richtung machen. Ich wette, ich habe ein paar Kontakte.«

Luca wirft mir einen Blick zu. »Emily ist meine Händlerin für Großbritannien«, erklärt er. »Sie findet Käufer für meine Zitronen. Sie ist sehr gut vernetzt.«

»Hi.« Sie reißt sich von den Skizzen los und streckt mir ihre perfekt manikürte Hand hin. »Ich habe schon viel von dir gehört.«

»Tatsächlich?«, sage ich unwillkürlich und hätte meine Reaktion am liebsten sofort wieder zurückgenommen.

»Es ist prima, dass ihr herzieht, nur so aus einer Laune heraus.«

»Nun ja, es ist nicht nur aus einer Laune heraus ...« Oder vielleicht doch?

»Emily hat vor zehn Jahren zusammen mit einem Partner ein Haus gekauft.«

»Ach?« Plötzlich erwärme ich mich für sie, keine Ahnung, warum.

»Ja.« Sie lächelt. »Ich habe hier Urlaub gemacht, und bei unserem dritten Besuch fanden wir ein Haus unten an der Küste und haben es gekauft.«

»Wunderbar«, sage ich.

»Ja, das war es, jedenfalls bis zu unserer Trennung. Doch das Haus wollte ich auf keinen Fall verkaufen. Ich liebe das Leben hier. Ich liebe alles an Sizilien.« Sie sieht Luca an.

Also gibt es keinen Lebensgefährten mehr, und ganz offensichtlich steht sie auf Luca.

»Emily teilt ihre Zeit zwischen London und Sizilien auf. Sie hat jede Menge Kontakte – Delikatessenläden, Restaurants und sonstige Unternehmen –, an die sie meine Limonen verkauft. Ihr verdanke ich es, dass ich das machen kann.« Er deutet mit dem Kinn auf den Zitronenhain.

Erneut studiert Emily die Pläne für das Hochzeitskleid. »Wenn ich irgendwann Mr. Right finde, musst du auch mein Kleid entwerfen, Luca.« Sie strahlt ihn an, und ich könnte schwören, dass er rot wird, bevor er mir einen Blick zuwirft und dann zu Boden schaut; mit der Fußspitze malt er Kreise in den Staub, die Haare sind ihm wie ein Vorhang über die Augen gefallen und schirmen ihn von der Außenwelt ab.

»Und was ist das?« Sie streckt die Hand mit den roten Nägeln aus und berührt die Flasche, die auf dem Tisch steht.

»Das ist Verdello-Limoncello. Zelda hat ihn für ihre Hochzeit hergestellt, um damit auf ein langes und glückliches Leben anzustoßen.«

Einen Moment lang sehe ich uns alle vor mir, wie wir unsere Gläser erheben und auf uns, den Ätna und seinen schneebedeckten, rauchenden Gipfel anstoßen – in der glücklichen Gewissheit, dass die Liebe in Città d'Oro lebt.

»Möchtest du mal probieren?« Luca, ganz der perfekte Gastgeber, greift nach der Flasche. »Zelda, ist das in Ordnung?«

»Na klar«, sage ich und mache eine einladende Handbewegung.

Luca schenkt die grüne Flüssigkeit in ein drittes Glas. »Zelda? Noch ein Gläschen?« Er hält die Flasche mit funkelnden Augen über mein Glas und bringt mich damit zum Lachen.

»Na gut, mach schon«, antworte ich, und er schenkt mir und sich ein weiteres Glas ein.

»Auf die Liebe«, sagt er und nickt erst mir, dann Emily zu. Wir erheben unsere Gläser und trinken. »Es sollte immer aus Liebe geheiratet werden«, fügt er hinzu und zieht die Augenbrauen hoch.

Aber ich liebe Lennie ja. Und die Hochzeit wird uns das Zuhause geben, das wir uns wünschen, den Neubeginn, das neue Leben. Es geht darum zu bewahren, was man hat. Klinge ich jetzt wie Lucas Vater?, frage ich mich.

Schweigen breitet sich aus. Nur die Vögel im Zitronenhain sind zu hören, in der Ferne schreit ein Esel, und der Hahn von nebenan kräht. Luca sieht Emily an, die versonnen in ihr Glas schaut. Als sie langsam den Kopf hebt, rechne ich damit, dass sie sagt, der Limoncello schmecke gut, sei aber nicht ihr Ding. Sie scheint mir eher aus der Prosecco-Fraktion zu kommen.

»Das schmeckt fantastisch«, sagt sie. Ihre weißen Zähne blitzen auf, und ihr ganzes Gesicht leuchtet. Als sie noch einen Schluck nimmt, freue ich mich unwillkürlich und betrachte sie mit deutlich mehr Wohlwollen.

Wir trinken alle drei.

»Wie hast du den hergestellt?«

Luca schaltet sich ein: »Es ist ein Geheimrezept, das von meiner Großmutter weitergegeben wurde. Das ist der Geschmack nach Heimat.« Er hebt sein Glas und hält es gegen das Sonnenlicht. »Sizilien in einem Glas.«

Emily lächelt. »Darf ich?« Sie streckt die Hand nach der Flasche aus – ihr Glas ist fast leer.

»Natürlich, bitte«, sage ich. Sie nimmt die Flasche, verkorkt sie sorgfältig und steckt sie in ihre große Ledertasche.

Was für eine Frechheit!, denke ich empört. Doch ich bin zu gut erzogen, um es laut auszusprechen, und konzentriere mich stattdessen auf das Glas in meiner Hand. Vermutlich hängt ihre Aktion mit der sizilianischen Gastfreundschaft zusammen. Wenn ich nur an die vielen Lebensmittel denke, die man uns als Geschenke vor die Tür gelegt hat! Die Gastfreundschaft ist Teil des Insellebens, und das ist – wie ich mir ins Gedächtnis rufe – einer der Gründe, warum ich mich hier so wohlfühle und fest entschlossen bin, die Insel zu meinem Zuhause zu machen.

»Ich muss los«, sagt Emily. »Ich wollte nur sichergehen, dass mit den Bestellungen alles in Ordnung geht, wenn ich schon mal hier bin.«

»Ja, alles okay«, erwidert Luca. Er deutet auf mich. »Seit Zelda mir bei der Ernte hilft, ist es viel leichter.«

»Super. Und keine Probleme mit der Familie? Sie wissen immer noch nichts?«

Er schüttelt den Kopf. »Nicht im Geringsten. Zelda ist sehr verschwiegen und diskret.«

»Gut, die Geheimnisse von Sizilien dürfen nicht hinausgelangen.« Sie prüft, ob die Flasche sicher in ihrer Tasche verstaut ist. Wieder ärgere ich mich ein bisschen, doch es gelingt mir, den Ärger runterzuschlucken.

»Tschüss, Zelda. Viel Glück bei den Hochzeitsvorbereitungen. Ich beneide dich um das wunderschöne Kleid. Eigentlich nicht bloß um das Kleid!«, sagt sie und lacht. Als sie mich auf beide Wangen küsst, stoßen wir versehentlich mit den Nasen zusammen. Ich gebe mir große Mühe, diese Frau nicht zu mögen, aber es gelingt mir nicht. Sie beneidet mich um mein zukünftiges Leben als verheiratete Frau auf Sizilien. Und genau deshalb bin ich hier. Ich habe das große Los gezogen.

»Auf welchem Weg bist du gekommen?«, will Luca wissen, als er sie zur Tür begleitet.

»Durch den Ort. Aber ich habe einen Mietwagen, sicher haben alle geglaubt, ich sei eine Touristin auf dem Weg zum Ätna.«

»Du könntest auch den Tunnel benutzen«, sagt Luca. »Und am Ortsrand oder unten am Meer parken.«

»Ich weiß, ich weiß. Alles ist gut.« Als sie ihn anlächelt, frage ich mich, ob die beiden mal ein Paar gewesen sind. Sie küsst ihn auf beide Wangen, und wieder empfinde ich einen Anflug von Eifersucht.

Sobald Emily verschwunden ist, mustert Luca den Skizzenblock und das Maßband. »Ich glaube, wir sind fertig«, sagt er. Ich gewinne den Eindruck, dass er einen Schlussstrich unter das zieht, was wir beide möglicherweise gefühlt haben. »Und du willst die Tunnelanlage ganz sicher nicht sehen?«

»Nein, danke. Wie gesagt, Tunnel und enge dunkle Räume sind nicht mein Ding«, erwidere ich. Bei dem bloßen Gedanken daran läuft es mir kalt den Rücken runter.

Ich stehe oben auf der Treppe, die von der Wohnung hinunterführt, und sehe mich um. Ohne ersichtlichen Grund habe ich ein seltsames Gefühl der Beklommenheit. Es ist, als würde man mich beobachten, doch ich kann niemanden entdecken.

»Ich sollte besser gehen«, sage ich.

»Hallo. Wo bist du gewesen?«

»Sophie! Hallo, hast du mich erschreckt!«, sage ich. Mein Herz macht einen Satz, beruhigt sich aber sofort wieder. Ich bin erleichtert, nicht mehr der grellen, sehr heißen Nachmittagssonne ausgesetzt zu sein, sondern mich im Schatten der alten Gebäude an der Piazza bewegen zu können. Doch die maroden Balkone über mir machen mich zunehmend nervös. Rasch blicke ich nach oben und gehe mit Sophie zur Seite, um nicht mehr unter einem Balkon zu stehen.

»Nirgendwo«, antworte ich und schmunzele über ihre ständige Neugier.

»Du musst doch irgendwo gewesen sein. Niemand geht nirgendwohin, das ist nicht möglich.«

»Ich bin nur spazieren gegangen«, sage ich und habe immer noch das unbehagliche Gefühl, beobachtet zu werden. Was, wenn jemand Luca auf die Schliche gekommen ist? Was, wenn sein Vater darauf besteht, auch diesen Zitronenhain stillzulegen, um Subventionen zu erhalten? Voller Unmut denke ich wieder an Romano.

»Und wohin gehst du jetzt?«

»Ähm, na ja, zurück ...«

»Nach Hause?«, beendet sie den Satz für mich.

»Zurück zum Hof, nach Il Limoneto, ja.«

»Kann ich mitkommen? Du könntest mir noch mehr Englisch beibringen.«

»Nein«, erwidere ich lachend. »Ich muss einige Sachen erledigen.«

»Was für Sachen?«

»Na ja, erst mal muss ich eine Hochzeit planen. Ich muss Valerie ... das ist meine künftige Schwiegermutter ... von dem Kleid erzählen.«

»Meine Mama sagt, es wird keine Hochzeit geben, nicht, wenn sie es verhindern kann.«

Ich stolpere, als hätte mir jemand ein Bein gestellt.

»Tatsächlich?«, entgegne ich schließlich so ruhig, wie es mir möglich ist. »Aber wir wollen doch den Ätna bei Laune halten, oder etwa nicht? Ich bin sicher, dass deine Mama das auch will.«

»Sie sagt, sie ginge lieber das Risiko mit dem Ätna ein, als einen Haufen Fremde im Dorf zu haben. Das sagt Il Nonno auch.« Ich verstehe, dass sie von Romano spricht.

»Dein ... Il Nonno sollte froh sein, dass Leute hierherziehen wollen und neues Leben in die Gegend bringen.«

»Er sagt, ihr werdet Ende des Monats verschwunden sein. Er hofft immer noch, dass Onkel Luca die Tochter von Cousin Enrico heiraten wird.«

»Tut er das?«

Als wir den Laden erreichen, bleibe ich kurz stehen. »Mach dir keine Gedanken, Sophie, wir gehen nirgendwohin«, sage ich ihr entschlossen und verabschiede mich mit einem Lächeln.

Was Il Nonno auch sagt, die Hochzeit wird stattfinden. Ich bekomme ein Kleid, und ich habe einen Verlobten. Und egal, wie sehr während des Maßnehmens die Chemie zwischen Luca und mir auch gestimmt haben mag – Lennie und ich werden in vier Wochen heiraten. Eine Sache ist mir jedoch klar: Ich muss mich von Luca fernhalten.

Und damit laufe ich den ganzen Weg zurück zu Lennie in die Sicherheit von Il Limoneto, wo diese chaotischen Gedanken im Handumdrehen verschwinden werden.

31. Kapitel

Am folgenden Tag und an den Tagen danach gehe ich früher als sonst zum Zitronenhain, damit ich die Limonen ernten und in Kisten packen kann, ehe Luca auftaucht. Er muss davor täglich nach dem Restaurant sehen und prüfen, ob es Reservierungen von Einheimischen oder Touristen gibt. Anhand des Klemmbretts weiß ich, wie viele Kisten mit Limonen er braucht, und stelle sie in den kühlen Schuppen. Von dort aus kann er sie durch den Tunnel weitertransportieren.

Es ist heiß, richtig heiß.

Kein Wunder, dass die Menschen hier in der Mittagszeit nicht arbeiten. Doch ich habe jede Menge Wasser und Sonnencreme dabei, außerdem trage ich einen großen Strohhut mit einer breiten Krempe, den ich in einer der Kleiderkisten gefunden habe.

Ich streichele Rocca und sorge dafür, dass auch sie genug Wasser hat, dann mache ich mich in der sengenden Sonne Siziliens an die Arbeit. Ich versuche, möglichst im Schatten zu bleiben, und konzentriere mich auf die Zitronenernte. Ich trage eine Kiste zum Schuppen. Wieder eine geschafft. Wie viele sind es noch? Ich schnappe mir die Wasserflasche, trinke durstig und gönne mir einen Moment Pause in der Kühle des Schuppens.

»Hey, Zelda! Wo bist du gewesen? Ich habe dich überall gesucht.«

Beim Klang seiner Stimme macht mein Herz einen Satz,

und die Schmetterlinge in meinem Bauch tanzen wie wild. Es ist Luca. Und ich sehe schrecklich aus, denke ich plötzlich, völlig verschwitzt. Das ist doch gut, schelte ich mich selbst. Auf diese Weise muss ich mir keine Sorgen darüber machen, dass ich mich von ihm angezogen fühlen könnte oder er sich von mir.

Er läuft auf mich zu, fasst mich sanft an den Oberarmen und küsst mich auf beide Wangen. Die Berührung lässt meine Haut kribbeln, und mein Magen verwandelt sich wieder in geschmolzene Lava. Rasch trete ich einen Schritt zurück.

»Ist alles in Ordnung? Ich habe dich eine ganze Weile nicht gesehen. Warum arbeitest du um diese Tageszeit? Immer wenn ich angekommen bin, waren die Limonen bereits gepflückt und verpackt. Stimmt was nicht? Wenn du woanders noch einen Job hast, musst du nicht hier arbeiten. Ich kriege es schon irgendwie hin.«

»Nein, es ist alles in Ordnung. Ich habe nur ... Mir geht so viel durch den Kopf. Ich brauchte Frieden und Ruhe«, erkläre ich, wende mich ab und schaue aufs Meer hinaus. Das ist der schönste Ort auf der ganzen Welt, denke ich.

»Du kommst arbeiten und gehst wieder, ohne dass ich dich sehe?«

»Ich musste nachdenken«, erwidere ich und muss schlucken. »Für uns auf dem Hof sieht es nicht gerade rosig aus. Die anderen finden einfach keine Arbeit. Wir hatten kaum noch Pensionsgäste. Niemand will in Città d'Oro übernachten, und wir sind praktisch abgebrannt.«

Ich erzähle ihm nicht, dass ich ihm aus dem Weg gehe, weil ich in seiner Gegenwart jedes Mal das Gefühl habe, gleich zu explodieren und keinen klaren Gedanken mehr fassen zu können.

»Abgebrannt? Es hat gebrannt?«

»Nein.« Ich muss lachen, und meine Anspannung lässt ein

bisschen nach. »Wir haben fast kein Geld mehr. Und wenn uns nicht sehr bald was einfällt, müssen wir doch abreisen.«

»Abreisen? Wie bitte? Keine Hochzeit?«

Ich zucke mit den Schultern, und meine Augen füllen sich mit Tränen. »Niemand von uns findet Arbeit, Luca. Wir können unsere Geschäftsideen nicht umsetzen, und niemand bietet uns Arbeit an. Dieses Dorf stirbt aus, und ich glaube nicht, dass es gerettet werden kann. Wenn doch nur alles so wäre.« Ich mache eine Geste, die den florierenden Zitronenhain umfasst. Und dann denke ich an den Hof. Eigentlich tun die meisten von uns etwas. Billy hat seine Hühner und beschäftigt sich eifrig damit, Vogelkästen und Hühnerhäuser zu bauen. Ralph hat Gefallen am Zeichnen gefunden; offensichtlich wollte er eigentlich an der Kunsthochschule studieren, bevor er in den Strudel des Militärs und dann des Londoner Banken- und Finanzviertels gezogen wurde. Barry liebt seine Ausflüge mit dem Fahrrad und kocht sehr gerne. Sherise und Tabitha machen gerne Yoga. Valerie kennt kein anderes Thema mehr als Hochzeiten. Bloß Lennie fühlt sich verloren. »Wenn wir nur ein Projekt oder eine Aufgabe hätten, an dem oder der wir uns alle beteiligen könnten! Wir könnten zur Abwechslung mal gute Neuigkeiten vertragen.«

»Das ist es ja, was ich dir gerade zu erzählen versuche.« Luca grinst verschmitzt. »Es ist Emily!«

»Emily?«

»Meine Händlerin in Großbritannien«, erinnert er mich.

Oh, Emily, denke ich. Ist sie der Grund, warum er so glücklich wirkt? Hat er gute Neuigkeiten? Haben Emily und er schließlich zusammengefunden? Obwohl ich mich für ihn freue, fühle ich mich, als hätte jemand mit einer Nadel in meinen Geburtstagsluftballon gestochen. Doch es ist in Ordnung, weil man nicht jeden Tag Geburtstag hat. Irgendwann muss man ins wirkliche Leben zurückkehren. Kein Wunder, dass er so glücklich aussieht.

»Ich freue mich sehr für dich. Ich dachte mir schon, dass da zwischen euch etwas ist, als sie neulich hier war. Ich habe vermutet, es könnte sein … dass ihr vielleicht …«

»Zelda, jetzt hör mal auf zu reden, und hör mir zu!« Als er mich wieder an den Oberarmen packt, bin ich still und sehe ihn an. Er will mir etwas mitteilen.

»Geht es um das Kleid? Ist es fertig für eine Anprobe?«

»Dem Kleid geht's gut, ich bin auf einem guten Weg. Du kannst es bald anprobieren.«

»Oh, gut. Ich …«

»Zelda, es geht nicht um das Kleid, sondern um Emily!«

»Das hast du schon gesagt. Hast du Angst, was dein Vater sagen wird, weil sie Britin ist?«

Er mustert mich, als versuche er, meine Gefühle zu lesen. Ich beiße mir auf die Unterlippe, weil ich plötzlich mit den Tränen der Enttäuschung und der Frustration kämpfe, die ich nun schon so lange zurückhalte.

»Der Verdello-Limoncello. Die Flasche, die sie mitgenommen hat …«, sagt er.

Mit schräg gelegtem Kopf mustere ich ihn forschend.

»Sie liebt den Limoncello.«

»Das hat sie gesagt. Und schließlich hat sie die ganze Flasche mitgenommen.«

»Und sie hat sie ihren Kunden gegeben, damit sie kosten können.« Er strahlt über das ganze Gesicht.

»Gut. Ich bin entzückt. Jetzt muss ich aber weiter.«

»Zelda … sie hat eine Bestellung von einem Delikatessenladen. Sie wollen eine Bestellung aufgeben! Sie zahlen die Hälfte im Voraus, die zweite Hälfte bei Lieferung.«

»Aber … aber ich habe doch nur die Flaschen, die ich für die Hochzeit gemacht habe«, erwidere ich. Ich habe die Information noch nicht richtig verarbeitet.

»Dann produziere mehr davon! Du bist im Geschäft!«

Langsam, aber sicher kommt die Neuigkeit an. Ich bin im Geschäft. Ich habe eine Bestellung – über Emily. Jemand will den Verdello-Limoncello kaufen! Meine Stimmung bessert sich schlagartig, und mein Gesicht leuchtet auf. Ich werde dafür sorgen, dass es klappt. Die Hochzeit wird stattfinden, und vielleicht können wir uns trotz allem ein neues Leben in Città d'Oro aufbauen! Ich fange an zu lachen, während mir gleichzeitig Tränen der Erleichterung über die Wangen laufen. Falls ich mich nicht täusche, weint Luca ebenfalls.

Er umarmt mich, und obwohl mir heiß ist und ich völlig verschwitzt bin, ist es mir unmöglich, seine Umarmung nicht zu erwidern. Doch als ich mich von ihm löse, fällt mein Blick auf eine Gestalt, die am Eingang des Schuppens steht. Sie stützt sich schwer auf einen Stock und wirft einen langen schwarzen Schatten.

32. Kapitel

»Was ist denn passiert?«, frage ich. Ich habe im Restaurant auf Luca gewartet und mir, wie angewiesen, eine Portion Eis genommen.

»Er sagte, er hätte gehört, dass ich den Zitronenhain bewirtschafte und Limonen ernte.« Luca nimmt sich auch von dem Zitroneneis, steckt sich einen Löffel in den Mund und lässt das Eis auf der Zunge zergehen.

»Und was noch?«

»Er meinte, dass ich die Familie im Stich ließe. Das Land sei viel mehr wert als ein unnötiger Zitronenhain, und es sei respektlos gegenüber ihm und der Familie, dass ich das Land bewirtschafte. Wenn die Kontrolleure kämen und den gepflegten Zitronenhain sähen, könnte das die Subventionen gefährden.«

»Und dann?« Ich lasse nicht locker.

Er zuckt mit den Schultern, setzt sich an den Tisch und isst von seinem Eis. »Er sagt, er werde dafür sorgen, dass die Wasserzufuhr zu dem Hain abgeschnitten wird. Er will Matteo damit beauftragen.«

»Aber du hast doch die Tunnel als Wasserreserve.«

»Leider braucht man Regen, um das Reservoir zu füllen«, antwortet er und stellt die kleine Glasschüssel ab. »Es hat seit einer Ewigkeit nicht mehr geregnet.«

Seit unserer Ankunft auf jeden Fall nicht mehr, so viel steht fest.

»Der Zitronenhain ist das Einzige, was ich hier habe. Ich liebe diesen Ort. Er gehörte meinem Großvater, der ihn ebenfalls liebte. Ich glaube, ich habe dir schon erzählt, was er immer sagte, dass man nur aus Liebe Zitronenbauer wird. Leider machen die Limonen niemanden reich. Und mein Vater könnte niemals verstehen, warum man die Liebe dem Geld vorzieht. Ich schon.«

Seine Worte hängen in der Luft. Ich würde Luca am liebsten umarmen, aber ich kann nicht. Und ich würde am liebsten noch eine Statue kaputt schlagen, doch ich weiß, dass ich auch das nicht darf.

»Was wirst du jetzt tun?«

Als er den Kopf hängen lässt, fällt ihm wieder das Haar über die Augen wie ein Vorhang. »Er wird mich sehr genau im Auge behalten, mich und den Zitronenhain. Besser gesagt, er wird Matteo damit beauftragen.«

»Er schnürt diesem Dorf die Luft ab, Luca. Er macht alles kaputt, was gut ist. Was machen wir jetzt?«

»Il Limoneto wird er nicht beobachten lassen.« Luca hebt lächelnd den Kopf. »Wir werden deinen Limoncello produzieren und sicherstellen, dass Emily genügend Flaschen bekommt, um den Auftrag zu bedienen. Romano ist so sehr damit beschäftigt, dieses Dorf auszuhungern und die Bäume verdursten zu lassen, dass ebendiese Bäume mehr Verdello-Zitronen tragen als je zuvor!«

Sein Lächeln wird breiter, und ich könnte ihn küssen. Doch ich tue es nicht. Und werde es nicht tun … werde es nicht tun. Ich will nichts machen, was unserer Situation schaden könnte.

33. Kapitel

»Dann hört mal alle zu!«

Für den folgenden Morgen habe ich die Hausbewohner zu einem Treffen in der Küche zusammengerufen. Ich fühle mich wie die Moderatorin einer Fernsehshow, die diverse Aufgaben an die Teilnehmer verteilen muss. Auf dem Tisch steht ein Tablett mit *cannoli*, knusprigen Gebäckröllchen, die mit einer süßen Creme gefüllt sind. Zweifellos ein Geschenk des Bäckers.

»Wir müssen so viele wie möglich von den kleinen Limonen im Hain pflücken. Billy, du hast ja einen Weg in den Zitronenhain gebahnt, oder? Kann man da immer noch reingehen?«

»Allerdings habe ich das. Landwirtschaft und Zaunbau sind mein Leben gewesen. Ja, man kann rein, an der Stelle fließt kein Strom mehr.«

»Gut, dann werden wir allesamt Limonen ernten, danach schälen und zerkleinern wir sie, und ich gebe sie in Einmachgläser und lege sie in Alkohol ein. In drei Tagen füllen wir sie in Flaschen um. Wir brauchen mehr Flaschen. Luca hat jede Menge im Restaurant. Er sortiert sie schon mal vor, aber wir müssen sie zu uns auf den Hof schaffen. Könntest du dabei helfen, Barry?«

»Gebongt!«

»Ich fahre mit dem Kleinbus rüber«, schlägt Valerie vor. »Barry und ich können das gemeinsam machen.«

»Großartig! Und ich schieße Fotos«, wirft Tabitha ein.

»Ich glaube, heute musst du deine Kamera zur Seite legen und uns beim Pflücken helfen«, sagt Ralph. Das ist der längste Satz, den er zu ihr gesagt hat, seit wir die Sache mit der Zeitungskolumne herausgefunden haben.

»Natürlich«, antwortet sie und legt ihr Handy ohne ein Wort des Protestes auf den Tisch.

»Jeder braucht ein kleines Messer oder eine Schere. Es ist nicht einfach, die Verdello-Zitronen von den Bäumen zu bekommen«, erkläre ich.

»Was ist, wenn wir entdeckt werden?«

»Ja, was, wenn Matteo vorbeigeht?«

»Matteo ist um diese Tageszeit nicht unterwegs. Wahrscheinlich arbeitet er an der Sporthalle.« Alle Köpfe wenden sich Lennie zu – wir sind beeindruckt von seinem Insiderwissen. »Das hat er mir neulich erzählt, als ich ihm im Dorf begegnet bin. Wir haben uns ein bisschen unterhalten, er hat kein Problem mit uns. Er macht nur seinen Job. Es ist Romano, der hier in der Gegend die Fäden zieht.«

»Er behält momentan einen anderen Zitronenhain am Rande des Dorfes im Auge«, sage ich. »Aber wenn er trotzdem bei uns vorbeikommt, sagen wir einfach, dass wir ein paar Hühner einfangen müssen, die ausgebüxt sind …«

Wir machen uns auf den Weg in den Zitronenhain. Die Hühner scheinen unsere Gesellschaft zu genießen, denn sie halten sich in unserer Nähe auf und picken auf dem Boden herum. Wir haben verschiedene Körbe und Schüsseln mitgenommen. Sogar Valerie begleitet uns, als wir durch die Wildblumen stapfen und zwischen den Bäumen mit dem starken Zitrusduft herumlaufen.

Wir pflücken, bis es zu heiß wird. Irgendwann hat auch Luca sich zu uns gesellt. Hin und wieder blicken wir beide zufällig gleichzeitig auf, wie zwei Magnete, die voneinander angezogen werden. Rasch wende ich den Blick ab und spüre, wie ich rot werde. Doch das liegt sicher an der Freude über den Auftrag, der Aussicht auf ein Geschäft, das uns einen Gewinn verspricht. Endlich passiert es.

Ralph und Barry tragen Stühle aus dem Haus und treten das Gras in einem Bereich im Schatten einer Reihe Zitronenbäume nieder. Barry hat in der Küche gearbeitet und große Schüsseln voll Pasta zubereitet, genau so, wie Luca es uns neulich abends beigebracht hat. Valerie hilft ihm, die Nudeln, das Brot und eine wundervolle *caponata* herauszutragen, ein süßsaures sizilianisches Gemüsegericht. Die *caponata* geht auf das Konto von Sherise, die sie aus dem Gemüse zubereitet hat, das sie in dem überwucherten Gemüsebeet gezogen hat.

»Das ist fantastisch, Barry«, sage ich. »Danke!«

»Um ehrlich zu sein, es hat mir Riesenspaß gemacht. Ich wollte immer eine große Familie haben, die ich dann bekochen kann«, erwidert er. »Aber es hat sich nie ergeben.«

»Für mich auch nicht. Lange Zeit gab es nur Lennie und mich; und jetzt sind wir zu dritt.« Valerie strahlt mich an. »Und wer weiß, vielleicht …« Als sie vielsagend auf meinen Bauch schaut, werde ich rot.

»Du bist genauso schlimm wie Giuseppe«, entgegne ich lachend. Ich bin fast vierzig. Ich glaube, dass es für mich zu spät ist, eine Familie zu haben – vor allem, da Lennie und ich noch nicht einmal zu üben begonnen haben und es wahrscheinlich auch nicht tun werden. Unsere Beziehung basiert auf etwas anderem.

Wir essen, plaudern und genießen das Zusammensein, und als wir fertig sind, steht Luca auf und fragt: »Wer bekommt ein Eis?«

»Luca hat uns was von seinem Zitroneneis mitgebracht«, verkündet Valerie strahlend.

»Ich, ich!«, rufen alle und wedeln eifrig mit den Händen in der Luft. Es ist wie ein Familienessen an einem Sonntag, von der Art, wie ich es mir immer gewünscht habe.

»Ich helfe dir«, sage ich, während Luca von der Bank klettert, auf der er neben Tabitha gesessen hat. Als ich ihm in die Küche folge, bemerke ich, dass sowohl Tabitha als auch Valerie ihm hinterhersehen. Barry und Lennie füllen gerade die Gläser mit Wein aus dem Fass auf, das der benachbarte Winzer uns vor die Tür gestellt hat. Dabei scherzen sie darüber, wer wohl die meisten Limonen gepflückt hat.

Luca nimmt das Eis aus der Tiefkühltruhe, während ich Schalen und Löffel organisiere. Nichts davon passt zusammen – ein bisschen wie die Bewohner des Hofes, denke ich schmunzelnd. Luca zeigt auf eine der Limoncello-Flaschen, die ich für die Hochzeit zur Seite gestellt habe.

»Darf ich?«, fragt er und hält mir die Flasche hin. »Ich finde, wir sollten deinen Auftrag und dein neues Geschäft feiern.« Seine Augen funkeln, und seine Begeisterung steckt mich an.

»Sicher.« Ich lächele ihm zu. »Auf die Zukunft!«

»Ja, auf die Zukunft.«

»Und was ist mit dir, Luca, was wirst du jetzt machen?«

Er schüttelt den Kopf. »Ich weiß es noch nicht.« Dann lacht er. »Ich denke, ich werde meine Optionen abwägen.«

»Was ist mit dem Restaurant?«

Er zuckt mit den Schultern. »Solange nicht mehr Gäste in den Ort kommen, kann ich es nicht am Laufen halten, ganz gleich, wie sehr mein Vater sich das wünscht.«

»Und was ist mit deiner Cousine, die du, wenn es nach deinem Vater geht, heiraten sollst?«

»Meine Cousine zweiten Grades«, stellt er richtig. »Aber ich werde lieber darauf warten, dass die Liebe mich findet, statt mich mit einer Vernunftehe zufriedenzugeben«, fügt er hinzu.

Ich reagiere gereizt: Glaubt er, dass das bei uns, Lennie und mir, der Fall ist?

»Ich liebe Lennie!«, stoße ich heftig hervor.

»Ich weiß«, antwortet er und lächelt sanft. »Aber bist du auch unsterblich in ihn verliebt?«

Ich öffne den Mund zu einer Erwiderung, doch bezeichnenderweise fällt mir spontan keine passende Antwort ein. »Darauf kommt es nicht an«, sage ich schließlich lahm.

Plötzlich fällt mir wieder ein, was Lennie mir bei dieser schrecklichen Party anlässlich des Geburtstages unserer Bekannten Lydia gesagt hat: *Die Zutaten sind am Anfang ziemlich gewöhnlich, doch je länger sie vor sich hin köcheln, desto köstlicher wird das Gericht und desto länger hat man etwas davon.*

»Stimmt.« Luca nickt. »Etwas, was man genießen kann.«

»Ganz genau.«

»Und du glaubst immer noch nicht an Liebe auf den ersten Blick?«, fragt er leise und fast zaghaft.

»Ich glaube«, ich schlucke, »dass es leicht misszuverstehen ist. Wie ein verlockender Snack, wenn man hungrig ist; wohingegen man von der langsam gegarten Mahlzeit hoffentlich länger etwas haben wird.«

Er nickt erneut. »Meine Mutter war unglücklich mit meinem Vater. Sie hat sich für den schmackhaften Snack entschieden. Er war Engländer und hat hier gearbeitet. Mein Vater fand es heraus, allerdings als Letzter im ganzen Dorf. Deshalb hasst er den Ort so sehr. Er hat das Gefühl, alle hätten ihn betrogen.«

»Kann er es deshalb nicht ertragen, wenn Leute von außerhalb ins Dorf kommen?«

»Leider wiederholt sich die Geschichte immer wieder«, meint er, senkt den Kopf und blickt durch den Vorhang seines welligen Haars. »Meine Cousine Carina, die den Lebensmittelladen führt …«

Ich ziehe die Augenbrauen hoch. »Was ist mit ihr?«

Er seufzt. »Sie hat sich ebenfalls in einen Besucher verguckt, einen Engländer. Aber er ist abgereist und nicht mehr zurückgekommen.«

Ich schnappe nach Luft. »Sophias Vater?«

Er nickt.

»Deshalb ist Sophia also so fasziniert von allen englischen Dingen?«

Erneut nickt er.

»Und das ist auch der Grund, warum dein Vater Zugezogene nicht leiden kann.« Ich setze die Teile des Puzzles zusammen.

»Er würde lieber sterben, als zuzulassen, dass noch ein Mitglied seiner Familie auf den Charme eines ›Fremden‹ reinfällt.« Er zeichnet Anführungszeichen in die Luft.

Ich muss schlucken. »Aber was ist mit dir?«

Er zuckt mit den Schultern. »Ich werde meinem Herzen folgen, wohin es mich auch führen wird, wenn ich weiß, dass es richtig ist«, antwortet er. Ein Klecks schmelzende Eiscreme fällt aus der Schale und hinterlässt eine kleine Pfütze auf dem Tisch.

»Mein Vater ist kein schlechter Mensch. Er beschützt seine Familie und tut das, was er für am besten hält. Er hat einfach kein Vertrauen.«

»Und aus diesem Grund will er, dass du deine Cousine zweiten Grades heiratest?«

»Es ist seine Art, sich um die Familie zu kümmern.«

Als ich ihn ansehe, seufzt er und meint: »Es ist nur nicht mein Weg.«

»Nun, wie ich schon gesagt habe, ich bin wegen der langsam gegarten Mahlzeit hier«, sage ich mit trockenem Mund.

»Wenn du damit glücklich und zufrieden bist«, erwidert er und sieht mich mit diesen grün gesprenkelten braunen Augen an, in denen ich mich am liebsten für immer verlieren würde. Mein Magen schlägt einen Salto nach dem anderen, und das Feuer, das in mir brennt, könnte den Ätna jederzeit ausstechen.

»Das hoffe ich«, sage ich fast unhörbar und fühle mich unerklärlicherweise immer näher zu ihm hingezogen. Ich halte nach wie vor die Schüssel und die Löffel in den Händen, während ich auf seine Lippen starre und ihre Anziehungskraft spüre. Bevor ich es verhindern kann, berühren meine Lippen seinen Mund.

Es ist, als würde mein inneres Navigationssystem rufen: »Sie haben Ihr Ziel erreicht!« Wie der goldene Weg, der sich über das Meer legte und mich zu einem Ort zu führen schien, der sich wie mein Zuhause anfühlte. Es ist eine fantastische Heimkehr, das beste Gefühl auf der ganzen Welt, und ich möchte, dass es nie wieder aufhört. Alles andere um mich herum verblasst und tritt in den Hintergrund, und es gibt nur noch Luca und mich in meiner goldenen, sonnigen Luftblase.

»Wo bleibt das Eis?« Barrys Stimme lässt mich zusammenzucken und zurückschrecken. Der Augenblick ist vorbei. »Valerie schickt mich, um nachzusehen.« Er lacht, und obwohl ich nicht glaube, dass er uns gesehen hat, brennen meine Wangen vor Verlegenheit und, wenn ich ehrlich bin, vor Verlangen. »Sie meinte, ihr zwei lasst euch ganz schön Zeit.«

Luca nimmt das Eis und lässt sich von der Tischkante gleiten, auf der er saß, ehe ich ihn küsste. Ich habe ihn geküsst! O Gott!

»Hier, du kannst die Schüsseln raustragen, Barry.« Ich drehe mich um und reiche sie ihm. Luca und ich folgen ihm aus der Küche, nachdem wir einen ganz kurzen Blick gewechselt haben.

Draußen weiche ich Valeries Blick aus, denn mein Gesicht glüht immer noch. Mein schlechtes Gewissen hüllt mich ein und droht mich zu ersticken. Ich weiß, dass das aufhören muss. Ich muss einen Weg finden, damit Lennie und ich im Schlafzimmer zueinanderfinden; einen Weg, Befriedigung in unserer langsam gegarten Mahlzeit zu finden, damit sie so schmeckt wie dieser Kuss. Wie die beste Mahlzeit, die ich je genossen habe, eine, an die ich mich immer erinnern werde.

Luca verteilt die verlockend aussehende Eiscreme auf die Schalen. Während die kleinen runden Kugeln schon am Rand zu schmelzen beginnen, reiche ich die Schalen herum.

»Warte!«, sagt Luca, öffnet die Flasche Limoncello und gibt ein paar Tropfen der grünen Flüssigkeit über das Eis.

Als alle anderen versorgt sind, greift Luca nach der letzten Schale. Er beugt den Kopf vor, um den Duft einzuatmen, versenkt den Löffel in dem Eis und führt ihn zum Mund. Langsam zieht er ihn wieder heraus und schluckt mit geschlossenen Augen. Ich halte den Atem an und kämpfe gegen die Wirkung, die das Ganze auf mich ausübt.

Der ganze Tisch verstummt, alle sehen ihm zu.

Schließlich schlägt er die Augen wieder auf.

»Das«, er zeigt mit dem Löffel auf das Zitroneneis mit dem Verdello-Limoncello, »das ist Sizilien. Das ist es, was meine Seele erfüllt und zufriedenstellt.«

In seinen Augen lese ich Traurigkeit, als sehne er sich schon jetzt nach etwas, was er zurücklassen muss. Und während wir uns alle auf unser Eis stürzen, habe auch ich das Gefühl, etwas Besonderes zu schmecken, was ich vielleicht nie wieder kosten werde.

34. Kapitel

»Ralph, wie wär's, sollen wir beide uns um den Abwasch kümmern?«, schlägt Tabitha vor.

»Solange du versprichst, keinen Artikel darüber zu schreiben, dass ich abwasche«, erwidert Ralph lächelnd, steht auf und sammelt das Geschirr ein.

»Ich gebe dir mein Wort«, sagt sie. Ich glaube, die beiden haben endlich eine Art Waffenstillstand geschlossen. »Auf das Leben von Billys Hühnern!«, fügt sie hinzu. Billy wirft ihr einen finsteren Blick zu. »War ein Scherz«, schickt Tabitha hinterher.

Während wir alle erleichtert lächeln, ist aus dem Zitronenhain wildes Gackern und Flügelschlagen zu hören. Offensichtlich ist Billys Hahn bereit, seine Hühnerschar zu beschützen.

»Zelda? Ist es in Ordnung für dich, wenn ich jetzt gehe?« Lennie schaut auf sein Handy. »Matteo hat Arbeit für mich. Sein Gehilfe, Paulo, ist dreiundneunzig, und, na ja …«

»Was denn? Ist er zu alt, um Ziegel zu schleppen?«

»Nein, er besucht gerade seine Schwester auf dem Festland. Matteo hat mich gebeten, einzuspringen und auszuhelfen, solange Paulo weg ist.«

»Du willst für Matteo arbeiten?« Alle wirken fassungslos.

»Sag bloß, du arbeitest an der neuen Sporthalle!«

»Hört mal, vielleicht können wir Romano auf diese Weise bekehren.« Lennie schaut Luca an. »Wenn er sieht, dass wir hier sind, um zu arbeiten und uns einzubringen …«

Ich räuspere mich.

»Es ist einen Versuch wert, Zelda«, sagt Lennie.

»Natürlich, klar«, willige ich ein, während mein schlechtes Gewissen mich wieder übermannt. Lennie arbeitet so schwer, damit wir unser neues Leben verwirklichen können. Bei ihm ist mein Herz in Sicherheit. Es besteht kein Risiko, dass ich wieder verlassen oder verletzt werde. Das darf ich nie vergessen.

Er lächelt und küsst mich auf die Wange, dann nimmt er sich eine Flasche Wasser vom Tisch, hängt sich seine Tasche über die Schulter und schiebt die Sonnenbrille von der Stirn auf die Nase runter. Ich liebe die Art und Weise, wie Lennie sich den sizilianischen Lebensstil zu eigen gemacht hat. Ich kann mir nicht vorstellen, dass er nach England zurückzieht.

Luca hilft mir, die Verdello-Zitronen zu waschen. Wir sind erschöpft, aber glücklich.

»Okay, ich glaube, wir haben genug«, sage ich und betrachte die Kisten voller Früchte.

»Ich habe noch mehr Einmachgläser und Flaschen im Restaurant. Vielleicht könntet ihr sie morgen abholen?«

»Gute Idee.«

»Aber wenn du den Limoncello erst morgen ansetzen wirst, wenn die Flaschen hier sind, müssen die Limonen an einem kühlen … und sicheren Ort aufbewahrt werden.« Als er mich ernst ansieht, ist mein ganzer Körper schon wieder wie elektrisiert.

»Wie wäre es mit dem Schuppen?«

Luca schüttelt den Kopf.

»Und mit einem Schlafzimmer in der umgebauten Scheune?«

Erneut schüttelt er den Kopf. »Was wäre, wenn jemand eine Übernachtung für heute buchen würde? Ihr müsstet die Früchte woandershin bringen.«

»Na ja, eine Reservierung wäre uns auf jeden Fall sehr willkommen«, erwidere ich und denke an unsere schwindenden Haushaltsreserven.

Nachdenklich sieht er mich an. »Wie wäre es mit dem Tunnel? Da ist es schön kühl. Niemand würde dort nach ihnen suchen, vor allem nicht, nachdem mein Vater denkt, er hätte meinem Zitronenexport den Riegel vorgeschoben.«

»Was, wir sollen die ganzen Früchte zum Tunnel bringen? Aber wie?«

»Ich kann helfen.« Plötzlich steht Valerie neben uns.

»Valerie! Wo kommst du denn auf einmal her?«, frage ich lachend. Ich fühle mich wie ein Kind, das beim Naschen erwischt worden ist.

»Nun, ich habe gesehen, wie ihr beide die Köpfe zusammengesteckt habt ... wieder mal«, entgegnet sie. Meine Wangen brennen – sie kann uns zuvor nicht gesehen haben, oder etwa doch? Mein schlechtes Gewissen und meine Scham umschlingen mich wie eine Python und drücken zu, bis ich kaum noch atmen kann. »Was plant ihr denn?«

»Wir überlegen, wo wir die Limonen hinbringen können«, sage ich. »Es ist wichtig, dass sie kühl gelagert werden.«

»Und sicher«, fügt Luca hinzu. »Zitronendiebstahl war immer schon ein Problem auf Sizilien. Aus dem Grund bildeten sich Schutzgeldbanden. Bereits verkaufte Limonen wurden gestohlen, noch bevor sie gepflückt werden konnten, daher engagierten die Obstbauern Sicherheitskräfte, um das Obst zu bewachen. Diese Typen wurden zu Mittelsmännern zwischen Lieferanten und Kunden, und so entstand das Schutzgeldgeschäft.«

»Die Mafia!« Valerie fallen fast die Augen aus dem Kopf.

Luca zuckt mit den Schultern. »Hier auf Sizilien wird dieser Name nicht erwähnt. Doch ja, das ist ein Teil unserer Geschichte.«

»Das klingt für mich auch nicht viel anders als die Geschäftspraktiken deines Vaters, wenn du mich fragst«, sage ich und denke dabei daran, wie Romano Lucas Zitronenhain stillgelegt hat. Ich bin sauer in Lucas Namen. Genau genommen im Namen des ganzen Dorfes. Wir haben so viel Freundlichkeit von manchen Menschen erfahren, aber ich bin so wütend, dass sie ihr Leben nicht wie früher leben können. Stattdessen leben sie in Angst vor einem Tyrannen, denn nichts anderes ist Lucas Vater. Es ist traurig, dass sie dankbar für unsere Ankunft sind, doch niemand sich traut, es uns offen zu sagen. All die Geschenke – sowohl Lebensmittel als auch Getränke –, die im Schutz der Dunkelheit vor unserer Tür abgelegt werden, praktisch jeden Tag.

Luca nickt traurig, während sein Blick zu Valerie huscht, als frage er sich, wie viel sie weiß.

»Wie gesagt, ich kann helfen«, sagt sie munter. Ich finde es wunderbar, dass ihr so viel daran gelegen ist, sich einzubringen. Ich muss ihr noch mal versichern, dass ich hundertprozentig zu Lennie stehe. Ich liebe Valerie ebenso sehr wie ihren Sohn. Ich will es nicht kaputt machen, ich muss die Weichen richtig stellen. Nachdem Lennie und ich England verlassen hatten, habe ich mir Gedanken darüber gemacht, womit sie nun ihre Tage füllen würde. Sie hat es geliebt, dass er bei ihr im Haus wohnte. Die Hochzeit hat bis jetzt ihre ganze Zeit in Anspruch genommen. Ich glaube, es tut ihr gut, wenn sie rauskommt und etwas anderes macht. Ich bin ihr etwas schuldig. Ich muss sicherstellen, dass dieser Kuss ein einmaliger Ausrutscher bleibt. Er hat nichts bedeutet, auch wenn er mich völlig aus dem Konzept gebracht hat.

»Wir müssen die Limonen über Nacht woandershin bringen, wo sie kühl und sicher lagern«, erkläre ich ihr noch einmal.

»Aber niemand darf wissen, wohin wir sie bringen«, fügt Luca ernst hinzu. Ich muss mir fest auf die Unterlippe beißen, um das Gefühl zurückzudrängen, das in mir aufsteigt. Das Gefühl, das ich verzweifelt zu ignorieren versuche, und zwar seit dem Tag, an dem er meine Maße für das Kleid genommen hat. Ein Gefühl der Anziehung und … ja, Verlangen.

Ich spüre Valeries Blick auf mir.

»Kühl und sicher klingt genau nach dem, was nun gebraucht wird«, sagt sie. Schon wieder werde ich rot.

»Wie wollen wir die Limonen in den Tunnel transportieren, ohne dass jemand etwas mitbekommt?«, frage ich rasch. Ich konzentriere mich mit aller Macht auf die Limonen und versuche zu vergessen, wie attraktiv ich Luca finde und wie sehr mein Herz rast, wenn er in der Nähe ist. Wenn erst das Hochzeitskleid fertig ist, werde ich dieses Problem nicht mehr haben. Ich wünschte, ich könnte mich mehr darüber freuen. Doch Valeries aufmerksamer Blick scheint mir zu helfen.

Wir beladen den Kleinbus mit den Verdello-Zitronen und starten die holprige Fahrt zur anderen Seite des Dorfes. Valerie hält vor dem Tor zum Zitronenhain an, und wir entladen das Fahrzeug.

»Niemand darf etwas von diesem Ort wissen«, ermahnt Luca sie erneut. »Niemand darf von der Existenz der Tunnel erfahren.«

Ich helfe ihm, die Kisten zum Tunneleingang hinunterzutragen. Als alle sicher verstaut sind, kehren wir zum Bus zurück.

»Was macht ihr da?«

Die Stimme lässt uns zusammenzucken. Es ist Sophia.

»Du solltest nicht hier sein«, sage ich. »Weiß deine Mama, wo du bist?«

»Ich habe den Bus gesehen, ich wollte mitfahren. Warum dürfen alle anderen Spaß haben?«

»Okay, wir nehmen dich mit, aber nur bis zu eurem Haus. Deine Mama macht sich bestimmt schon Sorgen.«

»Mama macht sich immer Sorgen. Ich darf nie irgendwas.«

»Komm, hüpf rein«, sagt Valerie lächelnd.

35. Kapitel

»Weg? Was meinst du mit weg?«

Luca schüttelt den Kopf, als er aus dem Tunnel auftaucht. »Sieh selbst.« Er streckt eine Hand aus.

»Ich kann es nicht fassen!« Beinahe fehlen mir die Worte. »Ich weiß, dass dein Vater uns loswerden und das Dorf wieder so haben will, wie es war, aber das ist … reine Schikane! Damit darf er nicht davonkommen!« Ich zittere vor Wut. Wie kann er es wagen?

Die Luft ist drückend und schwer, die Hitze beinahe erstickend. Ich sehe zum rauchenden Gipfel des Ätna auf und frage mich, ob er wieder in düsterer Stimmung ist. Wenn die Früchte nicht auffindbar sind und ich den Limoncello nicht ansetzen kann – wenn ich den Auftrag nicht bedienen kann –, ist für uns alles vorbei … und das werde ich nicht geschehen lassen. Ich werde nicht zulassen, dass Il Nonno sich uns in den Weg stellt. Ich habe genug davon!

Der Himmel hat sich verdüstert und passt zu meiner Stimmungslage. Ich spüre den Druck in der Luft, der sich auf meinen Schädel legt und für Kopfschmerzen sorgt. Ich werde Romano nicht damit davonkommen lassen.

»Das reicht jetzt! Ich werde ihn zur Rede stellen!« Mit Luca im Schlepptau marschiere ich auf das Tor zu. »Andere Menschen haben zu viel Angst, um es mit ihm aufzunehmen, aber ich nicht!«

Was habe ich zu verlieren? Nichts, denn ich habe nichts. Ich habe nichts hier und nichts in England, zu dem ich zurückkehren könnte. Ich bin fast vierzig, und ich werde mir diese einzigartige Chance für mich und meine Mitbewohner nicht von diesem Tyrannen kaputt machen lassen.

Verblüfft stelle ich fest, dass ich die anderen in meine Gedanken mit einschließe, die Menschen, die ich bei unserer Ankunft vor einigen Wochen so rasch wie möglich wieder loswerden wollte. Doch inzwischen bedeuten sie mir etwas. Es ist mir wichtig, dass Ralph einen Neubeginn schafft und seine Fehler hinter sich lässt. Dass Tabitha mit ihren Worten ein neues Leben auf die Beine stellt. Dass Sherise und Billy ein Zuhause finden und Barry neue Wurzeln schlägt. Es geht nicht nur um mich; es geht um diesen lustigen zusammengewürfelten Haufen, der inzwischen zusammengewachsen ist. Deshalb werde ich nicht zulassen, dass Romano die letzte Chance zerstört, die Dinge für mich und die anderen ins rechte Lot zu bringen.

»Bloß weil er es nicht verwinden kann, dass seine Frau ihn vor vielen Jahren verlassen hat«, sage ich. »Ehrlich gesagt kann ich es ihr nicht verdenken. Wenn er mein Mann wäre, hätte ich ihn auch verlassen!«

Als Luca zusammenzuckt und stehen bleibt, wird mir klar, dass meine Worte ihn verletzt haben. Ich spreche nicht nur von Romanos Frau ... sie ist auch Lucas Mutter!

»Tut mir leid«, sage ich.

Ich schäume immer noch vor Wut, als ich das Tor des Zitronenhains öffne und hinausgehe. Es schlägt hinter mir zu und schwingt hin und her. Luca bleibt auf der anderen Seite zurück.

»Warte! Zelda, komm zurück!«

Doch ich ignoriere ihn.

Plötzlich zuckt ein Blitz über den Himmel, gefolgt von

einem Donnerschlag, aber ich beachte es kaum – genauso wenig wie den kurz darauffolgenden Wolkenbruch, der mich völlig durchnässt und mir das Haar am Kopf kleben lässt. Ich konzentriere mich voll und ganz auf mein Ziel. Ich werde mit Il Nonno reden und meine Limonen zurückfordern; nichts und niemand wird mich davon abhalten.

36. Kapitel

Eigentlich habe ich keinen Plan, was ich sagen will, als ich auf das große Tor dieser übertrieben aufgemotzten Villa zumarschiere und der Überwachungskamera ins Auge starre.

»Jetzt kommen Sie schon! Ich weiß, dass Sie da sind!«, rufe ich, drücke auf den Klingelknopf und zähle innerlich bis fünf. Der Regen prasselt auf mich herunter, die Haare kleben mir im Gesicht, aber ich registriere es kaum. Wieder zuckt ein Blitz über den Himmel, und wieder donnert es. Diesmal kreische ich auf. Meine Nerven flattern und sind in höchster Alarmbereitschaft.

Ich sehe mich um. Die kopflose Statue ist verschwunden, wahrscheinlich wurde sie zur Reparatur gebracht. Doch der Ast, mit der ich ihr den Kopf abgeschlagen habe, liegt noch da. Offensichtlich gibt es bloß einen Weg, die Aufmerksamkeit dieses Mannes zu erregen: Man muss dort ansetzen, wo es wehtut. Man muss seinen kostbaren Elfenbeinturm angreifen.

Er weiß nichts über dieses Dorf und seine Einwohner, die in Furcht leben – vor dem Ätna einerseits und vor Romano und seinem Familienunternehmen andererseits. Sie sind zu eingeschüchtert, um offen mit uns zu verkehren – geschweige denn, uns willkommen zu heißen. Anscheinend versteht er nicht, dass wir uns nur ein neues Leben aufbauen wollen und im Gegenzug dazu beitragen können, die Gemeinde zu neuem Leben zu erwecken. Was fällt ihm ein, uns vertreiben zu wollen! Er hat kein gottgegebenes Anrecht auf den Ort. Das Dorf sollte all denen gehören, die viel Energie hineinstecken und sich darum kümmern!

Ich werde nicht mehr davonlaufen. Das habe ich oft genug getan, als ich noch jünger war – immer dann, wenn mir die Dinge in der Schule oder im Kinderheim über den Kopf wuchsen. Aber das gehört nun der Vergangenheit an. Jetzt will ich endlich Wurzeln schlagen.

Als ich wieder ins Auge der Überwachungskamera blicke, hätte ich schwören können, dass sie mir spöttisch zuzwinkert.

»Kommen Sie raus, Romano, kommen Sie und sagen Sie mir, was Sie mit ihnen gemacht haben!«, rufe ich über das Rauschen des sintflutartigen Regens hinweg. Zu meinen völlig durchnässten Füßen bilden sich Rinnsale, die zu kleinen Bächen werden. Im Auge der Kamera erkenne ich mein Spiegelbild, die Haare kleben mir im Gesicht, die Mascara läuft mir über die Wangen und verbindet sich mit dem Wasser, das in meinen Ausschnitt strömt.

Ich betrachte das Tor und warte darauf, dass es sich quietschend öffnet. Doch nichts passiert.

»Okay, Romano. Sie haben es so gewollt!« Ich schwinge den Ast wie einen Baseballschläger und beäuge die Kamera, als sei sie der Ball, der auf mich zufliegt.

Plötzlich ächzt das Tor und setzt sich in Bewegung. Ich halte mitten in der Ausholbewegung inne und lasse den Ast langsam sinken, als Romano oben wütend auf der Treppe auftaucht.

»Hauen Sie ab!«, schreit er. »Gehen Sie dahin zurück, wo Sie hergekommen sind! Sie sind hier nicht erwünscht! Wenn Sie es wagen, mein Eigentum anzurühren, werden Sie dafür bezahlen! Ich warne Sie, junge Dame!«

Doch ich höre ihm gar nicht zu, sondern umklammere meinen Ast, marschiere durch das Tor und steige die Stufen hinauf, bis ich direkt vor ihm stehe.

»Wo sind meine Zitronen?«

Ausdruckslos erwidert er meinen Blick.

»Meine Zitronen, die Verdello-Zitronen. Wo sind sie? Sie brauchen sie nicht, Ihnen geht es doch nur um die Subventionen. Ich will nicht mit Ihnen konkurrieren, ich benutze nur das, was sonst vergeudet wäre. Was ist Ihr Problem?«

»Mein Problem? Sie! Sie sind mein Problem!«

Erneut kracht ein Donnerschlag. Mir ist inzwischen alles egal. Vollkommen egal!

»Nicht ich bin Ihr Problem«, kontere ich. »Es ist die Tatsache, dass Ihre Frau Sie verlassen hat. Sie lassen Ihre Wut immer noch an allen anderen aus, bestrafen sie und behalten die Einnahmen aus den Subventionen für sich!«

»Ich versorge meine Familie und kümmere mich um sie. Das macht mich nicht zu einem schlechten Menschen!«, ruft er laut, um den Regen zu übertönen, der vom Himmel strömt und vom Boden hoch aufspritzt.

»Auf Kosten aller anderen … ja, das tun Sie!«, schreie ich zurück.

»Sie wissen nichts über mich und meine Familie!«

»Ich weiß, dass Luca ein guter Mensch ist, der zurückgekommen ist, um Sie zu unterstützen. Aber er hat Träume, und dazu gehört nicht, seine Cousine zweiten Grades zu heiraten!«

»Luca wird tun, was ich ihm sage. Halten Sie sich von meinem Sohn fern! Es geht ums Geschäft. Liebe hat in einer Ehe nichts zu suchen. Es geht darum, unseren Besitz und diejenigen zu beschützen, die wir lieben.«

»Er ist erwachsen; Sie können ihn nicht bis in alle Ewigkeit damit erpressen, dass er glaubt, er müsse sich um Sie kümmern.

Es ist eindeutig nicht nötig, dass sich jemand Sorgen um Sie macht, denn ganz offensichtlich …«

Auf einmal senkt er den Blick und greift sich ans Herz. Er tritt einen Schritt zurück und lehnt sich an den Türrahmen.

»Oh, hören Sie auf damit …« Aber dann halte ich inne. Was, wenn er das nicht nur vortäuscht? Was, wenn er wirklich einen Herzinfarkt bekommt? Ich kann es nicht beurteilen. So durchtrieben kann er nicht sein, oder etwa doch? »Romano?«, sage ich. Mein schlechtes Gewissen gewinnt die Oberhand und verdrängt meine wütenden Gedanken. Bin ich schuld? Ich wollte ihm doch bloß die Augen öffnen und meine Limonen zurück! »Romano!«, rufe ich laut. Und da höre ich noch eine Stimme.

»*Papà!*«

Als ich mich umdrehe, sehe ich Luca die Zufahrt herauflaufen.

»Luca, ich …« Mein Herz macht einen Satz. Aber er sieht mich gar nicht an, sondern berührt nur kurz meinen Ellbogen, als er an mir vorbeiläuft und auf seinen Vater zusteuert. Da begreife ich, dass momentan sein Vater wichtig für ihn ist – nicht meine Schuld und meine Entschuldigungen.

»Wenn ich etwas tun kann …«, sage ich und bleibe wie angewurzelt stehen.

»*Papà!* Es geht um Sophia!«

Auf einmal hebt Romano ruckartig den Kopf und lässt die Hand von seiner Brust sinken.

»Sie ist verschwunden!«, sagt Luca und dreht sich zu mir um.

Romano richtet sich auf und lässt die Hand an seiner Seite baumeln. Das Ganze war bloß eine Finte! Doch darüber denke ich jetzt nicht weiter nach, sondern konzentriere mich voll und ganz auf Sophia.

»Ich war bei Carina«, fährt Luca fort. »Sie ist außer sich vor Sorge. Sophia sollte eigentlich Hausaufgaben machen, aber als Carina nach ihr sehen wollte, war sie verschwunden. Carina hat keine Ahnung, wie lange sie schon weg ist oder wohin sie gegangen sein könnte.«

Mein Herz fühlt sich an, als wäre es in einen Schraubstock gespannt worden. Mir ist ganz schlecht vor Sorge. Wie muss sich Sophias Mutter erst fühlen? Ganz kurz frage ich mich, ob meine Mutter jemals etwas Ähnliches empfunden hat. Falls ja, dann hat sie es jedenfalls nie gezeigt.

»Ich hole meinen Hut«, sagt Romano.

»Was kann ich tun?«, frage ich Luca.

Er hebt die Hände. »Wir müssen sie suchen – an allen Orten, die uns einfallen.« Wasser tropft aus seinen Locken, als stünde er unter einer Dusche. Die Sorge steht ihm ins Gesicht geschrieben. »Das ist ein schlimmes Gewitter. Wir müssen sie unbedingt finden und in Sicherheit bringen.«

Ich spüre seine Besorgnis und nicke. Wie zur Bestätigung zerreißt in diesem Augenblick der nächste Blitz den Himmel, gefolgt von einem lauten Donnerschlag.

»Ihre Mutter ist verzweifelt. Sie hat sonst niemanden. Sag allen Bescheid, die du erreichen kannst!«, ruft er über den prasselnden Regen hinweg.

Am liebsten hätte ich ihn in den Arm genommen und gesagt, alles werde gut. Aber ich kann nicht. Ich kann ihn nicht berühren. Er soll und muss glauben, dass dieser Kuss bloß ein verrückter, unüberlegter, impulsiver Akt war. Dass nichts dahintersteckt und es nie wieder passieren wird – selbst wenn es sich anfühlte, als würden wir zusammengehören. Luca darf es niemals erfahren.

»Ich hole die anderen!« Ich wende mich zum Tor.

»Gute Idee! Und ich sage Giuseppe Bescheid, damit er das ganze Dorf informiert«, erwidert Luca. »Gibst du mir deine Handynummer?« Er nimmt sein Telefon aus der Tasche, und wir tauschen unsere Nummern aus.

»Nein, ihr fangt sofort an zu suchen.« Romano taucht wieder auf, diesmal mit Hut, aber ohne Stock. »Ich gehe zu Giuseppe und bitte ihn und die Leute aus dem Dorf um Hilfe. Ihm werden sie zuhören«, fährt er fort. Ich begreife, wie wichtig es für alle ist, dass Romano endlich in der Lage ist, mit dem Mann zu reden, mit dem er so lange keinen Kontakt mehr hatte.

Hoffentlich gibt es bald gute Nachrichten!

»Niemand in diesem Dorf will noch eine Beerdigung miterleben … vor allem keine eines jungen Menschen!« Romano spricht aus, was wir alle denken. Ich sehe ihn an. Im Augenblick gibt es Wichtigeres als sein vorgetäuschtes Herzproblem und meine verschwundenen Limonen – viel Wichtigeres. »Wir müssen sie finden, und zwar schnell! Das Gewitter wird schlimmer!« Erneut zerreißt ein Blitz den Himmel.

37. Kapitel

»Lennie!« Ich bin immer noch völlig durchnässt und außer Atem und schaffe es kaum, seinen Namen zu rufen. Doch er hört mich dennoch.

»Zelda! Um Himmels willen, was ist passiert?! Komm rein, du musst die nassen Klamotten ausziehen.«

Am liebsten würde ich mich in Lennies tröstende und beruhigende Arme sinken und mir versichern lassen, dass alles gut wird. Aber es geht nicht. Atemlos schüttele ich den Kopf.

»Es ist …« Ich schnappe nach Luft. Inzwischen haben sich auch Sherise und die anderen hinter Lennie versammelt. Sherise holt mir ein Glas Wasser.

»Geht es um die Limonen … diese Verdello-Dinger?«, fragt sie.

»Nein.« Wieder schüttele ich den Kopf und trinke gierig einen Schluck Wasser. »Viel … wichtiger.« Ich trinke noch etwas. Die anderen sitzen auf glühenden Kohlen. »Es geht um Sophia, das Mädchen aus dem Laden. Sie ist verschwunden.«

Als es wieder laut donnert, zucken wir zusammen. Niemand fackelt lange.

»Ich hole unsere Jacken, Billy«, sagt Sherise.

»Wir suchen paarweise«, weist Ralph uns an. »Lasst uns unsere Handynummern austauschen.«

Wir greifen nach unseren Telefonen. Ich gebe auch Lucas Nummer weiter, für alle Fälle.

»Ich rufe Matteo an und frage ihn, ob er in den verlassenen Häusern nachsehen kann«, sagt Lennie und sucht schon in seinem Handy nach der Nummer.

Vor dem Hof teilen wir uns auf. Unsere dünnen Regenjacken halten den Regen, der den Weg in einen schlammigen Fluss verwandelt hat, kaum ab.

Die anderen beginnen die Suche im Zitronenhain neben dem Hof, ich beschließe, ins Dorf zu gehen. Lennie biegt in die schmale Kopfsteinpflasterstraße ab, um Matteo beim Durchsuchen der alten Häuser zu helfen. Ich marschiere weiter und kontrolliere alle kleinen Wege, manche kaum breiter als meine Schultern. Das Regenwasser, das vom Berg herabströmt, sammelt sich in den schmalen Gassen.

»Sophia!«, rufe ich. »Sophie!«

Keine Antwort.

Als ich mich umdrehe, sehe ich Luca aus dem Restaurant treten. »Ich dachte, vielleicht ist sie dadrinnen«, sagt er. »Manchmal versteckt sie sich vor ihrer Mutter unter den Tischen, für gewöhnlich, wenn sie sich vor ihren Hausaufgaben drücken will.« Er versucht zu lächeln, doch es gelingt ihm nicht. Er wirkt äußerst besorgt.

Im Dorf ist mehr los, als ich es je erlebt habe. Einheimische in Regenmänteln laufen durch die Straßen und suchen Schuppen und alte Autos ab. Alle grüßen mit einem Nicken, aber alle sehen beunruhigt aus.

»Wann hast du sie zuletzt gesehen?«, frage ich Luca.

Er überlegt, dann antwortet er: »Ich kann mich nicht erinnern. Und du?«

»Ich glaube nicht, dass ich sie noch mal gesehen habe, seit wir sie gestern Nachmittag im Bus mitgenommen haben.«

Während wir einen Blick wechseln, dämmert es mir.

»Du denkst doch nicht etwa …?« Ich schlucke und werde von Schuldgefühlen erfasst. »Glaubst du, sie ist mir heute Morgen gefolgt? Als ich nach den Limonen sehen wollte?«

Es ist keine Antwort nötig. Gleichzeitig drehen wir uns um, überqueren den Platz und laufen die rutschige Kopfsteinpflasterstraße hinauf, die zu Lucas Zitronenhain führt. Das Wasser steht knöchelhoch. Luca bleibt kurz stehen und streckt eine Hand nach mir aus.

»Nicht zu schnell«, sagt er, als ich weiterstürmen will. »Lass dir Zeit, wir brauchen nicht noch einen Notfall.« Aber ich laufe blindlings weiter, weil ich den Zitronenhain um jeden Preis so rasch wie möglich erreichen will.

Plötzlich ertönt direkt über uns ein mächtiges Krachen. Luca bleibt so abrupt stehen, dass ich gegen ihn pralle. Er streckt die Arme aus, um mich aufzuhalten. Direkt vor uns stürzt ein alter Balkon ein und kracht auf die Straße. Sofort wird das Regenwasser von dem Schutt aufgestaut, sucht sich einen Weg und fließt darüber und an den Seiten vorbei. Es sieht aus, als wäre ein Damm gebrochen.

Wir heben beide den Kopf, und ich weiß, dass er das Gleiche denkt wie ich: Um ein Haar wäre der Balkon auf uns gestürzt, es war eine Frage von Sekundenbruchteilen. Warum muss ich auch immer so impulsiv sein – nie denke ich an die Konsequenzen!

Komm schon, Gehirn, schalte dich ein! Ich weiß nicht, ob ich das laut ausgesprochen habe oder nicht.

»Es ist in Ordnung«, sagt Luca ruhig, während mein Herz so rasch schlägt wie das Duracell-Häschen auf seine Trommel. Luca streckt wieder die Hand aus. »Wir müssen nichts überstürzen. Überlege dir genau, wohin du deine Füße setzt. Hör auf die Stimme in dir; sie wird dir den Weg zeigen.«

Ein Teil von mir sagt: »Nimm seine Hand nicht, denn sonst wirst du wieder von deinen Gefühlen für ihn übermannt.« Ein anderer Teil drängt mich: »Tu es, arbeite mit ihm zusammen. Es ist in Ordnung.« Und als ich seine Hand ergreife, fügen sich auf einmal alle Puzzleteile zusammen.

Gemeinsam suchen wir uns einen Weg durch den Schutthaufen und den reißenden Bach, zu dem die Kopfsteinpflasterstraße geworden ist. Als wir die andere Seite erreicht haben, halten wir uns immer noch an den Händen. Wir bewegen uns ein bisschen langsamer und gleichmäßiger als zuvor. Die gegenseitige Unterstützung gibt uns mehr Sicherheit, und zum ersten Mal in meinem Leben habe ich das Gefühl, richtig mit jemandem zusammenzuarbeiten.

Ich liebe Lennie, den starken und zuverlässigen Lennie, die kleine Stimme in mir flüstert mir jedoch zu, dass das hier anders ist. Luca und ich haben beide Angst, doch wir stehen das gemeinsam durch. Und mir wird klar, dass ich dabei bin, mich in diesen Mann zu verlieben. Ich kann absolut nichts dagegen tun.

38. Kapitel

Als wir uns dem Zitronenhain nähern, ruft jemand Lucas Namen. Wir sehen, dass ein älterer Mann gestürzt ist. Seine Frau versucht gerade, ihm wieder auf die Beine zu helfen.

»Geh ruhig!«, sage ich zu Luca. »Hilf ihnen. Ich komme schon klar.«

»Wirklich? Du sagst das nicht nur so?« Er hält mich am Ellbogen fest.

»Ganz sicher.« Irgendwie fühle ich mich dafür verantwortlich, dass Sophia uns gestern nachgelaufen ist. Vielleicht hat sie das auch heute Morgen getan, und jetzt könnte sie sich in den Tunneln befinden, die gerade mit Wasser volllaufen. Denn dafür sind die Tunnel schließlich da … um Wasser aufzufangen!

»Ich komme nach«, verspricht Luca.

Platschend und stolpernd nähere ich mich dem Tunneleingang. Ich habe das sichere Gefühl, dass ich Sophia hier finden werde. Erneut stolpere ich und richte mich wieder auf. Meine Handflächen schwitzen, und ein pochender Schmerz pulsiert in meinem Kopf. Nur zu gut erinnere ich mich daran, wie es sich damals angefühlt hat, eingesperrt in diesem Schrank zu sitzen. Ich konnte nicht raus, ich dachte, ich würde ersticken. Trotzdem muss ich Sophia finden!

Ich blicke mich nach Luca um, doch er ist nicht zu sehen. Es regnet weiterhin in Strömen; der Tunnel läuft bestimmt bereits voll, ich kann nicht länger warten. Meine Beine zittern, als ich in die dunkle Öffnung klettere. Luca kommt bestimmt gleich!, sage ich mir. Ganz bestimmt! Ich leuchte mit der Taschenlampe meines Handys und stapfe langsam durch das Wasser. Es steht knöchelhoch, wird jedoch zunehmend tiefer. Ich atme hektisch und schwitze, obwohl ich völlig durchnässt bin. Zögernd werfe ich einen Blick zum Ausgang, aber irgendetwas in mir treibt mich weiter. Wenn ich mich schon so fürchte, wie muss sich dann erst ein kleines Mädchen fühlen? Das Ganze mag zwar unüberlegt und impulsiv sein – was auch immer man je über mich gesagt hat –, doch ich muss es einfach tun. Trotz meiner Platzangst.

»Sophia! Sophie!«, rufe ich mit zitternder Stimme. Mit einer Hand taste ich mich an der rauen Wand entlang, mit der anderen halte ich das Handy, während ich mich über den unebenen Boden weitertaste. Plötzlich türmt sich ein Steinhaufen vor mir auf; offensichtlich ist ein Teil der Decke eingestürzt. Auf beiden Seiten des Haufens staut sich das Wasser.

»Sophia!«, rufe ich wieder und spähe in die Finsternis. Mein Herz schlägt ohrenbetäubend laut, aber dann höre ich es.

»Zelda! Ich bin hier!«, schreit eine Kinderstimme.

»Ich komme, Schätzchen! Ich bin gleich da, halte durch!« Ich verschwende keinen weiteren Gedanken an die Dunkelheit oder meine Platzangst. Sophia braucht mich! Ich weiche dem Steinhaufen aus und folge ihrer Stimme.

Soweit ich das im Licht der Handytaschenlampe erkennen kann, hat sie sich ein paar Schnitte und Blutergüsse zugezogen. Sie kauert auf einem schmalen Felsvorsprung, neben ihr sitzt ein kleiner Hund. Das Wasser steht inzwischen knietief. Als ich die Hand nach Sophia ausstrecken will, knurrt der Hund und will das Mädchen beschützen.

»Sch, sch«, beruhige ich die beiden. »Halte durch, Schätzchen. Ich bin da.« Und ausnahmsweise habe ich nicht das Gefühl, im Chaos zu versinken – ich habe die Lage unter Kontrolle und lasse mich nicht beirren. Vorsichtig helfe ich Sophia von dem Felsvorsprung herunter.

»Und jetzt der Hund. Ich habe ihn Harry genannt, nach dem englischen Prinzen.«

»Natürlich, Harry kommt auch mit.«

Ich hebe den kleinen Hund hoch und stecke ihn in meine Jacke. Offensichtlich versteht er, dass sie nun beide in Sicherheit sind, und verhält sich ruhig.

Sophia klammert sich an mich, während ich mit dem Kind auf der Hüfte und dem Hund in der Jacke durch das steigende Wasser wate. Vorsichtig bewege ich mich an den heruntergefallenen Felsbrocken vorbei. Sophia erwürgt mich fast, als ich sie aus dem Tunnel trage. Wir zittern beide vor Kälte.

»Sophia! Zelda!«, ruft Luca aus und läuft auf uns zu. »Du hast sie gefunden!«

Er will mir das Mädchen abnehmen, doch es vergräbt seinen Kopf an meinem Hals und schluchzt vor sich hin.

»Sch, sch …«, murmele ich wieder beruhigend.

»Komm, bringen wie sie nach Hause!«, sagt Luca und legt den Arm um uns beide.

»Aber was, wenn Mama und Il Nonno böse auf mich sind?«

»Sie werden einfach nur glücklich sein, dich wiederzuhaben. Wir alle haben uns große Sorgen um dich gemacht, Sophia. Das ganze Dorf sucht nach dir.«

»Das ganze Dorf?« Fragend sieht sie mich an.

»Ja, das stimmt.«

Sie sagt nichts, doch sie lockert ihren Griff und lässt sich von meiner Hüfte gleiten. Als sie neben mir hergeht, hält sie meine

Hand ganz fest. Luca ruft Giuseppe und Lennie an, um die Suche abzublasen.

»Überlass Il Nonno mal mir«, sagt er. »Ich glaube nicht, dass er in nächster Zeit irgendjemandem das Leben schwer machen wird.« Mir ist klar, dass ihm die vorgetäuschten Herzprobleme seines Vaters nicht aus dem Kopf gehen. Es gibt einiges, worüber er nachdenken muss.

39. Kapitel

Auf unserem Weg zur großen Villa begegnen wir vielen Dorfbewohnern, die uns alle zuwinken und rufen: »Gott sei Dank ist sie in Sicherheit!« Erst als Luca als Reaktion seine freie Hand hebt, bemerke ich, dass die andere Hand immer noch auf meiner Schulter ruht, als wäre es das Natürlichste auf der Welt. Sophia geht zwischen uns, hält meine Hand und fühlt sich ganz offensichtlich sicher.

»Es war Zelda«, erzählt Luca jedem, den wir treffen, aber ich höre ihre Antworten nicht. Ständig muss ich daran denken, was passiert wäre, wenn das Wasser noch höher gestiegen wäre und ich Sophia nicht mehr rechtzeitig gefunden hätte. Der Gedanke geht mir nicht aus dem Kopf. Meine Zähne klappern, und ich zittere, genauso wie Sophia. Ich wünschte, ich könnte sie in etwas Trockenes einhüllen, doch stattdessen ziehen Luca und ich sie noch enger an uns, um sie zu wärmen.

Als wir uns dem großen Tor nähern, werden wir unwillkürlich langsamer und zögern, die Zufahrt hinaufzugehen – ein bisschen wie Dorothy und ihre Freunde bei ihrer Ankunft in der Smaragdenstadt, als sie nicht wissen, was sie erwartet, wenn sie dem großen und mächtigen Zauberer von Oz gegenübertreten. Doch ich weiß, und Luca weiß es auch, dass Romano genau wie der Zauberer ein Schwindler ist. Wir haben noch keine Zeit gehabt, uns darüber zu unterhalten, was geschehen ist, aber wir haben beide gesehen, dass er die Herzprobleme vorgetäuscht hat. Wir haben es beide registriert, und ich frage mich, wie Luca sich fühlt bei dem Gedanken, die ganze Zeit angelogen worden zu sein.

Das Tor steht weit offen. Inzwischen halten wir Sophia beide an der Hand. Luca blickt zur Villa auf, als sähe er sie zum ersten Mal; er wirkt, als fiele es ihm wie Schuppen von den Augen. Als wäre es nicht schon schlimm genug, dass sein Vater den Zitronenhain beschlagnahmt hat, so muss Luca jetzt auch noch feststellen, dass er all diese Jahre mithilfe von grundlosen Schuldgefühlen hier festgehalten wurde. Mit dieser raffinierten List wurde er dazu gebracht, genau das zu tun, was Romano von ihm wollte.

»Sophia!« Romano und Carina steigen mit weit ausgebreiteten Armen die Stufen hinunter, um sie zu Hause willkommen zu heißen. Sophia sieht zu mir auf. Als ich lächelnd nicke und ihre Hand loslasse, läuft sie auf ihre Mutter zu und stürzt sich in ihre Arme. Romano schlingt die Arme um die beiden und legt das Kinn auf den gebeugten Kopf seiner Großnichte, als wolle er die beiden in eine Schutzdecke einhüllen. Trotz seiner Fehler liebt er seine Familie von ganzem Herzen, denke ich.

»Zelda ist darauf gekommen, wo sie sein könnte, und hat sie gerettet«, sagt Luca unverblümt.

Romano richtet sich schließlich auf und sieht mir direkt in die Augen.

»Sie war echt mutig! Wenn sie nicht gekommen wäre ...«, sagt Sophia und bricht in Tränen aus.

Carina wirft mir einen Blick zu und nickt – damit drückt sie alles aus, was zu sagen ist: danke und Entschuldigung. Sie dreht ihre Tochter um und dirigiert sie die Treppe hinauf in die Villa. Dabei spricht sie von trockener Kleidung sowie Essen und Trinken.

Oben auf dem Treppenabsatz bleibt Sophia stehen und winkt uns zu. Das versetzt mir einen Stich, doch ich bin nicht sicher, ob es wegen meiner Mutter ist, die nie wirklich eine Mutter für mich war, oder wegen der Tatsache, dass ich selbst nie eine Mutter sein werde. Aber es tut weh, richtig weh. Ich weiß inzwischen, dass Lennie und ich keine Kinder haben werden. Mein Herz schmerzt, denn mir ist zudem klar geworden, dass es nicht Lennies Kinder sind, die ich gerne im Arm halten würde. In meinem Hals bildet sich ein dicker Kloß.

»Komm, gehen wir zurück. Lennie macht sich sicher schon Sorgen um dich«, sagt Luca. Als ich nicke, treten mir Tränen in die Augen.

Wir wenden uns zum Gehen.

»Danke«, sagt da eine raue Stimme. »*Grazie.*«

Ich drehe mich zu Romano um, und wir starren uns wortlos an.

»Sie haben Sophia gerettet ... sie ist für mich wie eine Enkelin«, sagt er schließlich. »Sie haben meine Familie beschützt. *Grazie mille.*«

Ich nicke.

»Möchten Sie hereinkommen? Etwas Trockenes anziehen und etwas essen und trinken?«

»No, *grazie*«, antworte ich. »Ich bin froh, dass es ihr gut geht und sie wieder zu Hause ist.«

»Sagen Sie mir, was Sie wollen«, sagt er. »Egal was.« Als er einen Schritt auf mich zukommt, werfe ich Luca einen fragenden Blick zu.

»Er möchte etwas tun, um sich bei dir zu revanchieren und dir zu danken. So wird das hier gehandhabt.«

Ich betrachte Romano und sage langsam und deutlich: »Ich will meine Limonen zurück. Das ist alles. Ich möchte nur in der Lage sein, meinen eigenen Lebensunterhalt zu verdienen.«

»Ich bin der rechtmäßige Besitzer sämtlicher Zitronen hier

in der Gegend ...« Er legt den Kopf schief, als verstünde er nicht richtig, was ich will.

»Als ob wir das nicht wüssten!«, knurrt Luca. Ich sehe, wie er die Hände zu Fäusten ballt.

»Es ist ein Geschäft, ein gutes Geschäft«, sagt Romano zu mir, doch ich verstehe, dass seine Worte eigentlich an Luca gerichtet sind.

»Hören Sie, ich will einfach nur wissen, wo die Verdello-Zitronen sind«, sage ich. »Sie haben mir angeboten, ich soll Ihnen sagen, was ich will. Nun, das habe ich getan. Überlassen Sie mir die Verdello-Zitronen, die wir von ›Ihren‹ Bäumen geerntet haben. Ich zahle dafür, sobald ich das Geld für den Limoncello erhalten habe. Geben Sie mir diese Chance.«

Er schüttelt den Kopf. »Tut mir leid. Ich weiß nicht, wovon Sie reden. Ich weiß nichts von irgendwelchen Verdello-Zitronen.«

»Pfft!« Ich mache eine wegwerfende Handbewegung und wende mich ab. Es hat keinen Sinn. Er gibt niemandem irgendetwas, solange er nicht selbst davon profitiert.

»*Papà,* nur du kannst es gewesen sein!« Luca spricht langsam und bedächtig. »Du steuerst schon viel zu lange alle Aktivitäten im Dorf. Du kontrollierst alles und jeden mit deinem Geld, deinen Schikanen und deinen Einschüchterungsmaßnahmen ...« Er schluckt. »Und mit deinen Lügen. Damit hast du zwar erreicht, was du wolltest, nämlich Kontrolle. Aber Respekt wirst du damit nicht erzielen ... keinen wahren Respekt. Und ich kann nicht mehr Teil deiner Welt sein. Ich bin fertig mit dir.«

Und nachdem er seinem Vater endlich die Meinung gesagt hat, wendet er sich zum Gehen.

»Luca! Warte!«, ruft sein Vater.

Ob er wohl wieder die Nummer mit den Herzproblemen

abziehen will? Doch ich drehe mich nicht um, um es herauszufinden. Auch Luca geht einfach weiter.

»Wartet!« Diesmal ist es Sophias Stimme. Ein Blick zurück zeigt uns, dass sie sich über das Geländer des Balkons direkt über der Haustür beugt.

»Pass auf dich auf, Sophia!« Ich winke ihr erzwungen fröhlich zu.

»Nein, wartet! Bleibt stehen!«, ruft sie, verschwindet vom Balkon und saust ins Haus.

Kurz darauf erscheint sie in der offenen Holztür mit dem schweren verschnörkelten Türklopfer und läuft die Steintreppe hinunter. Sie trägt einen großen, flauschigen Bademantel.

»Schätzchen, du hast dich doch schon bedankt. Ich bin sicher, Zelda erwartet nicht, dass du es ihr noch mal sagst«, meint Romano und versucht, sie wieder ins Haus zu bugsieren.

»Es ist in Ordnung, Sophia«, sage ich. »Hauptsache, du bist in Sicherheit. Und versteck dich nie wieder im Tunnel!«

»Nein, warte, du verstehst nicht. Ich bin zurück zum Tunnel gegangen ...«, setzt sie an, allerdings höre ich gar nicht richtig zu. Ich muss zurück zum Hof. Ich muss Lennie und den anderen erzählen, dass Sophia in Sicherheit ist, die Limonen aber weiterhin verschwunden sind und mit ihnen unsere Chancen, doch noch hierzubleiben. Ich überlege, ob ich den klassischen Satz von *Ich habe eine gute und eine schlechte Nachricht* anbringen soll.

»Und ich habe dir doch gesagt, mach es nicht noch mal!«, sage ich leichthin und versuche, es wie einen Scherz klingen zu lassen. »Nächstes Mal bin ich vielleicht nicht da, um dich zu retten.« Die Worte bleiben mir fast im Hals stecken, als mir klar wird, dass ich mich gerade verabschiede.

»Aber Zelda ...« Sophia holt tief Luft. »Ich weiß, wer die Verdello-Zitronen gestohlen hat!«

40. Kapitel

Von wütenden Gedanken angetrieben marschiere ich nach Hause. Ich bin so aufgebracht, dass sogar Lucas Angebot, mich mitzunehmen, auf taube Ohren stößt. Sophias Worte gehen mir nicht mehr aus dem Kopf.

Ich weiß, wer die Verdello-Zitronen gestohlen hat.

Während Luca im Schneckentempo auf dem Roller hinter mir herfährt und ganz offensichtlich besorgt ist, gehe ich weiter. Ich muss gehen, um den Kopf freizubekommen. Denn da ich nun Bescheid weiß, muss ich mir einen Plan zurechtlegen, wie ich mit der Situation umgehe.

41. Kapitel

»Du bist zurück!«

»Wir haben uns solche Sorgen gemacht!«

Alle sind in der Küche versammelt, offensichtlich frisch geduscht und trocken. Nur ich stecke noch in meinen durchweichten Klamotten.

»Geht's ihr gut?«

Die Fragen prasseln auf mich ein und verschwimmen zu einer einzigen.

»Es geht ihr gut. Sie ist ein bisschen durcheinander und hat ein paar blaue Flecken, aber sonst ist alles in Ordnung«, sage ich schließlich mit blauen Lippen und klappernden Zähnen.

»Gott sei Dank!«, sagt Sherise.

»Nun, das war vielleicht ein Abenteuer!«, meint Barry.

»Ich habe noch nie so viele Menschen im Dorf gesehen«, wirft Tabitha ein.

»Und Giuseppe und Romano haben gemeinsam gesucht. Das war vielleicht ein Tag!«, fügt Lennie hinzu.

Alle sind damit beschäftigt, gemeinsam das Abendessen zuzubereiten, als täten sie das schon ihr ganzes Leben lang. Und mir wird klar, wie lange ich weg gewesen bin.

»Dann sind die Verdello-Zitronen also wirklich verschwunden?«, fragt Sherise.

»Ja«, antworte ich mit noch stärker klappernden Zähnen.

»Dann war's das also. Wir müssen abreisen, wir können

keine andere Arbeit finden.« Ralph, der sich eine Schürze umgebunden hat und gerade Zwiebeln schält, hält inne. Ganz kurz denke ich, wie seltsam es ist, dass sein Aufzug hier völlig normal wirkt.

»Jemand wünscht sich ganz dringend, dass wir abhauen«, sagt Barry und stellt einen Topf mit Wasser auf den Herd.

»Ja ...«, wiederhole ich, »ist es nicht so, Valerie?«

Als sich alle umdrehen, um Valerie anzusehen, spüre ich, wie mir das Blut in den Adern gefriert. Ihr Gesichtsausdruck bestätigt, was ich zuvor erfahren habe. Der Boden wird mir unter den Füßen weggezogen.

42. Kapitel

»Wie konntest du nur?«, sage ich wie betäubt, während mir heiße Tränen der Wut in die Augen treten.

»Es ist nicht so, wie du denkst. Oder vielleicht doch.« Sie bricht in Tränen aus.

»Sag mir einfach, wo die Limonen sind, Valerie!« Ich muss mir große Mühe geben, nicht laut zu werden.

Langsam steht sie auf, der Stuhl schrammt über den Boden, und dann führt sie uns nach draußen, um die schlammigen Pfützen herum auf den Zitronenhain zu … und auf das Hühnerhaus. Überall liegen halbierte Limonen herum.

»Mum!«, sagt Lennie verwirrt und sieht sich fassungslos um.

»Die Hühner mögen sie nicht wirklich«, sagt Valerie leise.

»Das sind nicht alle. Wo ist der Rest?«, frage ich mit Nachdruck.

Beschämt hebt sie das Dach des Hühnerhauses hoch. Es ist mit Früchten vollgestopft. Die Hühner hocken auf den Limonen und kacken auch darauf.

»Mehr haben nicht reingepasst, also … «

»Ja, Valerie?« Allmählich wird mir bewusst, dass es keine Hoffnung mehr gibt, die Verdello-Zitronen zu retten.

»Bevor ihr aufgestanden seid, bin ich Richtung Ätna gefahren, bis dahin, wo der Berg zu einer schwarzen Mondlandschaft wird, und … «

»Ja?«, dränge ich.

»Ich habe an einem Aussichtspunkt für Touristen angehalten und die Früchte den Hang hinuntergeworfen.«

Sie lässt den Kopf hängen, hoffentlich aus Scham. Eine einzelne Limone fällt von dem Haufen und lässt eines der Hühner vor Überraschung gackern. Die Frucht rollt aus dem Hühnerhaus auf uns zu, gefolgt von einer weiteren.

Alle stehen fassungslos im Hof und starren auf die ruinierten Zitronen.

Ich zittere, aber nicht nur, weil mir die kalten, nassen Klamotten am Körper kleben, sondern auch wegen des unglaublichen Verrats. Ich friere bis in mein Innerstes, obwohl die Sonne gerade zwischen den Wolken auftaucht und die Luft erwärmt.

»Mum! Um Himmels willen, was hast du getan?« Lennie hat endlich die Sprache wiedergefunden, während wir alle noch verarbeiten müssen, was passiert ist.

Lennie bringt mich in unser Zimmer, dreht die Dusche an und legt ein sauberes Handtuch für mich bereit. Als ich aus der Dusche komme, wartet auf dem Nachttisch heißer Kaffee auf mich. Ich befinde mich in einer Art Schockzustand. Doch ich weiß, dass ich mich immer auf Lennie verlassen kann, egal was seine Mutter auch getan haben mag.

Ich nehme die Kaffeetasse, trete ans Fenster und stoße die Fensterläden auf, von denen die Farbe abblättert. Wie betäubt starre ich über den Zitronenhain hinauf zum Ätna, wo meine Verdello-Zitronen in einem Aschegrab verrotten. Città d'Oro zur Rechten sieht aus wie eine Stadt aus Terrakotta, die sich den Hang hinunter Richtung Meer erstreckt, wo sich der Tunnelausgang befindet. Wo heute früher am Tag das Schlimmste hätte passieren können – wegen Valerie.

Valerie, ausgerechnet Valerie. Die Frau, die mich bei sich aufgenommen hat, die mir ein Zuhause gegeben hat. Die immer darauf bestanden hat, dass ich Tee und Toast frühstücke, bevor ich morgens das Haus verließ, und die mir immer Gute Nacht gewünscht hat, wenn ich schlafen ging. Die Frau, die mir Sicherheit gegeben hat. Und dann hat sie mich heute dem schlimmsten Albtraum ausgesetzt, den ich mir vorstellen kann. Allein in einem Tunnel mit einem kleinen Mädchen, allein mit meinen Erinnerungen an die furchtbaren Nächte, die ich im Schrank versteckt verbringen musste – zu verängstigt, um herauszukommen.

Ich trinke einen Schluck Kaffee und stelle fest, dass Lennie irgendetwas Starkes hineingetan hat, wahrscheinlich gegen den Schock. Den Schock über die Erkenntnis, dass die einzige Frau in meinem Leben, von der ich glaubte, mich auf sie verlassen zu können, mich jetzt verraten hat. Nicht nur verraten, sondern zudem versucht hat, alles kaputt zu machen. Ich fühle mich vollkommen verloren. Ich dachte, wir könnten auf Sizilien einen Neustart hinbekommen; ich dachte, ich hätte endlich eine vernünftige Entscheidung getroffen, könnte mir ein Leben aufbauen und dem Club der glücklich Verheirateten mit einem Heim und einem Geschäft beitreten.

Ich wische mir die Tränen ab, die mir über die Wangen laufen. Es ist nicht das erste Mal, dass ich mich im Stich gelassen fühle – von Menschen, von denen ich glaubte, sie liebten mich. Doch zumindest habe ich immer noch Lennie, denke ich, als ich mich vom Fenster abwende und mein Blick auf die trockene Kleidung fällt, die er für mich auf dem Bett bereitgelegt hat. Ich weiß, dass er mich nicht hängen lassen wird. Oder etwa doch? Ich hätte auch nie geglaubt, dass Valerie mich so hintergehen könnte. Plötzlich habe ich das Gefühl, als würde ich über Treibsand gehen.

Ich ziehe mich an und spritze mir kaltes Wasser ins Gesicht, anschließend steige ich langsam und so ruhig, wie mein zittriger Körper und mein nervöser Geist es zulassen, die Treppe hinunter, wo sich die übrigen Bewohner versammelt haben.

»Oh, Zelda!« Valerie springt auf. Ganz offensichtlich hat sie geweint, und die anderen stehen um sie herum und haben ihr die Hände auf die Schulter gelegt. Ich spüre, wie ich mich versteife. Sie mögen ihr verziehen haben, ich allerdings nicht. Ich bleibe stehen und starre sie an. Dieses Gesicht hat mir immer so viel bedeutet.

»Bitte, Liebes, lass mich es dir erklären. Ich war so blöd.« Sie will meine Hand nehmen, doch ich lasse sie schlaff fallen.

Lennie tritt vor, und ich lasse zu, dass er mich zum Küchentisch führt. Meine Miene ist verschlossen. Luca ist auch da, aber ich sehe ihn nicht an. Ich kann nicht. Jedes Mal, wenn ich es tue, fährt mein Magen Karussell, und mein Herz schlägt doppelt so schnell wie normal. Vielleicht hat es sein Gutes, wenn wir abreisen, denn ich ertrage es nicht mehr, mich so zu fühlen.

Ich weiche seinem Blick weiterhin aus. Was auch immer diese Wirkung auf mich ausübt, ich muss dem einen Riegel vorschieben. Vielleicht ist das alles aus einem bestimmten Grund passiert. Es soll nicht sein, dass Lennie und ich hier sind; es soll nicht sein, dass wir beide heiraten. Es war nur eine dumme Idee, völlig impulsiv. Ich habe davon geträumt, wie andere Menschen zu sein, erwachsen zu werden und eine Familie zu gründen. Meine Mutter hat es nicht hinbekommen, sie hat einen Fehler nach dem anderen begangen. Sieht so aus, als wäre der Apfel – besser gesagt, die Limone – nicht weit vom Stamm gefallen.

»Ja, ich habe die Limonen genommen«, sagt Valerie, setzt sich wieder hin und schnieft in ein Taschentuch. Ich konzentriere mich auf sie und nicht auf Luca. Sie sieht die anderen an, die die Geschichte anscheinend schon gehört haben. Sie nicken ihr aufmunternd zu. Ich prüfe, ob Tabitha sich Notizen macht, was zum Glück nicht der Fall ist. »Ich habe sie genommen ...«, Valerie schluckt, »weil ... ich nach Hause wollte.«

Verwirrt sehe ich sie an.

»Ich wollte, dass ihr mitkommt, Lennie und du, und zu mir ins Haus zieht. Es ist viel zu groß für mich. Ich wusste immer, dass der Tag kommen wird, an dem er ausziehen will. Ich bin unglaublich einsam. Solange Lennie da war, hatte ich wenigstens jemanden, für den ich kochen und waschen konnte. Aber ich wusste auch, dass du nicht zustimmen würdest, wenn ich dich einfach nur frage.«

Ich sage nichts. Ihr Blick huscht zu Luca und zurück zu mir.

»Ich wollte nicht, dass eurer Hochzeit etwas in die Quere kommt.«

Mein Herz beginnt zu rasen, und mein Mund wird trocken. Hat sie uns gesehen? Ich Idiotin! Warum zerstöre ich immer alles Gute in meinem Leben?

»Ich dachte, wenn die Limonen verschwinden, verdächtigt ihr Il Nonno. Dann hättet ihr endgültig die Nase voll von Città d'Oro und kämt mit mir nach Hause.«

»Aber was ist mit dem Ätna? Und der Hochzeit?«, fragt Sherise.

»Es tut mir so leid. Ich habe alles kaputt gemacht.« Valerie versteckt das Gesicht wieder im Taschentuch.

»Aber wie hast du es getan? Wie hast du die ganzen Limonen transportiert?«

»Ich bin mit dem Kleinbus gefahren, ganz früh heute Morgen. Ich habe auch das kleine Mädchen gesehen, Sophia. Sie war allein. Ich habe ihr zugewinkt.«

»Sie muss dir gefolgt sein. Wahrscheinlich wollte sie wieder im Bus mitfahren.«

Valerie schluchzt laut auf. »Es tut mir so leid! Es war so dumm von mir, das ist mir jetzt klar.«

»Wir alle machen mal Fehler, liebe Valerie. Wir wären nicht hier, wenn es nicht so wäre«, sagt Barry.

Als ich ihn ansehe, dämmert es mir. Er hat recht, denke ich. Wir machen alle mal Fehler, aber ich will keine weiteren mehr begehen. Ich denke an den Kuss, an Luca und mich und an das Gefühl, endlich alles gefunden zu haben, wonach ich je gesucht habe. Doch nun muss ich es in eine Kiste packen und den Deckel schließen, denn diesen Fehler darf ich nicht noch einmal begehen.

»Wenn du willst, dann gehe ich«, sagt Valerie.

Ich antworte nicht. Ich kann einfach nicht. Was soll ich sagen? Dass es ganz bei ihr liegt? Ich treffe diese Entscheidung nicht. Wenn sie gehen will, wäre es nicht das erste Mal, dass ich allein zurückbleibe.

In diesem Moment trifft Giuseppe ein.

»Was ist los? Was ist passiert?«, will er wissen.

Alle reden durcheinander, um es ihm zu erklären, wie eine laute sizilianische Familie, deren Mitglieder alle gleichzeitig die Neuigkeiten loswerden wollen. So weit sind wir gekommen, denke ich, und um meine Mundwinkel zuckt unwillkürlich ein leichtes Lächeln.

»Aber die Hochzeit?« Giuseppe ist bestürzt.

»Es wird eine Hochzeit geben.« Lennie lächelt und zerzaust mir das frisch gewaschene Haar. Doch mein Magen fährt nicht Karussell. Ich empfinde keine Leidenschaft. Ich gebe mich mit Umarmungen und Kaffee am Bett zufrieden und mit dem Bewusstsein, dass er immer für mich da sein und mich nie im Stich lassen wird. Wir werden trotz allem heiraten. Doch eine kleine Stimme in meinem Kopf flüstert mir zu, dass es eine Hochzeit aus den falschen Gründen sein wird. »Zunächst müssen wir allerdings eine Ladung Limoncello herstellen …« Er klatscht in die Hände.

»Aber die Früchte können nicht mehr verwendet werden!«

Erschöpft setze ich mich hin. »Tabitha hat recht. Die Verdello-Zitronen können nicht mehr verwendet werden.«

Luca sieht mich an. »Diese Verdello-Zitronen hier nicht, das stimmt …« In seinem Kopf scheint ein Gedanke zu entstehen. »Aber weil alle Zitronenhaine in der Gegend zu wenig Wasser bekommen, gibt es sehr viele Verdello-Zitronen.«

»Also …« Ich begreife, was er damit sagen will. »Wir brauchen neue Früchte. Und dein Vater hat sie.«

»Ja.« Er nickt. »Ich werde mit ihm reden.«

»Nein!«, widerspreche ich. »Ich gehe zu ihm. Schließlich ist er mir was schuldig, vergiss das nicht!« Und schon greife ich nach meiner Handtasche, die zu meinem ständigen Begleiter geworden ist, seit ich sie gefunden habe. Das grüne Band und das Rezept sind immer noch darin verstaut, und irgendwie fühlen sich die Sachen wie Glücksbringer an.

»Hier, nimm die mit.« Luca hält mir eine Flasche Verdello-Limoncello hin.

»Aber die ist doch für die Hochzeit.«

»Wenn es gut läuft, wirst du mehr als genug davon für die Hochzeit haben.« Er lächelt. »Lass den Likör sein Wunder vollbringen.«

»Und kipp Romano nicht den Limoncello über den Kopf – und tu auch sonst nichts Verrücktes«, sagt Lennie mit einer Mischung aus Humor und Sorge. »Matteo sagt …«

Luca schneidet ihm das Wort ab. »Matteo und du, ihr seid

wie ein altes Ehepaar.« Er wirft den Kopf zurück und lacht, und nur einen Sekundenbruchteil später stimmt Lennie in das Lachen ein. Ich betrachte die beiden, die so gute Freunde geworden sind. Sie sind wie zwei Brüder, die sich gegenseitig necken und auf den Arm nehmen.

Lennie wendet sich wieder mir zu. »Sei einfach vorsichtig, Zelda, das will ich damit sagen. Wir wissen, wie du sein kannst.« Er wirkt besorgt, und ich weiß, dass er es sagt, weil er mich gernhat.

»Ich glaube, dass Zelda klarkommt. Vielleicht hat mein *papà* in ihr seinen Meister gefunden!« Als Luca lacht, muss ich unwillkürlich schmunzeln und nehme ihm den Limoncello aus der Hand.

Als unsere Finger sich dabei berühren, ist es, als hätte ich einen Stromschlag erhalten. O Gott, denke ich, ich liebe zwei Männer! Ich liebe sie beide, doch auf verschiedene Art und Weise. Mein Kopf fühlt sich an, als sei er mit Watte gefüllt, meine Gedanken sind zu Brei geworden. Genau wie damals in der Schule, wenn ich durcheinander war und meine Gedanken und Gefühle nicht sortieren konnte. Ich muss mich entscheiden! Doch wie?

Mit der Flasche in der Hand stürme ich praktisch aus dem Haus und laufe den Weg entlang. Dabei weiche ich den großen, schlammigen Pfützen aus, die jetzt die Schlaglöcher füllen, und versuche, Ordnung und Klarheit in meine Gedanken zu bringen. In meinem Kopf pocht es heftig, die Geräusche werden immer lauter. Aber dann begreife ich, dass der Lärm nicht in meinem Kopf entsteht. Es ist im Dorf. Und als ich näher komme, bietet sich mir ein höchst erfreulicher Anblick – an den Häusern finden Bauarbeiten statt! An unseren Häusern! Und Matteo hebt grüßend eine Hand.

43. Kapitel

Ich liebe Lennie! Ich liebe ihn wirklich!, wiederhole ich ständig im Geiste, doch dann taucht ein Bild von Luca auf, wie er lächelt und sagt: »Ich glaube, dass Zelda klarkommt.« Und dieses Bild lässt mich nicht mehr los. Auf der einen Seite der Mann, der sich Gedanken um mich macht und sich um mich sorgt; auf der anderen Seite der Mann, der mich versteht und sich keine Sorgen macht, weil er weiß, dass ich es hinbekomme. Der eine hilft mir atmen; der andere raubt mir den Atem.

Aber ich weiß, dass ich nicht beide Männer haben kann. Es kann nur einen für mich geben, und mir ist klar, welcher das sein muss. Es gibt keinen anderen Weg, oder etwa doch?

44. Kapitel

»Es tut mir leid. Ich hätte Sie nicht beschuldigen dürfen, die Verdello-Zitronen genommen zu haben«, sage ich, hebe das Kinn und sehe Romano direkt in die Augen. Ich stehe vor ihm auf der obersten Treppenstufe der Villa.

Als er meine Entschuldigung mit einem Nicken zur Kenntnis nimmt, frage ich mich schon, ob es das jetzt war – wird er sich umdrehen und mir wie schon einmal die Tür vor der Nase zuknallen? Doch stattdessen tritt er zur Seite und macht eine einladende Handbewegung.

»*Prego*. Kommen Sie herein«, sagt er.

Plötzlich bin ich nervös und versuche meine Gedanken zu ordnen, die gerade wild durcheinanderpurzeln.

Ich trete in die Eingangshalle. Große dunkle Möbelstücke, riesige silberne Lampen, hohes grünes Farnkraut und eine geschwungene Marmortreppe, die auf eine Galerie hinaufführt.

Ich lasse meinen Blick schweifen. Verglichen mit den anderen Häusern, die ich im Dorf gesehen habe, ist es hier … nun ja, ganz anders. Nicht im Geringsten ländlich oder rustikal. Das Haus ist eine seltsame Mischung aus Alt und Neu.

Romano führt mich über den Marmorfußboden zu einer großen Veranda. Die Aussicht ist so unglaublich, dass es mir beinahe den Atem verschlägt, als ich an die Marmorbrüstung trete. Ich bleibe stehen und nehme alles in mich auf. Das Rathaus und die Kirche, die Piazza mit den Palmen und die Häuser in blassem Rosa und mit Elementen aus grünem Schmiedeeisen verziert und in der Ferne das leuchtend blaue Meer. Auf der anderen Seite ragt der Ätna über dem Dorf auf, das Herzstück jedes Fotos. Langsam steigt Rauch empor und umhüllt den Gipfel wie eine tief hängende Wolke.

Über die Veranda rankt eine wunderbar duftende Glyzinie. Das Ganze mutet regelrecht paradiesisch an. Das Einzige, was das Bild trübt, ist die teilweise fertiggestellte Sporthalle in der entfernten Ecke des Gartens. Auf einmal fällt mir wieder ein, was dieser Mann alles getan hat, um uns aus dem Dorf zu vertreiben und seinen Sohn an einem Ort zu halten, an dem er gar nicht sein möchte. Ich spüre, wie sich mir die Nackenhaare aufstellen.

»Kaffee?«, fragt er. Als ich mich umdrehe, nimmt er gerade einen Kaffeebereiter von dem Tisch hinter mir.

»*Grazie*«, antworte ich. Es überrascht mich, wie rasch ich mich an die sizilianischen Gepflogenheiten gewöhnt habe. Ich kann mir gar nicht mehr vorstellen, nach England zurückzukehren.

Ich lehne an der Steinbalustrade, trinke meinen Kaffee und betrachte wieder die fantastische Aussicht. Dabei fällt mir der Balkon ein, der in der Gewitternacht heruntergestürzt ist, und trete schnell einen Schritt zurück.

»Bitte setzen Sie sich doch.« Romano deutet auf einen Rattanstuhl.

Ich würde lieber stehen bleiben, wenn ich ehrlich bin – ich gehe gerne auf und ab, wenn ich denke und rede –, aber es würde sich nicht gehören. Also setze ich mich und lasse die sizilianische Sonne die Verspannungen in meinen Schultern lindern. Romano nimmt mir gegenüber Platz.

»Ich hatte noch keine Gelegenheit, Ihnen richtig für die Rettung meiner Großnichte zu danken. Sie ist für mich wie eine

Enkeltochter, wie ich Ihnen schon erklärt habe. Das einzige Kind in der Familie. Ich ... Es ist wichtig, dass ich nicht noch ein Familienmitglied verliere. Deshalb arbeite ich daran, dass alle hierbleiben und in Sicherheit sind.«

Als ich mich umsehe, entdecke ich in den Ecken der Veranda und überall im Garten verteilt Überwachungskameras. Ich gebe mir große Mühe, nicht zu kontern, dass er eher ein Gefängnis als einen sicheren Hafen geschaffen hat. Ein Gefängnis, das mindestens ein Familienmitglied unbedingt verlassen möchte.

»Ich hätte zu Ihnen kommen sollen. Es tut mir leid. Ich habe mich immer noch nicht revanchiert«, sagt Romano.

»Sie haben erlaubt, dass die Bauarbeiten an den Häusern beginnen«, antworte ich und trinke noch einen Schluck Kaffee. »Danke dafür. Mir sollte es übrigens leidtun – wie gesagt, ich hätte Sie nicht beschuldigen dürfen, die Verdello-Zitronen genommen zu haben. Sie waren es nicht.«

»Wir alle machen Fehler«, erwidert er. Diese Worte höre ich heute nicht zum ersten Mal. »Worte der Entschuldigung zu finden ist am allerschwierigsten. Danke.«

»Verzeihen ist ebenfalls schwierig«, sage ich, ohne zu überlegen, und denke dabei daran, dass Luca mir erzählt hat, Romano könne einfach die Trennung von seiner Frau nicht verkraften. Sofort wünsche ich mir, ich hätte die Klappe gehalten. Warum gibt es nicht eine Art Knopf, um Bemerkungen nachträglich zu bearbeiten? Als er mich ansieht, senke ich den Blick und trinke einen Schluck Kaffee, damit mein Mund nicht noch mehr Dinge sagen kann, die ich bedauern würde.

»Ich habe Ihnen das hier mitgebracht – als eine Art Entschuldigung.« Ich nehme die Flasche aus meiner Tasche, weil es bestimmt am besten ist, zum Geschäftlichen überzugehen, bevor ich mich noch tiefer reinreite.

Er greift nach der Flasche, betrachtet sie genau und liest das handgeschriebene Etikett, das Ralph angefertigt hat.

»Das sieht gut aus. Haben Sie das entworfen und geschrieben?«

Ich schüttele den Kopf. »Ich hätte es nicht hinbekommen«, sage ich. »Ich bin Legasthenikerin. Legasthenie und Impulsivität – das ist keine erfolgreiche Kombination.«

»Vielleicht sind es genau diese Eigenschaften, die Sie zu dem Menschen machen, der Sie sind«, erwidert er glatt.

Ich erinnere mich an Lucas Blick und denke an all die Dinge, die ich im Laufe meines Lebens vermasselt, an all die Fehler, die ich begangen habe. Vielleicht bin ich dadurch tatsächlich zu der Person geworden, die ich heute bin. Ich bin in der Tat impulsiv und leidenschaftlich, doch wäre ich das nicht, wäre ich jetzt nicht hier; ich hätte den Kampf um die Umsetzung meines Traumes schon lange aufgegeben. Ich bin Legasthenikerin, und genau deshalb habe ich mich eher auf praktische Tätigkeiten konzentriert – wie den Kauf und Verkauf von Möbeln und Kleidung in meinem Laden, den ich selbst eingerichtet und ausgestattet habe. Aber das ist auch der Grund, warum ich keinen Job länger behalten konnte. Es bringt mich aus dem Konzept und verwirrt mich, wenn andere Leute mir ständig sagen, was ich tun soll. Daher hat es so wunderbar funktioniert, als ich allein gearbeitet habe, und das ist auch der Grund, warum ich mir diese Chance nun nicht durch die Lappen gehen lassen kann. Mein Herz schlägt so laut, dass ich mir Sorgen mache, Romano könne es hören.

Er hält die Flasche gegen das Licht und prüft die Farbe.

»Aber Sie haben den Likör gemacht, oder?«

Ich nicke. »Luca hat mir erklärt, wie es geht.«

Romano steht auf, geht zu einer Anrichte aus dunklem Holz

und kehrt mit zwei Gläsern an den Tisch zurück. Mein Herz schlägt – falls das überhaupt möglich ist – noch lauter, und ich fühle mich wie in einem Amphitheater, in dem ich gleich den Löwen zum Fraß vorgeworfen werden soll.

Er nimmt die Flasche und prüft erneut die Farbe der Flüssigkeit.

»Von Rechts wegen hätte ich Ihnen für die Verdello-Zitronen eine Gemeindesteuer in Rechnung stellen müssen … weil Sie sich etwas genommen haben, was nicht Ihnen gehört.« Er sieht mich an, doch ich halte seinem Blick stand.

»Von Rechts wegen muss ich Sie darauf hinweisen, dass Sie die Menschen in der Gegend seit langer Zeit als Geiseln halten«, sage ich prompt. Ich bin außerstande, mich zurückzuhalten; es ist, als wäre der Damm schon wieder gebrochen.

Er antwortet nicht, sondern konzentriert sich darauf, den Limoncello einzuschenken. Ein Glas schiebt er in meine Richtung.

»Ihre Familie«, fahre ich fort – während ich an Luca denke und mir wünsche, ich könne aufhören –, »und die Dorfbewohner. Dieser Ort stirbt, und es wird nicht mehr lange dauern, bis der letzte Mensch das Licht ausmacht und die Tür abschließt, weil alle gegangen sind.«

Konzentriert mustert er die grüne Flüssigkeit in seinem Glas. Ich halte die Luft an, während ich darauf warte, dass er mich auffordert zu gehen. Verdammt! Ich habe es wieder vermasselt! Warum kann ich nicht einfach mal den Mund halten?

Ich nehme meine Tasche und stehe auf. Doch als ich in seine Richtung schaue, hebt er gerade das Glas an die Lippen und legt den Kopf zurück. Der schwarze Hut, den er offensichtlich ständig trägt, fällt ihm beinahe vom Kopf. Ich kann erkennen, dass er hinter seiner Sonnenbrille die Augen schließt.

Er senkt das Glas, sagt jedoch nichts, sondern leckt sich nur ausgiebig die Lippen, immer wieder. Dann setzt er zu meiner Überraschung den Hut und die Sonnenbrille ab, und ich kann zum ersten Mal sein Gesicht richtig sehen. Eine gewisse Ähnlichkeit mit Luca ist unverkennbar.

Er legt sich eine Hand vor die Augen, anschließend reibt er sich mit dem Daumen ein Auge.

»Geht's Ihnen gut?«, frage ich und strecke instinktiv die Hand nach ihm aus, bevor mir die vorgetäuschten Herzbeschwerden wieder einfallen. Ruckartig ziehe ich die Hand zurück. Ich bin, na ja, irgendwie verwirrt. Was passiert hier gerade? Ich warte darauf, dass er mich auffordert zu gehen. Ich bin bereit, ich bin daran gewöhnt.

Langsam hebt er den Kopf und öffnet die Augen.

Wenn er mir jetzt sagen will, dass ich nichts über sein Leben und seine Geschäfte weiß, hat er vollkommen recht. Doch ich werde ihm meine Meinung darüber sagen, was er Luca und dem Dorf angetan hat.

Ich hole tief Luft, aber dann halte ich inne, als ich die Tränen auf seinen Wangen bemerke. Er weint, er weint tatsächlich!

45. Kapitel

»So«, sagt er und hebt das Glas, »genau so hat mein Heimatort immer geschmeckt. Der Ort, an dem ich aufgewachsen bin, an dem ich meine Familie gegründet habe, wo alle meine Hoffnungen und Träume lagen. Das ist es. Es ist Nonnas Rezept, nicht wahr?«

Ich nicke. »Ja«, antworte ich, »und Ihr Heimatort könnte auch wieder so werden. Ich habe eine Bestellung für diesen Limoncello. Aber die Verdello-Zitronen, die wir gestern gepflückt haben, sind vernichtet worden. Ich brauche neue, und da Sie das gesamte Land in der Gegend besitzen, haben nur Sie Limonen.«

Er erhebt sich, tritt an die Balustrade und betrachtet die Aussicht, als würde er sie zum ersten Mal seit langer Zeit wieder wahrnehmen. »So sollte dieser Ort schmecken. Das ist der Ort, an den ich gehöre – alles, was ihn ausmacht, ist in dieser Flasche vereint.« Wieder hält er das Glas in die Höhe, und das Licht scheint durch die leuchtend grüne Flüssigkeit.

Romano sieht mich an. »Nehmen Sie die Limonen, so viele, wie Sie brauchen. Matteo soll Ihnen helfen, die Zäune um die Zitronenhaine zu öffnen. Beginnen Sie mit dem hier. Sagen Sie Giuseppe, er soll die Dorfbewohner mit ins Boot nehmen – so wird das Ernten viel schneller gehen. Keiner von ihnen bewegt sich heutzutage besonders schnell, doch allein die bloße Anzahl wird hilfreich sein.«

Ich brauche einen Augenblick, um zu begreifen, was er da sagt. Es ist ein Ja! Ich strahle über das ganze Gesicht. »Danke, Romano!«, rufe ich aus, »*grazie mille!*« Ich grinse wie eine Verrückte, als mir klar wird, dass wir wieder auf Kurs sind. Aus einem Impuls heraus umfasse ich sein tränenfeuchtes Gesicht mit beiden Händen und gebe ihm einen Kuss auf die Wange. Ich weiß nicht, wer von uns beiden überraschter ist. Dann renne ich aus dem Haus, die Zufahrt hinunter, durch das Tor und weiter bis nach Hause, um den anderen die gute Nachricht zu überbringen.

»Ich werde allen Bescheid geben«, schlägt Barry vor, und schon steigt er auf sein Fahrrad, das zu seinem ständigen Begleiter geworden ist. »Ich fahre ins Dorf und sage allen, die ich sehe, dass sie uns helfen sollen.«

»Wir fangen morgen früh an«, teile ich mit.

»Ich werde da sein«, antwortet Ralph.

»Ich auch«, meldet sich Tabitha zu Wort.

»Okay, dann informiere doch bitte alle, dass wir uns im Zitronenhain oben auf dem Hügel treffen«, sage ich.

»Was? Bei Il Nonno?«, fragt Lennie.

»Genau.« Ich lächele.

»Ich wusste, dass du es schaffst, Zelda!« Er zieht mich an sich und küsst mich auf die Stirn, anschließend wirft er einen Blick auf sein Handy. »Matteo kommt gleich, um die Zäune abzubauen. Er räumt gerade auf der Baustelle an den Häusern auf. Sieht so aus, als gäbe es jetzt jede Menge Arbeit für mich!«

Früh am folgenden Morgen, als die letzten Verdello-Zitronen in diesem Hain geerntet werden, stehe ich oben auf dem Hügel und betrachte den orange gefärbten Himmel über dem Meer und den goldenen Pfad, den die Sonne über das Wasser legt. Hinter mir befindet sich der Ätna. Zwischen den Zitronenbäumen wimmelt es von Menschen, die arbeiten und sich dabei unterhalten – ein toller Anblick.

Giuseppe und Valerie haben sich zusammengetan, und Il Nonno und seine Großnichte bilden ein Team; er trägt Sophia auf den Schultern, und sie pflückt die Zitronen. Matteo ist gekommen und hat zusammen mit Lennie die Früchte von den höheren Ästen geerntet, an die die älteren, gebeugten Gemeindemitglieder nicht drankommen. Das Paar, das mir die Blumen geschenkt hat, hält sich an den Händen und hilft sich gegenseitig, von einem Baum zum nächsten zu gelangen. Der kleine Hund Harry, den Sophia im Tunnel gefunden hat, rennt zusammen mit Rocca durch das hohe Gras und die Wildblumen. Rocca hat neuen Schwung bekommen, seit Harry aufgetaucht ist. Die Sonne ist angenehm und wärmt den Boden und unsere Seelen, bevor später die Tageshitze einsetzen wird.

Luca kommt auf mich zu. Ich rieche ihn schon, ehe ich ihn hören oder sehen kann. Ich weiß, dass er da ist, und mein Herz beginnt zu rasen.

»Ein schöner Anblick«, sagt er und betrachtet die in Reihen angeordneten Zitronenbäume. »Wenn es doch nur immer so sein könnte.«

Inzwischen steht er so nahe neben mir, dass unsere Hände sich beinahe berühren; das reicht, um die Verbindung zwischen uns zu spüren.

»Ja«, erwidere ich mit klopfendem Herzen. »Wenn es doch nur immer so sein könnte.«

Wir schweigen, bis Lennie verkündet, dass wir fertig sind und die letzten Verdello-Zitronen mit Matteos Lieferwagen zum Hof gebracht werden können.

»Vergiss nicht die Anprobe für dein Brautkleid«, sagt Luca. Der Moment ist vorbei, und die Realität hat uns wieder. »Komm einfach zu mir, sobald du den Limoncello angesetzt hast.«

Ich nicke in dem Bewusstsein, dass wir zum letzten Mal allein sein werden. Die Hochzeit ist bereits in zwei Wochen. *Wenn es nur doch immer so sein könnte.* Ich wiederhole seine Worte im Kopf, während ich tief Luft hole. Es ist, als würde ich den Moment in die Länge ziehen, damit er sich in mein Gedächtnis einbrennen kann. Mit einem Korb voller Limonen am Arm gehe ich zum Lieferwagen.

Als ich den Wagen erreiche, wartet dort bereits Il Nonno. Vorsichtig hebt er Sophie von den Schultern und lacht.

»Hat es dir Spaß gemacht?«, frage ich sie.

»Es war toll! Sonst sind wir nie in den Zitronenhainen. Ich liebe es!« Während sie strahlt, denke ich an das kleine Mädchen, das immer zu Hause saß und lernte. Sie durfte nie weiter gehen als bis zur Piazza. Trotz des weiten Landes rund um das Dorf war sie eingesperrt wie der Vogel im Käfig, der ihr Gesellschaft leistete.

»Offensichtlich stehe ich schon wieder in Ihrer Schuld«, sagt Il Nonno. »Sie haben hier heute ein kleines Wunder vollbracht.« Er lächelt, während er zusieht, wie Sophia mit den Hunden durch das hohe Gras tollt. »Was kann ich diesmal tun, um mich zu revanchieren?«

»Dafür besteht gar keine Ursache. Ich habe momentan alles, was ich brauche.« Ich deute auf die Limonen in meinem Korb.

Carina gesellt sich zu uns.

»Zelda«, sagt sie, und ich hebe misstrauisch den Kopf, »danke für alles. Dafür, dass Sie meine Tochter gefunden und, na ja, ein bisschen Freude in unser Leben gebracht haben. Sie sind uns willkommen. Ich möchte mich entschuldigen, weil ich anfangs … Bedenken hatte.« Als sie mir zulächelt, habe ich plötzlich einen Kloß im Hals.

Giuseppe und Valerie unterhalten sich lebhaft und klopfen sich gegenseitig auf die Schultern, während sie den Zitronenhain verlassen. Als Valeries Blick auf mich fällt, erstirbt das Lächeln auf ihren Lippen. Es gibt immer noch zu viel, was zwischen uns steht.

»Kann ich wirklich nichts für Sie tun?«, hakt Il Nonno nach.

»Nein, nichts«, erwidere ich. »Die Chance zu haben, den Limoncello herzustellen, um hierbleiben zu können, ist alles, worauf es mir ankommt.«

Langsam breitet sich ein Lächeln auf seinem Gesicht aus. »Ich mache Ihnen einen Vorschlag – dieses Straßenfest, das Sie vor einigen Wochen veranstaltet haben …«

»Sie meinen das Fest, zu dem niemand gekommen ist?« Ich ziehe vielsagend die Augenbrauen hoch.

»Organisieren Sie es noch mal, und zwar morgen Abend. Was meinst du, Giuseppe?«, ruft er.

Giuseppe, der gerade Valerie zuhört, blickt auf. Valerie wiegt ihre ausladenden Hüften, während sie durch das hohe Gras schreitet, als hätte sie schon ihr ganzes Leben lang Limonen geerntet.

»Was denn?«, ruft Giuseppe zurück.

»Wie wäre es mit einem Straßenfest auf der Piazza, um die Neuankömmlinge willkommen zu heißen? Morgen Abend?«

»Eine großartige Idee! Und als Vorbereitung auf die Hochzeit, die wir bald feiern werden!« Er strahlt über das ganze Gesicht, doch ich erwidere sein Lächeln nicht. Ich bin hochgradig nervös – wegen der Hochzeit. Oder ist es wegen des bevorstehenden Ehelebens?

»Morgen, wenn der Limoncello angesetzt ist«, willige ich ein.

»Und nach der letzten Kleideranprobe«, ergänzt Luca und wirft mir einen Blick zu. Meine Nerven führen sich auf wie eine Flasche Prosecco, nachdem sie geschüttelt wurde – sie zischen und schäumen über.

Als die Sonne höher steigt, werden die letzten Limonen eingeladen. Diesmal, denke ich stolz, werden sie nicht durch einen geheimen Tunnel getragen, sondern mitten durchs Dorf gefahren, wo sie hingehören.

46. Kapitel

Am folgenden Tag, als die Limonen in großen Einweckgläsern im Alkohol ziehen und alle eifrig damit beschäftigt sind, Vorbereitungen für das Straßenfest zu treffen, gehe ich ins Dorf. Die Sonne steht wie eine riesige Orange am Himmel. Auf der Piazza pflanzt Sherise gerade zusammen mit Valerie Geranien in Töpfe.

»Sie sind wunderschön«, sage ich.

»Ja. Carina hat sie uns gegeben. Sie konnte sie nicht verkaufen, hat sie gesagt. Wir dachten, sie würden dem Platz heute Abend ein bisschen Farbe verleihen.« Sherise lächelt.

Valerie versucht sich ebenfalls an einem Lächeln, aber man merkt ihr an, dass sie sich wegen ihrer unmöglichen Aktion immer noch schlecht fühlt. Sie hält den Kopf gesenkt. Doch ich kann ihr nicht länger böse sein. Ich habe ebenfalls Fehler gemacht. Ich hätte Luca niemals küssen dürfen, sondern weiterhin auf der Hut bleiben müssen. Mittlerweile sollte ich eigentlich gelernt haben, nicht mehr so impulsiv zu sein. Bei meiner Hochzeit mit Lennie geht es darum, endlich erwachsen zu werden – und diesem Dorf zu helfen, das ich lieben gelernt habe, denke ich, während ich die gewundene Kopfsteinpflasterstraße zu Lucas Haus entlanggehe. Als ich an den kleinen Häusern zu beiden Seiten vorbeikomme, heben zahlreiche Anwohner die Hand und wünschen mir *buongiorno*.

Ich winke zurück und sage ihnen ebenfalls Guten Tag.

Als ich den Zitronenhain erreiche und das Tor öffne, stürzen die Hunde aus dem Schatten des Baumes hervor, um mich zu begrüßen. Sie haben sich vom ersten Moment an verstanden und sind so unzertrennlich, als wäre es Liebe auf den ersten Blick gewesen. Und wer hat gesagt, dass es die nicht gibt? Ich versuche, über mich selbst zu lachen, doch die schmerzliche Wahrheit ist, dass ich inzwischen meinen Irrtum erkannt habe.

Dann steige ich die Treppe zu Lucas Wohnung hinauf und klopfe an, nervös wie ein Kind an seinem ersten Schultag. Ich rede mir ein, es liege daran, dass ich gleich endlich mein fertiges Kleid sehen werde, atme tief ein und zupfe an dem Tuch um meinen Hals. Ich muss nun reingehen. Jetzt oder nie, denn anderenfalls würde ich auf dem Absatz kehrtmachen und in zwei Wochen ohne Kleid dastehen.

»*Buongiorno!*«, rufe ich durch den Perlenvorhang, schiebe die leise klirrenden Perlenschnüre mit der Hand zur Seite und betrete die kühlen Fliesen.

Luca, mit der Brille auf der Nasenspitze, steht neben einer Ankleidepuppe, die mein Kleid trägt. Ich weiß nicht, wer oder was mir mehr den Atem raubt – Luca oder das Kleid.

Das Kleid erfüllt alle meine Hoffnungen … und übertrifft sie sogar. Die Sonne fällt durch die große offene Terrassentür, während ich um die Puppe herumwandere. Luca nimmt die Brille ab. Als ihm die Haare in die Stirn fallen, streicht er sie mit den Händen zurück – mit den Händen, die dieses Kleid nur für mich gefertigt haben. Das Kleid, das ruft: Das bin ich.

Tränen brennen mir hinter den Augenlidern, und ich wünschte, ich könnte diesen Moment mit jemandem teilen. Doch mit wem? Nicht mit meiner Mutter. Es war Valerie, die immer für mich da war – sie war mir mehr eine Mutter, als meine leibliche Mutter es je gewesen ist. Sie hat mich nicht verlassen. Sie hatte bloß Angst, dass wir sie verlassen und sie einsam und allein zurückbleibt. Ich erinnere mich, wie verloren ich mir vorgekommen bin, bevor sie mich aufgefangen hat. Wenn jemand ihr Verhalten verstehen kann, dann ich. Ich nehme mir vor, die Sache so bald wie möglich wieder ins Lot zu bringen – also heute Abend auf dem Straßenfest.

»Ich koche Kaffee«, sagt Luca und gibt mir damit den Raum und die Zeit, die ich brauche, um das Kleid und seine Bedeutung zu begreifen und zu verarbeiten. Ich gehe noch einmal um die Puppe herum und registriere jedes Detail des Kleides: die Spitze, den zitronenfarbenen Softtüll und die gestickten Zitronenblüten.

Luca kehrt mit Kaffee und einem Teller voll Kleingebäck zurück. »*Cannoli?*« Lächelnd hält er mir den Teller hin.

Mit zitternder Hand nehme ich mir eins, wende mich ab und beiße in das zarte Gebäck. Voller Entzücken lasse ich mir die cremige Füllung auf der Zunge zergehen und bin für einen Moment abgelenkt.

Als ich mich zu Luca umdrehe, sieht er mich an.

»Nun, bist du bereit für die Anprobe?«

Ich muss schlucken und nicke.

Er bringt das Kleid in sein Schlafzimmer, wo drei Anzüge hängen, vermutlich für Lennie, Ralph und Barry. Sie sehen sehr adrett aus und sind frisch gebügelt. Das Bett ist ordentlich gemacht, und wieder schlucke ich, als mir klar wird, dass dieser Mann noch vor wenigen Stunden darin geschlafen hat. Dieser Gedanke hat etwas ausgesprochen Sinnliches.

»Wenn du Hilfe brauchst, ruf mich einfach«, sagt er und verlässt das Schlafzimmer.

Ich brauche auf gar keinen Fall Hilfe, denke ich, ich kann

Luca unmöglich um Unterstützung bitten. Hoffentlich lassen meine zitternden Hände mich nicht im Stich.

Nachdem ich in das Kleid geschlüpft bin, betrachte ich mich in dem Ganzkörperspiegel und schnappe nach Luft. Bin das wirklich ich? Wie kann ich mich so sehr verändert haben, ohne dass es mir aufgefallen ist? Mein Gesicht ist leicht gebräunt, und ich strahle von innen heraus. Das Kleid scheint jedes positive Merkmal hervorzuheben und die nicht so guten zu kaschieren.

Als ich aus dem Schlafzimmer trete, lässt Lucas Gesichtsausdruck mir sofort wieder Tränen in die Augen schießen. Es ist genau der Blick, von dem ich immer geträumt habe – ein Blick, mit dem mir jemand zu verstehen gibt, dass er sein ganzes Leben lang auf mich gewartet hat.

»Du siehst *bellissimo* aus, einfach wunderschön«, sagt er mit rauer Stimme.

»Das macht das Kleid«, erwidere ich rasch in einem Versuch, das Kompliment abzuwehren. Dennoch schießt mir das Blut ins Gesicht. Ich blicke hinunter auf den zart fließenden Softtüll. »Ich habe keine Ahnung, wie du das hinbekommen hast. Ich hätte es mir nicht schöner vorstellen können.«

»Das habe ich gehofft. In den vergangenen Wochen habe ich dich so gut kennengelernt, dass es ganz einfach war, ein Kleid zu entwerfen, das dich beschreibt.«

Wieder betrachten wir beide das Kleid.

»So, dann lass uns die letzten Änderungen durchführen. Stell dich auf diese Kiste, und dreh dich im Kreis. Hast du das Band dabei?«

»Ja, hier …« Ich nehme es aus der Tasche und gebe es ihm.

»Etwas Altes, etwas Neues, ist es nicht das, was immer gesagt wird? Ein Stück aus Città d'Oros Vergangenheit für den Beginn deines neuen Lebens.« Als er beginnt, das Band rund um meine Taille festzustecken, schickt die Berührung seiner Finger an meinem Rücken tausend Volt durch meinen Körper.

»Ja.«

»Solange du sicher bist, dass es das ist, was du wirklich willst, wird es der schönste Tag deines Lebens werden«, fährt er fort, während er das Band mit Stecknadeln fixiert. »Jetzt umdrehen«, weist er mich an, und ich ändere mit kleinen Schritten meine Position auf der Kiste. Und nun, meine Güte, arbeitet er direkt unterhalb meiner rechten Brust. Ich glaube, ich stehe kurz davor, zu explodieren und ins All katapultiert zu werden. Krampfhaft blicke ich zur Decke und versuche, das Gefühl seiner Hände an meinem Körper auszublenden, während mein brennendes Verlangen immer weiter wächst ...

»Ich leide an einer Störung«, sage ich. »Sie wird ADHS genannt, und sie macht mich sehr ... impulsiv.« Gott, wie ich das Wort hasse. So haben die Ärzte mich beschrieben. »In der Schule bin ich ständig in Schwierigkeiten geraten. Ich konnte mich nicht auf den Unterricht konzentrieren, ich war mit den Gedanken die ganze Zeit woanders, vielleicht sogar an drei Orten gleichzeitig. Ständig habe ich meine Hausaufgaben vergessen oder sie irgendwo verloren. Ich erinnere mich noch gut, wie meine Betreuerin ausgeflippt ist, als ich zum dritten Mal meinen Schulblazer verloren habe. Ich habe es geschafft, in einem praktisch leeren Raum einen Streit anzuzetteln. Ich habe immer zuerst gehandelt und später erst nachgedacht. Lennie weiß, wie ich bin. Er sorgt dafür, dass ich die Bodenhaftung nicht verliere. Wenn ich Lennie heirate, wird meine Impulsivität unter Kontrolle sein. Er ist mein Fels in der Brandung. Er versteht mich und hilft mir dabei, nicht in Schwierigkeiten zu geraten.«

»Aber diese Eigenschaft ist ein Teil dessen, was dich als

Persönlichkeit ausmacht«, widerspricht Luca. »Du wärst nicht in ein Geisterdorf in Sizilien gezogen, wenn du nicht impulsiv wärst. Es macht dich mutig. Mutiger als die meisten von uns. Vielleicht ist es das, was dir Flügel verleiht …«

Als er zu mir aufsieht, wird mir plötzlich etwas klar. *Vielleicht ist es das, was dir Flügel verleiht …* Ich wiederhole den Satz im Geiste, denke an mein bisheriges Leben und begreife schlagartig, dass er recht hat. Meine Impulsivität macht aus mir den Menschen, der ich bin, und – wenn ich ehrlich zu mir selbst bin – ich mag, wer ich bin.

»Du hast meinem Vater die Stirn geboten. Niemand sonst hat das gewagt.«

»Das liegt daran, dass ich irgendwann einfach rotsehe und nicht über die Konsequenzen nachdenke.«

»Und denk mal dran, wie du alle davon überzeugt hast, in Il Limoneto zu bleiben.«

»Auch das war im Eifer des Gefechts.«

»Und das Straßenfest, der Limoncello … Es ist einfach fantastisch. Du treibst die Dinge voran und sorgst dafür, dass sie umgesetzt werden. Du hast mich dazu gebracht zu begreifen, was in meinem Leben fehlt … jemand wie du.«

Unsere Blicke treffen sich, und mein impulsives Ich will ihn auf der Stelle küssen und für immer bei ihm bleiben. Doch dann wendet er sich ab und konzentriert sich auf die anstehende Aufgabe. Ich versuche, an etwas anderes zu denken als an seine Hände, die mich zwangsläufig berühren. Ich erinnere mich daran, wie es direkt nach unserer Ankunft war, als wir feststellten, dass wir gemeinsam in einem Haus leben würden. Und wie wir später herausfanden, dass Tabitha über uns schreibt. Ich denke an den Ausbruch des Ätna und wie wir die Idee mit der Frühstückspension umsetzten, und an jenen ersten Abend, an dem wir gelernt haben, selbst Nudeln herzustellen. Und an Valeries Ankunft und wie ich begriffen habe, wie wichtig sie mir ist und wie viel ihr diese Hochzeit bedeutet.

Meine Gedanken wandern zu Lennie, wie er das Leben hier mit offenen Armen begrüßt hat und mit Matteo zusammenarbeitet; und zu den anderen, die offensichtlich alle ebenfalls ihren Platz gefunden haben. Ralph zeichnet immer häufiger. Billy liebt seine Hühner und Sherise den Gemüsegarten, und Barry macht sehr gerne Nudeln. Sogar Tabitha hat sich verändert und ist ausgeglichener geworden. Ich denke daran, wie ich Sophia im Tunnel gefunden habe, wie alles, wovor ich mich im Leben je gefürchtet habe, in diesem Augenblick auf mich einprasselte. Ich denke an Valerie, die die Limonen vernichtete und Angst vor der Einsamkeit hatte.

Als mir der Kuss wieder in den Sinn kommt, verdränge ich diesen Gedanken entschlossen. Ich denke an die Einheimischen, die bei der Zitronenernte halfen und jetzt das Straßenfest und die Hochzeit vorbereiten. Ich denke an den Fluch des Ätna, der durch Lennies und meine Hochzeit gebrochen wird; daran, wie anscheinend alle ihr Glück gefunden haben …

»Zelda?«

Lucas Hände bewegen sich nicht mehr an meinem Körper, und ich schlage langsam die Augen auf. Zunächst sehe ich Luca an, der mich betrachtet, und anschließend schaue ich in den Spiegel, den er vor mich gestellt hat. Das Band ist angebracht. Luca tritt hinter mich und hält meine Haare im Nacken hoch. Ich spüre seinen Atem.

»Zelda, das ist es, was du möchtest, ja?«, fragt er und sieht mich im Spiegel an.

Das Kleid gibt mir das Gefühl … na ja, die Person zu sein, die ich immer sein wollte. Das hat Luca vollbracht. Er hat dafür gesorgt, dass ich mich stark fühle und mein Leben zum ersten Mal unter Kontrolle habe. Ich übernehme die Regie – über mein Leben, meine Zukunft, mein Schicksal.

»Es ist das Richtige für alle, dass ich Lennie heiraten werde«, antworte ich bedächtig.

»Dann frage ich nicht noch einmal«, sagt er, lässt meine Haare los und tritt zur Seite. Ein Teil von mir begreift, dass ich mich nie wieder so fühlen werde wie jetzt.

Ich sehe in den Spiegel. Ich weiß, dass ich es tun muss. Ich muss Lennie heiraten, denn sonst werde ich alles verlieren, was ich hier habe.

»Ich werde bleiben«, sage ich. »Ich werde noch mehr Limoncello produzieren, wenn es geht. Ich kann nicht gehen. Ich liebe es, in Città d'Oro zu leben. Schließlich wird man nur aus Liebe ein Zitronenbauer.«

Als ich Lucas Wohnung verlasse, geht die Sonne unter, und der Himmel färbt sich in der Farbe von Zitrusfrüchten in leuchtende Gelb- und lebhafte Orangetöne. Sämtliche Bewohner unseres Hauses versammeln sich auf der Piazza. Barry und Ralph werfen den großen Ölfassgrill an. Auf einem Tisch stehen Flaschen mit Verdello-Limoncello, um jedem Helfer ein oder zwei Gläser als Dankeschön für die Unterstützung anzubieten. Valeries Girlanden wurden aufgehängt, und Lennie und Matteo haben die Weihnachtsbeleuchtung des Dorfes, die seit Jahren nicht mehr benutzt worden war, überall rund um die Piazza und im Zickzack über die Hauptstraße gespannt, wo das sanfte Licht die abblätternde Farbe der creme- und lachsfarbenen Hauswände kaschiert. Giuseppe hat seinen Plattenspieler und eine Box aufgebaut und spielt Frank Sinatra mit einem wunderbar authentischen Knistern. Während Valerie die Geranien gießt, schwingt sie die Hüften zur Musik, doch sie hält den Kopf immer noch gesenkt und wirkt sehr zugeknöpft.

Der Koch aus Lucas Restaurant grillt einen Rollbraten an einem großen Spieß, und Sherise stellt einen Tisch auf, auf dem der Braten später angeboten werden wird. Der Kräuterduft des langsam garenden Schweinefleischs hängt in der Luft und vermischt sich mit dem Aroma der karamellisierten Paprikaschoten und der Zwiebeln. Es riecht wie Weihnachten, wenn alle, die man liebt, anwesend sind.

Ich sehe Valerie an. Wir haben kaum ein Wort gesprochen, und ich weiß, dass sie sich schlecht fühlt.

»Valerie«, sage ich.

»Ja, Liebes?« Sie sieht aus, als habe sie schreckliche Angst, ich könne sie gleich zurück nach England schicken.

»Valerie, was du getan hast, war falsch, aber ich weiß auch, warum du es getan hast.« Ich nehme ihre Hände. »Ich heirate Lennie, wir werden eine Familie sein. Ich gebe dir mein Wort. Genau wie ich den Menschen in diesem Dorf mein Wort gegeben habe, die eine Hochzeit brauchen. Das ist ein Neustart für uns alle.«

»Oh, ich freue mich so sehr, Liebes. Davon habe ich immer geträumt. Und es tut mir leid, dass ich mich so idiotisch benommen und deine Limonen zerstört habe.« Wieder lässt sie den Kopf sinken und beginnt zu schluchzen.

Mir blutet das Herz. Sie ist zwar nicht meine leibliche Mutter, doch sie ist die beste, die ich je hatte.

»Wir alle machen mal Fehler, Valerie«, wiederhole ich leise Barrys weise Worte. »Deshalb sind wir hier. Doch wir verdienen auch alle eine zweite Chance. Aus diesem Grund müssen wir uns zusammenreißen und sie nutzen.«

Sie sieht mich an, umschließt mein Gesicht mit beiden Händen und küsst mich auf die Wange. »Du wirst für mich immer wie eine Tochter sein«, sagt sie. »Ich will nur das Beste für dich. Es tut mir leid, dass ich mich eingemischt habe, ich möchte bloß, dass ihr beide glücklich seid. Ich weiß, dass ihr nicht mehr bei mir in England wohnen werdet, aber wenigstens kann ich mir jederzeit vorstellen, wie es hier bei euch ist.« Sie lässt den Blick über die Piazza schweifen und betrachtet die funkelnden Lichter und die leuchtend orangefarbene Sonne, die gerade untergeht.

Mein Herz zieht sich zusammen, als ich kurz an Luca denke

und mir zum wiederholten Mal sage, dass es für alle das Richtige ist, wenn ich Lennie heirate.

»*Buonasera*«, unterbricht uns jemand. »Ist alles in Ordnung, meine Damen?«

»Ja«, antwortet Valerie. »*Sì*. Alles ist gut.«

Giuseppe nimmt für uns Gläser mit Limoncello von einem Tablett in der Nähe. Als er sein eigenes Glas erhebt, folgen wir seinem Beispiel.

»Oh, wartet! Lasst mich ein Foto machen«, sagt Tabitha und greift nach ihrem Handy. »Ich habe mir gedacht, dass ich – wenn alle einverstanden sind – gerne eine letzte Story schreiben würde, bevor ich meinen Stift sozusagen an den Nagel hänge. Wie wäre es damit: *Wenn das Leben dir Limonen gibt, mach Limoncello daraus. Wie Limonen unser Leben veränderten?*«

»*Saluti*«, sagt Giuseppe, nippt an seinem Glas und betrachtet den Sonnenuntergang. »Das ist wunderbar.«

»Nun, hoffentlich finden das die Leute aus dem Dorf auch und feiern mit uns«, erwidere ich.

»Und wenn nicht, dann haben wir es wenigstens versucht. Besonders du, Zelda. *Grazie mille* dafür, dass du an meinen Traum glaubst«, fügt er mit feuchten Augen hinzu. Als er wieder sein Glas erhebt, schließe ich kurz die Augen.

Ich wünsche mir so sehr, dass es klappt und das Dorf uns akzeptiert.

Genau in diesem Moment hören wir Stimmen, und Il Nonno taucht mit seinem großen schwarzen Hut oben auf den Stufen neben dem Rathaus auf, begleitet von seiner Familie. Ich sehe Carina mit Sophia, außerdem Romanos Cousin und seine Tochter.

Die Schallplatte ist zu Ende, und man hört nur noch das Geräusch der Platte, die sich auf dem Plattenteller dreht.

Einen Augenblick herrscht Schweigen. Giuseppe sieht zu Il Nonno auf; ich sehe, dass seine Hände das Glas voller Sorge fester umklammern, und ich stelle mich neben ihn. Valerie tritt an seine andere Seite, gefolgt von Barry, der die Grillzange mit den langen Griffen schwingt. Auch Tabitha, Sherise und Billy stehen auf einmal neben uns. Es ist lange her, seit diese gespaltene Gemeinde zusammengekommen ist, um sich zu unterhalten, miteinander zu essen und zu trinken und ihren Kummer zu vergessen. Ich halte die Luft an und hoffe sehr, dass es funktioniert.

Langsam steigt Il Nonno die Stufen herunter. Der Rest der Familie folgt ihm wie eine Entenfamilie.

Schließlich bleibt Il Nonno auf der untersten Stufe stehen und sieht erst mich und dann Giuseppe an. Beide lächeln, schütteln sich die Hände und küssen sich auf die Wangen.

»Ich habe gehört, dass hier heute Abend ein Fest gefeiert wird«, scherzt Il Nonno. »Und dass der Limoncello der beste auf ganz Sizilien ist.«

Alle seufzen erleichtert auf, und die Musik setzt ein – Dean Martin singt gefühlvoll *That's Amore*.

Tabitha geht mit einem Tablett voller Getränke herum und bietet jedem ein Glas an. Giuseppe steuert auf Valerie zu und hält ihr einladend eine Hand hin. Ungläubig mustert sie die Hand und will ganz offensichtlich ablehnen und höflich den Kopf schütteln. Doch dann greife ich ein und lege ihre Hand in seine. Sie wirft mir einen Blick zu, strahlt, als habe sie Geburtstag, und lässt sich von Giuseppe zu einem Walzer auf den abgenutzten Steinen der Piazza entführen. Sie tanzen in den Fußstapfen der Vergangenheit und im goldenen Licht der untergehenden Sonne Siziliens.

Nach und nach tauchen die Dorfbewohner in ihren besten Anzügen und Kleidern aus ihren Häusern auf – wie die Munchkins in der Geschichte des Zauberers von Oz, als Dorothy im zauberhaften Land gelandet war. Sie nehmen von dem angebotenen Limoncello und steuern auf die Tanzfläche zu. Und als der Tanz endet, tritt der Herr, der mir die Blumen geschenkt hat, auf mich zu und fordert mich zum Tanz auf. Seine Frau lächelt mir aufmunternd zu.

»Oh, ich glaube, ich kann nicht tanzen!« Ich werde rot.

»Versuch's einfach!«, meint Lennie. »Folge deinen Instinkten, das macht du doch sonst auch immer!« Alle lachen.

Valerie tanzt ein weiteres Mal mit Giuseppe, und Sherise und Billy tanzen miteinander. Anschließend tauschen sie die Partner mit einem einheimischen Paar. Vom Grill steigt der Rauch in Spiralen in den Himmel, und der köstliche Duft des Schweinebratens erfüllt die Luft. Aus dem Fass, das Carina aus dem Laden mitgebracht hat, wird Wein ausgeschenkt.

Ich esse gerade gegrillte Artischocken und Braten von einem beschichteten Pappteller, als Il Nonno sich zu mir gesellt.

»Nun, es sieht ganz so aus, als stünden wir schon wieder in Ihrer Schuld, Zelda.«

»Sie haben doch vorgeschlagen, das Fest noch mal auf die Beine zu stellen!« Ich lächele.

»Aber ursprünglich hatten Sie und Ihre Leute die Idee. Sie haben erkannt, was hier getan werden muss. Sie haben erkannt, was niemand von uns sehen konnte. Vor allem ich nicht!« Er sieht sich um. »Es ist sehr lange her, dass Città d'Oro auf diese Weise zusammengekommen ist. Nicht mehr, seit ...« Er schluckt, dreht sich um und betrachtet den immer noch leuchtend orange gefärbten Himmel. »Nicht mehr, seit mich meine Frau verlassen hat«, fährt er fort. Der Schmerz steht ihm nach wie vor deutlich ins Gesicht geschrieben. »Wissen Sie, sie ...« Er beißt sich auf die Unterlippe und blickt in die Ferne.

»Sie hat einen Fehler begangen?«, beende ich den Satz für ihn.

»*Sì*«, antwortet er leise.

»Und Sie haben ihr nie verziehen.«

Er löst seinen Blick nicht vom Himmel und sieht mich nicht an. »*No.*«

»Und … anscheinend haben Sie es seitdem am ganzen Dorf ausgelassen.«

»Ich dachte …« Er zögert. »Ich dachte, ich täte das Beste für meine Familie. Ich wollte, dass sie in Sicherheit und in meiner Nähe ist.«

»Und Ihr Herz?«

»Nur gebrochen, nicht krank«, erwidert er beschämt. »Ich hätte es niemals als Ausrede benutzen dürfen, um Luca hier zu halten. Ich hätte ihn schon vor Jahren gehen lassen sollen. Wie heißt noch gleich diese Redewendung: *Wenn du jemanden liebst, dann lass ihn gehen*. Oder?«

Ich nicke. »Genau.«

Wir atmen beide tief durch und betrachten den Horizont. In diesem Moment tritt Sophia aus dem Laden und trägt den Vogel in seinem Käfig nach draußen.

»Ich dachte, Montgomery würde auch gerne mitfeiern. Es ist nicht fair, wenn er im Haus bleiben muss und nicht bei den anderen sein kann.«

»Das stimmt«, antworte ich ihr.

Bevor jemand sie davon abhalten kann, öffnet sie die Käfigtür, und der kleine Vogel fliegt heraus. »Hast du das nicht gerade gesagt, Nonno? *Wenn du jemanden liebst, dann lass ihn gehen?*«

Er legt ihr die Hand auf die Schulter. »So ist es, mein Schatz.«

Dann wendet er sich wieder mir zu. »Ich war wütend und habe ihr gesagt, sie solle gehen und nicht zurückkommen.« Ich weiß, dass er von seiner Frau spricht. »Ich war wütend auf alle und jeden. Doch es war auch nicht einfach, mit mir zu leben. Mein Bruder war gestorben, und ich war der ältere, der sich immer um alle kümmerte. Und meine Frau hatte die Nase voll davon, dass ich sie und ihre Bedürfnisse ignorierte. Sie wollte sich geliebt fühlen. Ist es nicht das, was wir alle wollen – die wahre Liebe finden? Ich hatte meine gefunden, und dennoch ließ ich sie gehen.«

Er sieht sich um.

»Sie hätte dieses Fest geliebt«, fügt er leise hinzu.

Während wir alle essen, trinken und plaudern, fährt ein Auto langsam die schmale Straße entlang und hält an – genauso, wie wir es uns immer erhofft haben. Die Tür geht auf, und Emily steigt aus, Lucas Handelsvertreterin.

»Oh, hi«, begrüße ich sie.

»Nun, das sieht nach Spaß aus!« Sie strahlt und sieht sich neugierig um. »Darf ich?« Sie nimmt sich ein Glas Limoncello, betrachtet es und nippt daran. »Das ist wirklich ein tolles Zeug!«

»Suchst du Luca?«, fragte ich und werfe einen kurzen Blick auf Il Nonno, der den Neuankömmling interessiert mustert und sich wohl fragt, was sie hier macht.

»Nein«, entgegnet sie. »Ich suche dich.« Ich erstarre plötzlich, während sie in aller Ruhe einen weiteren Schluck trinkt. Ahnt sie etwa, was sich zwischen Luca und mir abgespielt hat? Glaubt sie etwa, ich käme ihr in die Quere? Oder geht es um den Limoncello?

»Stimmt was nicht mit der Bestellung?«, frage ich nervös. »Der Limoncello kann bald in Flaschen abgefüllt werden.«

Plötzlich hören alle auf zu reden und schauen in Emilys Richtung.

»Genau genommen«, sagt sie bedächtig, »hat es sich herumgesprochen. Ich habe weitere Bestellungen erhalten, von einem Restaurant und einem anderen Laden.«

»Echt? O Gott, das ist ja fantastisch! Ich bin im Geschäft!«

»Ich brauche das Vierfache der ursprünglichen Menge. Und mehr Kostproben.«

Ich erstarre vor Schreck. Wie soll ich das nur schaffen? Ich lasse den Blick über die Einheimischen wandern, die alle schweigend zuhören.

»Il Nonno?«

Er sagt nichts, sondern starrt mich bloß an.

»So ist euer Dorf früher gewesen.« Mit einer Handbewegung deute ich auf das Straßenfest. »So seid ihr alle aufgewachsen. Und das wollt ihr auch für Sophia, hab ich recht?« Über den Dächern singt ein Kanarienvogel. »Seht euch um. Das ist ein Dorf, in das Besucher kommen möchten, weil sie von dem Limoncello und den großartigen Straßenfesten gehört haben. Il Nonno, Sie haben gesagt, Sie sind mir etwas schuldig …«

Er nickt ein einziges Mal.

»Dann geben Sie den Leuten ihr Land zurück.« Ich sehe mich um. »Stellen Sie das Wasser wieder an. Lassen Sie das Dorf wieder Limonen anbauen, dann kann ich die Verdello-Zitronen kaufen, um nach Nonnas Rezept Limoncello herzustellen und zu verkaufen. Città d'Oro wäre wieder im Geschäft!« Ich halte kurz inne. »Wir alle wären wieder im Geschäft! Lassen Sie das Dorf wieder leben.«

Romano schweigt lange. Schließlich sieht er seine Großnichte an und nickt. »Ich werde das Wasser wieder anstellen … und ja«, sagt er und zuckt mit den Schultern, »ich werde die Zäune abbauen lassen.«

Zunächst herrscht fassungslose Stille. Ich bin die Erste,

die begreift, was er gerade gesagt hat, recke triumphierend die Fäuste in den Himmel und jauchze vor Freude. Alle anderen stimmen ein, lauter Jubel breitet sich aus wie eine La-Ola-Welle. Ältere Paare klammern sich aneinander, wie sie sich eindeutig an den Traum geklammert haben, dass dies eines Tages passieren würde. Sie drehen sich um und umarmen uns, die Neuankömmlinge, küssen uns schmatzend auf die Wangen. Giuseppe wischt sich die Tränen aus dem Gesicht und nimmt die älteren Einwohner in den Arm, danach umarmt er mich voller Freude und dankt mir unter Schluchzen.

»Wo ist Luca?«, fragt Emily auf einmal mitten in den Feierlichkeiten.

Mir wird klar, dass sie den neuen Auftrag mit mir besprechen musste, allerdings Luca derjenige ist, den sie wirklich sehen wollte. Stirnrunzelnd sehe ich mich um. Wo steckt Luca? »Er kann doch nicht mehr bei der Arbeit sein«, sage ich und betrachte die fröhliche Zusammenkunft. Ich stelle fest, dass ich ihn nicht mehr gesehen habe, seit ich ihn mit den letzten Änderungen an meinem Kleid in seiner Wohnung zurückließ. »Ich suche ihn und sage ihm, dass du hier bist. Es dauert nicht lange.«

Ich brenne darauf, ihm die guten Neuigkeiten von den zusätzlichen Bestellungen mitzuteilen und natürlich auch, dass Il Nonno dem Dorf endlich seine Zitronenhaine zurückgibt. Luca muss mit uns feiern. Ich springe über das Kopfsteinpflaster, verlasse die Hauptstraße und laufe zu Lucas Zitronenhain.

»Luca! Luca!«, rufe ich, als ich die Holztreppe zu seiner Wohnung hinaufsteige. Aber die Tür ist geschlossen. Ich betätige den Türgriff und öffne die Tür. »Luca?« Als keine Antwort erfolgt, trete ich vorsichtig ein.

In der Mitte des Wohnzimmers steht die Kleiderpuppe, die

mein fertiges Brautkleid trägt. Am Mieder ist eine winzige Zitronenblüte befestigt. Auf dem Tisch finde ich eine Notiz. Als ich sie lese, füllen sich meine Augen mit Tränen.

Er kommt nicht. Ich sage den Satz stumm vor mich hin. Dicke Tränen fallen auf das Blatt vor mir, denn Luca ist weg.

48. Kapitel

Als ich zur Piazza zurückkehre, rede ich mir ein, dass es so am besten für uns beide ist. Bei meiner Ankunft tanzt Lennie gerade mit Sophia, wobei er sie auf seinen Füßen stehen lässt, während er sich bewegt. Als er erst auf seine Füße schaut und dann lachend den Kopf hebt – glücklicher, als ich ihn seit Wochen erlebt habe –, sehe ich, wie er Matteo einen Blick zuwirft. Matteo erwidert sein Lächeln, als ob … als ob sie beide nur Augen füreinander hätten.

Diesen Blick würde ich überall erkennen, genau wie bei meiner ersten Begegnung mit Luca. O Gott! Ist es so, wie ich denke? Wie habe ich das nur übersehen können?

49. Kapitel

Die Luft ist wieder diesig und schwer – wie beim Ausbruch des Ätna. Es herrscht eine seltsame Stimmung, und das Licht ist auch irgendwie eigenartig. Die Hochzeit soll in wenigen Tagen stattfinden – in drei Tagen, vier Stunden und neunundzwanzig Minuten, um genau zu sein.

Lennie wirkt in letzter Zeit so geistesabwesend, dass ich ganz besorgt bin. Ich muss mit ihm darüber reden, was ich beim Straßenfest gesehen habe. Frühmorgens hat er regelmäßig bei der Zitronenernte geholfen, danach verbrachte er den Rest der Tage zusammen mit Matteo bei der Arbeit an den Häusern, die, wie es klingt, bald einzugsbereit sein werden. Doch jedes Mal, wenn ich versucht habe, mit ihm darüber zu reden, ob er die Hochzeit immer noch für das Richtige hält, hat er mich abgewimmelt.

Heute Morgen nach dem Aufstehen, nachdem wir in unserer Hast, uns für die Arbeit fertig zu machen, zusammengeprallt waren, habe ich es wieder probiert. »Die Hochzeit, Lennie – du willst sie schon durchziehen, oder? Ich meine, falls es irgendeinen Grund gibt … falls du nicht mehr willst, dann würdest du es mir doch sagen, ja?«

Er saß auf der Bettkante, um seine Stiefel anzuziehen. In der Mitte des Bettes gibt es einen Streifen Niemandsland, eine Linie, die wir nicht überschreiten. Er lächelt mir zu, aber ich spüre, dass hinter diesem Lächeln ein Geheimnis liegt. Ich bin mir sicher.

»Es ist alles in Ordnung, Zelda«, antwortet er, wie er das immer tut, und gibt mir einen Kuss auf die Stirn. »Das ganze Dorf befindet sich im Ausnahmezustand, um alles vorzubereiten!«

Und er hat recht. Türen erhalten einen neuen Anstrich, Eingangstreppen und Straßen werden gekehrt, Blumenkästen vor den Fenstern werden bepflanzt. Der ganze Ort kehrt ins Leben zurück. Ralph eröffnet in einem der leer stehenden Geschäfte an der Hauptstraße eine kleine Galerie, um seine Zeichnungen und Gemälde auszustellen. Tabitha und er überlegen offensichtlich, ob sie eine gemeinsame Ausstellung auf die Beine stellen sollen. Sie möchte ein paar ihrer Fotos von den Zitronenhainen beisteuern. Mir fällt auf, dass die beiden dieser Tage so einiges miteinander tun. Alle sind damit beschäftigt, den Ort für den großen Tag vorzubereiten.

»Aber wenn du nicht willst …«, versuche ich es erneut. »Falls du dir wegen irgendetwas Sorgen machen solltest, irgendetwas …«

»Zelda, alles ist gut!«, erwidert er beinahe scharf. »Mir geht's gut, wirklich.«

Für meine Hochzeit würde ich mir mehr als nur *gut* wünschen. Doch das ist genau das, worauf ich mich eingelassen habe: das langsam gegarte Mahl, kein Bankett, das einen umhaut. *Gut* heißt eigentlich *nicht gut*. Ich weiß das aus meiner Jugendzeit, wenn Lehrer oder Betreuer mich fragten, ob alles in Ordnung wäre. Ich antwortete immer, es ginge mir gut, obwohl es mir eigentlich alles andere als gut ging. Ich muss unbedingt mit ihm reden.

Später an diesem Vormittag spaziere ich langsam zu Lucas Wohnung, um mein Kleid abzuholen – vorbei an Leuten, die sich auf den Straßen auf ihre Besen stützen und plaudern, winken und mir *buongiorno* wünschen. Auf dem Rückweg gehe ich zu den neuen Häusern, unserem neuen Haus, um Lennie aufzustöbern.

»Zelda!« Er zuckt förmlich zusammen, als ich durch die entzückende Holztür trete. Lennie fegt gerade den Boden.

»Ich dachte, ich sehe mal ... wie es so läuft«, sage ich. Ich muss herausfinden, was er denkt und ob er wirklich in jemand anderen verliebt ist.

»Super! Komm, ich führe dich herum«, antwortet er. Stolz zeigt er mir alles, was Matteo und er gemacht haben. Ich bekomme eine Tour der kompletten Häuserzeile. Die Häuser sind wirklich ganz entzückend. Vor allem unseres, dessen Balkon an der Hausecke sowohl einen Blick aufs Meer als auch auf den Ätna bietet.

»Lennie«, setze ich an, »wegen der Hochzeit ...«

»Ja, Zelda«, sagt er zerstreut, während er sich im Geiste einige kleinere Aufgaben notiert, die noch erledigt werden müssen. Er hört mir gar nicht richtig zu, oder er will nicht zuhören. Doch ich muss mir Klarheit verschaffen.

Er geht voraus die Treppe hinauf, und ich folge ihm in das Zimmer, das unser gemeinsames Schlafzimmer sein wird.

»Freust du dich, dass wir in wenigen Tagen heiraten?«, frage ich ihn direkt.

»Ja, ja, natürlich!« Er lächelt und sieht mich an, dann betrachtet er prüfend das Zimmer. »Das habe wir doch so vereinbart. Sieh mal.« Er geht zum Fenster und deutet mit einer Handbewegung auf den Ausblick. »Deshalb sind wir hergekommen. Ich will nicht wieder zurück, du etwa? Ich liebe es hier. Alle freuen sich auf die Hochzeit. Alles ist gut.«

Ich sage nichts und beiße mir auf die Unterlippe. Wieder dieses *gut!* Aber er hat recht. Es ist ein bisschen spät, um alles nochmals zu überdenken. Jede Menge Leute sind darauf angewiesen, dass wir am Samstag heiraten. Ein Dorf, das im Sterben lag, ist ins Leben zurückgekehrt und will feiern. Wie kann ich ihnen das nehmen?

Lennie wirft mir einen forschenden Blick zu. Ich erwidere seinen Blick. Wenn es funktionieren soll, müssen wir auf alles andere verzichten, denke ich. Ich muss Luca vergessen, und ich muss wissen, dass Lennie mit mir zusammen sein will. Ich muss wissen, ob tatsächlich alles gut werden wird.

Wir stehen auf dem Balkon. Als ich die Hand auf seinen Ellbogen lege, sieht er mich an, als frage er sich, was ich da tue. Dann platziere ich seine Hände auf meinen Hüften. Er tritt voller Unbehagen von einem Fuß auf den anderen, aber er läuft nicht davon. Allerdings wirkt er nervös. Doch wenn wir wirklich heiraten wollen, muss ich es tun. Ich muss wissen, dass er es will.

Ich rücke näher, stelle meine Füße zwischen seine und betrachte seine Brust. Tief atme ich seinen vertrauten Geruch ein und blicke langsam auf – in der Hoffnung, dass sich etwas entzündet, dass aus dem langsam gegarten Mahl endlich das versprochene köstliche Festessen wird. Ich hebe das Kinn weiter an und lasse den Blick zu seinem Gesicht wandern. Wir befinden uns in dem Haus, das unser Zuhause sein wird. Der Rahmen könnte nicht perfekter sein. Ich stelle mich auf die Zehenspitzen. Als Lennie begreift, was ich da tue, beugt er sich ungelenk zu mir herunter. Ich lege den Kopf zur Seite, um nicht mit seiner Nase zu kollidieren; er bewegt den Kopf in die gleiche Richtung. Daraufhin neigen wir den Kopf beide zur anderen Seite, während unsere Lippen sich einander nähern, und stoßen prompt mit den Nasen zusammen.

»Tut mir leid.«

»Tut mir leid.«

Wir entschuldigen uns beide und tasten nach unseren Nasen. Dann atme ich tief ein, wir sehen uns an und bewegen uns erneut aufeinander zu, langsamer diesmal. Ich neige den Kopf nach links, er nach rechts, als plötzlich mein Magen zu knurren beginnt und mich daran erinnert, dass es beinahe Zeit fürs Mittagessen ist. Ich lege die Hand auf den Bauch, und wir müssen beide lachen. Es ist trotz allem lustig. Und Liebe und Sex sollten Spaß machen. Alles wird gut, denke ich.

Endlich treffen unsere Lippen aufeinander, berühren sich und verharren in dieser Position. Er hat wunderbar weiche Lippen, doch ich weiß, dass wir nicht an diesem Punkt aufhören können – es muss mehr geben. Und zu meiner Schande muss ich gestehen, dass ich mich in diesem Moment an Lucas Kuss erinnere, wie unsere Lippen sich geöffnet und unsere Zungenspitzen sich berührt haben … Als ich meine Lippen jetzt öffne, fühlt es sich an, als … küsste ich kalten Pudding!

Plötzlich ertönt ein Ruf. Als ich die Augen aufschlage, sehe ich, dass Lennies Augen schon geöffnet sind; hatte er sie überhaupt geschlossen? Ruckartig zieht er die Augenbrauen hoch, und sein Blick huscht von links nach rechts. Er wendet sich ab und sucht den Urheber des Rufs. Ich könnte schwören, dass er sich mit dem Handrücken über den Mund wischt, wo eben noch meine Lippen gewesen sind. Er wirkt verlegen und wird rot. Als er lächelt, sehe ich seinen Gesichtsausdruck, und jetzt bin ich mir ganz sicher. Es ist der Gesichtsausdruck, nach dem ich mich all die Jahre gesehnt habe. Ich habe danach gesucht und irgendwann gehofft, ich könne ohne leben – und ihn für ein zufriedenes Leben mit Lennie aufgeben. Ich kenne diesen Blick, denn ich habe ihn ganz kurz selbst erlebt – als ich Luca kennenlernte.

Das ist also der Grund, warum Lennie so durcheinander ist.

Er liebt Matteo! Und was nun? Die Einheimischen sind überzeugt, dass der Ätna wieder ausbrechen wird, wenn es keine Hochzeit gibt. Das Dorf und die Menschen, die mir wichtig sind, glauben daran. Città d'Oro durfte endlich wieder ins Leben zurückkehren, nur um schon wieder vom Untergang bedroht zu sein.

Draußen wendet Matteo sich ab und geht weg. Luca will ihm vom Balkon aus hinterherrufen, doch dann dreht er sich zu mir um. Er ist hin und her gerissen und weiß, dass er Matteo nicht folgen kann. Instinktiv umarmen wir uns und halten einander fest.

»Alles wird gut, Zelda, alles wird gut«, versucht er mich zu beruhigen, doch ich weiß, dass es nicht stimmt. Wie könnte es? Es gibt nichts, was wir jetzt noch ändern könnten.

50. Kapitel

Zurück wähle ich den Weg durch die Zitronenhaine. Im Dorf herrscht geschäftiges Treiben. Zäune werden niedergerissen, Unkraut wird gejätet, Schläuche und Bewässerungssysteme wässern den Boden; sogar Gießkannen werden gefüllt und zum Wiederbeleben der durstigen Pflanzen benutzt. Alle winken mir zu und wünschen mir mit strahlendem Lächeln Glück für die Hochzeit. Alle wirken fröhlich, abgesehen vom Ätna, der in der Ferne aufragt und hin und wieder Rauchwolken ausstößt.

Die Piazza sieht wunderbar aus. Ich weiß, dass Sherise und Valerie schwer gearbeitet haben, doch jetzt scheint es noch mehr Blumen zu geben. Ich glaube, Carina könnte etwas damit zu tun haben. Überall auf der Piazza wurden noch mehr Lichterketten aufgehängt, und die Treppe zum Rathaus, in dem Giuseppe Lennie und mich offiziell verheiraten wird, ist mit Girlanden geschmückt.

Rocca und Harry trotten zufrieden hinter mir her. Die beiden Hunde haben geduldig draußen auf mich gewartet, während ich mit Lennie gesprochen habe. Luca hatte mich in seiner Nachricht gebeten, mich um die Hunde zu kümmern – sie wohnen nun bei uns in Il Limoneto. Ich lasse mir Zeit, als ich unter den Bäumen entlangspaziere, und atme die Düfte ein – wie vormals zusammen mit Luca. Tue ich das Richtige? Ich wünschte, ich könnte mit Luca reden. Ich weiß, dass er mich verstehen würde. Ich liebe Lennie, aber ich bin nicht in ihn verliebt. Ich liebe ihn wie einen Bruder und Valerie wie eine Mutter. Doch ich liebe auch das Dorf und mein Leben hier. Ich kann die Menschen nicht enttäuschen. Das ist inzwischen mein Zuhause.

Ich streife mit der Hand durch das lange Gras, berühre die Zitronenblüten und atme die Vielfalt der Gerüche ein, die in der Luft liegen. Dabei denke ich an Lucas Notiz, in der er mir alles Glück der Welt wünscht, mir jedoch mitteilt, dass er nicht bleiben kann, um zuzusehen, wie ich einen anderen Mann heirate. Ich frage mich, wo er nun wohl steckt. Ist er nach Mailand gegangen, um eine Stelle als Modedesigner zu suchen? Hat er vielleicht wieder Kontakt zu seiner Ex-Freundin aufgenommen? Vielleicht hat Emily ihn auch aufgespürt, da sie jetzt ja weiß, dass er das Dorf verlassen hat und frei ist.

Als ich über den frisch umgegrabenen Boden stapfe, ist mein Herz so schwer wie meine Füße. Über dem Arm trage ich das in eine Hülle verstaute Hochzeitskleid – Lucas Geschenk an mich, mit dem er mir Glück für meine Zukunft wünscht, während er das zurücklässt, was seiner Meinung nach seine Zukunft hätte werden können.

51. Kapitel

»Oh, es ist einfach atemberaubend! Zelda, Liebes, ich könnte nicht stolzer auf dich sein!«, ruft Valerie aus. Tränen stehen ihr in den Augen. Sie wischt sie fort, doch sie fließen weiter. Unwirsch reibt sie sich die Hände an den Hüften ab, die in Bräutigammutter-Plissee gehüllt sind.

»Ich glaube nicht, dass du diese Jacke brauchst, Valerie. Du wirst umkommen vor Hitze. Es ist Sommer, und wir sind auf Sizilien, nicht im Standesamt von Cardiff«, sage ich. Ich versuche, mich von den zahlreichen Gedanken abzulenken, die mir im Kopf herumschwirren, und klinge viel schärfer als beabsichtigt. Vor Anspannung beiße ich mir auf die Unterlippe und betrachte mich erneut im Spiegel. Ich stehe in unserem Schlafzimmer in Il Limoneto neben einem geöffneten Fenster. Es ist Samstag. Nur noch zwei Stunden, neunzehn Minuten und achtzehn Sekunden, bis ich mit Lennie verheiratet sein werde – ich werde allen anderen Männern entsagen, bis dass der Tod uns scheidet.

Ich bin innerlich zerrissen. Ich habe das Gefühl, die Person zu sein, die in diesem Kleid stecken sollte, dennoch fehlt ein Teil von mir. Ich lasse die Hand über das Verdello-grüne Band gleiten. Als ich spüre, dass Valerie mich beobachtet, versuche ich, mich zu beschäftigen. Das sollte der glücklichste Tag meines Lebens sein und auch ihrer. Schließlich heirate ich ihren Sohn.

»Hier, Liebes, lass mich dir noch diese Blüte ins Haar stecken«, sagt sie, fasst mich an den Schultern und führt mich zu dem kleinen Hocker vor dem fleckigen Spiegel.

Ich frage mich, ob Giuseppes Mutter auch hier gesessen hat, bevor sie heiratete.

Valerie sieht mich über meine Schulter im Spiegel an und hält meinen Blick fest. Dann nimmt sie eine Haarbürste, bürstet mein Haar und sagt übertrieben munter: »Ich erinnere mich noch gut an die Stunden vor meiner Hochzeit, ich werde sie nicht vergessen, solange ich lebe. Es war die aufregendste Zeit in meinem Leben.« Sie beobachtet mich, fast als wolle sie mich und meine Gefühle auf den Prüfstand stellen. »Alle haben mir gesagt, ich solle ihn nicht heiraten, weil er zu alt für mich sei. Zwanzig Jahre älter. Aber das war mir egal. Ich wusste, dass er der Richtige war, ich wusste es tief in meinem Herzen. Und er war es. Ich habe ihn vom ersten Augenblick an wie verrückt geliebt, und daran hat sich nie etwas geändert.«

»Aber woher hast du gewusst, dass sich daran nichts ändern wird? Woher hast du gewusst, dass du nicht einfach nur aus einem Impuls heraus gehandelt hast?«

»Ich wusste es nicht. Du musst deinen Instinkten vertrauen. Du bist vielleicht impulsiv, Zelda, aber deine Instinkte sind immer richtig gewesen. Du kennst dein eigenes Herz.«

Ich nehme meine Haare im Nacken hoch und drehe sie zu einer Banane zusammen, wie Luca es mir gezeigt hat. Als ich die Frisur feststecke, dreht Valerie sich um und greift nach etwas, was in cremefarbenes Seidenpapier eingeschlagen ist.

»Ich habe meinen Schleier mitgebracht«, sagt sie beinahe schüchtern. »Ich habe mich gefragt, ob du ihn gerne tragen würdest. Du musst natürlich nicht, wenn du nicht möchtest. Es ist nur … na ja, es ist das Einzige, was in meinen Koffer passte, und der Schleier bedeutet mir sehr viel. Wenn du lieber bloß die Zitronenblüte im Haar haben willst, ist das für mich in Ordnung, aber es wäre eine Ehre für mich, wenn du ihn tragen würdest.«

»Oh, Valerie, natürlich trage ich ihn, liebend gern. Ich weiß, wie wichtig das für dich ist und wie sehr du Lennies Dad geliebt hast. Und ich weiß, dass du Lennie glücklich sehen möchtest.« Plötzlich schießen mir Tränen in die Augen. Oh nein! Nicht ausgerechnet jetzt! Mein Make-up! Doch die Tränen hören nicht auf mich. Ich blicke zur Decke, als Valerie mir den Schleier aufsetzt und ihn feststeckt.

»Ich möchte, dass ihr beide glücklich werdet«, sagt sie leise. »Das ist es, worum es im Leben geht. Ich möchte, dass ihr das Glück findet, das ihr verdient, weil ich euch liebe. Du gehörst für mich genauso zu meiner Familie wie Lennie.«

Während sie mit dem kurzen Schleier hantiert, rollen mir die ersten Tränen über die Wangen. Ich komme zu dem Schluss, dass es mehr Schaden verursachen und mehr Aufmerksamkeit erregen würde, wenn ich sie wegwische, und lasse sie einfach fließen. Ich kann ihr das nicht antun, ich kann ihr nicht den großen Tag ruinieren.

»Manchmal ist es wichtig im Leben, seine Chance zu nutzen«, fährt Valerie fort. »Du versuchst schon so lange, die Stimme in deinem Kopf zu ignorieren, die dir sagt, du sollst der Eingebung des Augenblicks folgen – weil du Angst hast, dich dadurch in Schwierigkeiten zu bringen. Doch diese Stimme hat in den meisten Fällen recht. Es sollten mehr Menschen so sein wie du – ihren spontanen Eingebungen folgen und später nachdenken. Keine Angst davor haben, was das Leben vielleicht bereithält.«

Ich kneife die Augen für einen Moment fest zu und will die Tränen mit meinem bloßen Willen stoppen. Ich lausche, ob meine innere Stimme mir sagt, dass die Hochzeit mit Lennie die richtige Entscheidung ist, aber stattdessen wird sie übertönt von: *Ich bin nicht in Lennie verliebt und er auch nicht in mich. Wir werden uns nur gegenseitig unglücklich machen.*

»Valerie, glaubst du, dass an dem Aberglauben rund um den Ätna etwas dran ist?«, frage ich und versuche, das Schwanken in meiner Stimme zu verbergen.

»Das ist doch kompletter Unsinn! Nichts weiter als eine nette Geschichte, die man Touristen erzählen kann und die dafür sorgen soll, dass der Ort nicht ausstirbt. Derjenige, der sich das ausgedacht hat, war genial, aber ich glaube leider nicht an Märchen. Genau wie ich auch nicht an Reue glaube. Man tut, was man tut, weil man zu dem Zeitpunkt das Gefühl hat, dass es das Richtige ist.«

Ich wünschte, es würde sich richtig anfühlen, Lennie zu heiraten. Ich wünschte, ich wollte nicht mit Luca zusammen sein, wollte seine Lippen nicht auf meinen spüren und nicht das Gefühl haben, als wäre das alles, was zählt.

»Aber die Dorfbewohner glauben an die Geschichte; deshalb kann ich mir vorstellen, dass sie in einem Zustand ständiger Sorge leben. Manchmal glauben wir an die seltsamsten Dinge, auch wenn sie nicht unbedingt stimmen. Uns bleibt nichts anderes übrig, als auf unser Herz zu hören.«

Mein eigenes Herz schlägt wie verrückt, während meine Stimmung immer weiter in den Keller sinkt. Dicke Tränen kullern über meine Wangen, als ich schweigend in den Spiegel starre. Was habe ich mir da nur eingebrockt? Ich dachte, ich tue das Richtige, indem ich mich für den leichten Weg entscheide – einen Mann zu heiraten, den ich kenne, dem ich vertraue und den ich liebe; das langsam gegarte Mahl mit den richtigen Zutaten und viel Zeit, damit daraus etwas Köstliches entstehen kann. Und dann ist Luca in mein Leben spaziert – nun ja, eigentlich

ich in seines, um genau zu sein – und bam! Ich wusste es sofort. Es war die unglaubliche Liebe auf den ersten Blick, das, was sich jeder Mensch erhofft. Allerdings ist mir diese Liebe zu spät begegnet. Und die Tränen fallen mir in den Schoß.

»Oh, Liebes, du weinst ja! Warte, ich hole dir ein bisschen Klopapier«, sagt Valerie. »Es ist ein emotionsreicher Tag.«

»Mir geht's gut, wirklich.« Rasch stehe ich auf, wende mich ab und trete zu dem Fenster mit der Aussicht auf den Zitronenhain, in dem alle so schwer gearbeitet haben. »Wie du sagst, es sind einfach bloß die Gefühle, die der Tag mit sich bringt«, sage ich. Ich bin mit allen Menschen zusammen, die ich liebe und die ich mittlerweile als meine Familie betrachte, dennoch habe ich mich noch nie zuvor einsamer gefühlt.

»Ich erinnere mich noch gut daran«, erwidert sie. »Ich konnte es kaum erwarten, dass mein Eheleben beginnt. Ich wollte unsere gemeinsame Zeit so gut wie möglich auskosten.« Erneut sieht sie mich an, dann greift sie in die Tasche und nimmt ihr Handy heraus, wahrscheinlich um sich nach Lennie zu erkundigen, der sich in unserem neuen Haus umkleidet – mit Matteos Hilfe.

Nachdem die Häuser nun fertig sind, packen alle ihre Siebensachen zusammen und machen sich bereit, um Il Limoneto zu verlassen.

»Ich konnte noch nie schalten und walten, wie ich wollte«, sagte Barry, als er sein kleines Haus sah. »Ich glaube, ich stelle mir einen Fernseher in die Küche, und ich will einen Bierkühlschrank haben.«

Alle schmieden Pläne. Das für das Startkapital vorgesehene Geld ist wieder auf der Bank, und die Arbeiten an der Sporthalle bei Romanos Villa wurden eingestellt. Kommende Woche um diese Zeit werden wir alle umgezogen sein. Luca ist jetzt schon weg. Heute ist das Ende einer Ära, doch gleichzeitig der Beginn einer neuen Phase.

Valerie ist im Bad verschwunden, um mich mit Klopapier zu versorgen. Ich sehe hinauf zum Ätna. »Ich weiß nicht, ob dieser Aberglaube wahr ist oder nicht«, sage ich zu dem rauchenden Berg. »Aber diese Menschen verdienen es, ihr Leben weiterzuleben. Hoffentlich macht die Hochzeit dich glücklich. Und hoffentlich lässt du die Menschen dann in Ruhe.«

»Bitte schön, Liebes.« Valerie eilt wieder herein, in der einen Hand ihr Telefon, in der anderen Klopapier für mich. »Mach dir keine Sorgen«, meint sie lächelnd. »Das Leben hat seine eigene Art, Lösungen zu finden. Sieh dir die Verdello-Zitronen an und was für ein Chaos ich verursacht habe. Und jetzt hast du ein richtiges Geschäft daraus gemacht.«

Sie wendet sich zur Tür. »Ich glaube, es ist Zeit für einen Prosecco. Giuseppe hat ein oder zwei Flaschen für uns dagelassen. Ich kümmere mich mal um Gläser.« Als sie verschwunden ist, blicke ich über den Zitronenhain hinweg zum Ätna. Ich habe das Gefühl, noch nie in meinem Leben glücklicher oder trauriger gewesen zu sein, beides gleichzeitig. Ich liebe diesen Ort, ich liebe Lennie, und ich bin verliebt in Luca, aber ich kann nicht alles haben – das ist mir bewusst.

52. Kapitel

Langsam steige ich die Treppe hinunter und hebe dabei mein Kleid an, um die Schuhe zu zeigen, die Luca für mich besorgt hat – in genau der gleichen Farbe wie der zitronenfarbene Softtüll. Als ich den Treppenabsatz erreiche, höre ich Applaus. Meine Mitbewohner haben sich am Fuß der Treppe versammelt, sehen zu mir auf und klatschen Beifall. Ich werde rot und bin froh, dass der Schleier mein heißes Gesicht und die verweinten Augen verbirgt. Valerie sieht gerade über die Schulter aus dem Fenster.

Heute ist es etwas kühler, die Sonne brennt nicht ganz so stark. Offensichtlich will sie uns heute nicht auf die Probe stellen. Oder vielleicht liegt es daran, dass sich der August dem Ende zuneigt und der September und mit ihm der Herbst vor der Tür stehen. Die richtige Zeit, um über den Sommer nachzudenken, der nicht ganz meinen Erwartungen entsprochen hat – ein bisschen wie das Leben, finde ich –, dennoch war er einzigartig und unvergesslich. Und jetzt ist der Zeitpunkt gekommen, sesshaft zu werden und das Beste aus der Situation zu machen.

Ralph reicht Gläser mit Prosecco herum.

»*Grazie*«, sage ich automatisch.

»*Prego*«, antwortet er lächelnd. Wir haben uns so sehr an unser Leben in Sizilien gewöhnt, dass ich mir nicht vorstellen kann, der Insel jemals wieder den Rücken zu kehren. Doch wenn ich Lennie nicht heirate, würde das Dorf uns hassen, und wir müssten gehen.

»Ich glaube, wir sollten uns auf den Weg zum Rathaus machen«, sage ich.

»Nein, schon in Ordnung, du wirst abgeholt«, erwidert Valerie. Ich begreife, dass es diese Mitfahrgelegenheit ist, nach der sie Ausschau hält.

Wir trinken unseren Prosecco und unterhalten uns darüber, wie elegant alle aussehen und wie sehr alle sich wünschen, dass Luca da wäre.

»Er ist da!«, verkündet Valerie schließlich und stolpert fast über ihre eigenen Füße, als sie zur Tür eilt.

Mein Herz macht einen Satz, und ich frage mich, ob Luca vielleicht zur Hochzeit zurückgekommen ist. Doch dann sehe ich einen roten Ferrari vorfahren, und wir schnappen überrascht nach Luft. Die Tür geht auf, und Matteo steigt aus. Er trägt einen schicken Anzug und eine dunkle Sonnenbrille. Das Herz wird mir schwer.

Ich werfe einen prüfenden Blick auf die Uhr. In einer Stunde bin ich mit Lennie verheiratet, und unser Leben in Il Limoneto ist vorbei. Ich trete hinaus in den Hof.

»Il Nonno schickt den Wagen, um euch viel Glück und alles Gute zu wünschen«, erklärt Matteo. »Er sagt, er wünscht dir, dass deine Wünsche in Erfüllung gehen.« Aus irgendeinem Grund hängen die Worte in der Luft, und alle Anwesenden wechseln Blicke.

Ich hebe den Rock meines Kleides an, nehme Tabitha das Proseccoglas aus der Hand, trinke einen großen Schluck unter meinem Schleier und reiche ihr das leere Glas. Zwar kann ich nicht mit Luca zusammen sein, denke ich, aber ich kann die, die ich liebe, glücklich machen – das muss reichen.

Meine Mitbewohner winken mir zum Abschied zu. Die Hunde sitzen vor ihnen, als wären sie Teil dieser großen Familie. Während wir in unbehaglichem Schweigen auf der Kopfsteinpflasterstraße durch die Zitronenhaine fahren, umklammere ich meinen wunderschönen Brautstrauß, der früh am Vormittag ins Haus geliefert worden ist. Matteos Anspannung lässt sich an seinen kräftigen Armen ablesen, mit denen er krampfhaft das Steuer festhält. Es ist der einzige Hinweis darauf, wie er sich fühlt. Ich werde gleich den Mann heiraten, den er liebt.

Schließlich hält der Ferrari am Fuß der Treppe unterhalb des Rathauses. Ganz Città d'Oro hat sich versammelt, alle sind hier, einschließlich Lennie, der mich erwartet und so nervös wie ein Katzenjunges wirkt.

Als Matteo aussteigt und die Beifahrertür für mich öffnet, lege ich ihm die Hand auf den Arm, obwohl ich keine Ahnung habe, was ich sagen soll. Er erstarrt zur Salzsäule. »Ich ... ich liebe ihn wirklich«, sage ich schließlich. »Ich möchte ihn glücklich machen.« Ganz und gar nicht das, was ich eigentlich loswerden möchte. Ich wollte einen Weg finden, um die Sache ins Lot zu bringen. Aber ich weiß einfach nicht, wie.

Ich steige aus und hoffe, dass meine zitternden Knie mich nicht im Stich lassen werden. Lennie sieht sehr elegant aus. Ich bin unglaublich stolz auf ihn, so als würde ich als unbeteiligte Außenstehende beobachten, wie er jemand anders heiratet. Ich muss mir ins Gedächtnis rufen, dass ich es bin, die seine Frau werden wird. Matteo hält mir die Tür auf und blickt starr geradeaus. Die dunkle Sonnenbrille verbirgt den Ausdruck seiner Augen. Ich fühle mich eher, als würde ich zum Galgen als zum Traualtar geführt. Das ist nicht richtig – für keinen von uns.

»Du siehst wunderschön aus«, sagt Lennie und nimmt meine Hand.

»Du auch«, erwidere ich. Wir wechseln ein liebevolles Lächeln, bevor er mir den Arm hinhält, damit ich mich unterhaken kann, genauso wie immer schon.

Wir gehen auf das Rathaus zu, vor dem ein über das ganze Gesicht strahlender Giuseppe auf uns wartet. Wolken sind aufgezogen, und der Himmel verdunkelt sich, doch Giuseppes Lächeln verliert nichts von seiner Strahlkraft.

Als wir die Stufen hinaufschreiten, gefolgt von den Dorfbewohnern, klettern unsere Mitbewohner aus dem Kleinbus, der mit Bändern und Zitronenblüten dekoriert ist. Valerie hat sich an die sizilianischen Parkgepflogenheiten angepasst, lässt den Bus einfach dort stehen, wo sie angehalten hat – das Heck ragt halb auf die Straße –, und eilt rasch an unsere Seite. Sie wirkt besorgt und trägt eine Miene zur Schau, die sich nur die Mutter von Braut und Bräutigam erlauben darf. Doch als ihr Blick auf Giuseppe fällt, lächelt sie, als wäre er ein Mensch, mit dem sie den Tag teilen möchte. Ganz kurz frage ich mich, ob ich das Gleiche miterlebe, was ich schon zwischen Lennie und Matteo gesehen habe, aber ausnahmsweise werde ich den Mund halten.

Wieder sehe ich Lennie an. Valerie wirft einen nervösen Blick über die Schulter, sodass ich mich frage, ob sie sich doch Sorgen wegen eines möglichen Ausbruchs des Ätna macht. Die Luft ist schwer und drückend. Alle wirken ein wenig angespannt und sind darauf erpicht, das Rathaus zu betreten und die Zeremonie zu beginnen.

»*Prego!*« Giuseppe tritt zur Seite, um uns in dem großen Raum gegenüber von seinem Büro willkommen zu heißen. Ich betrachte die in geraden Reihen angeordneten Stühle, anschließend sein Büro und die Unordnung dort: Berge von Papier und feuchte, zerbröckelnde Mauern. Es fühlt sich an wie mein Leben: auf der einen Seite die Welt der Ehe mit einem Zuhause und den Schlüsseln zum Erwachsenwerden, die ich so lange gesucht habe – auf der anderen Seite tröstlich vertrautes Chaos.

Wir stehen im Flur, und hinter uns drängt sich die Hochzeitsgesellschaft, die endlich den Raum betreten und Platz nehmen möchte. Doch irgendetwas hält mich davon ab weiterzugehen.

»Brauchst du noch einen Augenblick?«, fragt Giuseppe.

»Um ehrlich zu sein …« Ich schlucke mit trockener Kehle und sehe Matteo an, der seine Gefühle immer noch hinter seiner Sonnenbrille vor der Außenwelt versteckt. Sicher tut er das schon seit sehr langer Zeit. Jeder sollte die Freiheit haben zu lieben, wen er lieben möchte. Luca hätte man nicht unter Druck setzen dürfen, seine Cousine zweiten Grades zu heiraten, und auch Matteo sollte frei entscheiden dürfen, welchen Weg er einschlagen möchte. Dabei handelt es sich um ein grundlegendes Menschenrecht. »Um ehrlich zu sein, ich brauche noch einen Augenblick«, sage ich zu Giuseppe.

Ich wende mich von dem wunderschön dekorierten Raum ab – es ist alles nur zum Schein, um die Risse zu verstecken –, und betrete Giuseppes gemütliches Büro, in dem ich mich wohlfühle. Barry und Ralph bringen die Gäste in den großen Raum und sorgen für Musik. Ich muss unwillkürlich grinsen, als Dean Martin *That's Amore* anstimmt; ich denke an den bittersüßen Abend des zweiten Straßenfestes, zu dem viele Besucher kamen und ich endlich das Gefühl hatte, wir seien angekommen … Es war der Abend, an dem Luca gegangen ist.

Lennie folgt mir in das Büro und schiebt die schwere Tür halb zu. »Alles in Ordnung, Zelda? Bist du nervös? Das musst du nicht sein«, sagt er. »Ich bin es doch nur.«

»Du bist großartig. Ich liebe dich, Lennie. Ich habe nie jemanden mehr geliebt. Du bist meine Familie …« Und dann hole ich tief Luft und tue das, was ich eigentlich nicht tun wollte. Ich gebe meinem impulsiven Wesen nach, öffne die Schleuse und lasse alles heraus. »Ich kann dich nicht heiraten, Lennie. Ich kann nicht.«

»Wie bitte?« Seine Miene ist eine seltsame Mischung aus tiefer Betroffenheit und Erleichterung.

Valerie schlüpft in den Raum und bleibt an der Tür stehen, ich löse meinen Blick allerdings nicht von Lennie.

»Aber«, stammelt er, »wir sind als Paar nach Sizilien gekommen. Der Pakt … wir wollten schließlich loyal zueinander sein. Du und ich – das ist es doch, was wir wollten. Ein neues Leben und dieses Projekt.«

»Ich möchte auch hierbleiben, aber als ich selbst. Ich will, dass wir uns selbst treu bleiben. Mit unserer Auswanderung nach Città d´Oro sind wir ein Risiko eingegangen; jetzt müssen wir es noch mal darauf ankommen lassen, wir müssen dem Leben eine Chance geben … und der Liebe. Ich liebe dich, Lennie, aber wie einen Bruder, und du liebst mich wie eine Schwester. Wir dachten, das wäre genug, doch ich kann nicht zulassen, dass du mich heiratest, weil ich weiß, dass du eine Chance auf die wahre Liebe mit jemand anders hast.«

Wir sehen beide zur Tür und denken an Matteo in seinem eleganten Anzug, der zweifellos von Luca geschneidert worden ist. Wenigstens ist noch ein bisschen von Luca hiergeblieben, denke ich. Ich betrachte mein Kleid und stelle mir vor, wie seine Hände das Kleid bestickt haben. Jedes Detail an diesem Kleid geht auf sein Konto, liebevoll und sorgfältig ausgeführt.

»Ich habe mich geirrt«, entgegne ich. »Wir sollten uns nicht mit dem Zweitbesten zufriedengeben. Das heißt nicht, dass du oder ich bloß der oder die Zweitbeste sind, aber es gibt so etwas wie Liebe auf den ersten Blick. Das weiß ich jetzt, denn …« Ich kann ihm nicht sagen, dass ich es bei meiner ersten Begegnung mit Luca gefühlt habe, denn Luca ist weg. Ich habe eine Kostprobe der wahren Liebe bekommen, nur für eine Weile. »Denn ich habe sie bei Matteo und dir gesehen. Wir beide verdienen diese Chance und sollten zugreifen, wenn sie sich uns bietet.«

Traurig sieht er mich an. »Ich dachte, wenn ich dich heirate und mich für dich entscheide, würde alles klar werden«, sagt er. »Ich bin schon so lange verwirrt. Weder schwul noch hetero – weder das eine noch das andere. Ich glaubte, wenn ich dich heirate, jemanden, der mir so viel bedeutet, könnte ich endlich herausfinden, wer ich wirklich bin.«

»Du hättest deinem Herzen folgen sollen, um herauszufinden, wohin es dich führt.« Ich lächele etwas zittrig. »Als wir hergekommen sind, als du den Vorschlag gemacht hast …« Ich schlucke. »… war es wegen des Mannes in deinem Büro? Wegen Markus? Der, der sich gerade frisch von jemandem getrennt hatte und nicht der Typ war, der sich auf eine feste Beziehung einlassen will?«

Er wirft mir einen Blick zu und nickt. »Du kennst mich einfach zu gut.«

»Ich habe eine ganze Weile gebraucht, um es zu verstehen!« Ich lache.

Lennie dreht sich zu Valerie um, die immer noch an der Tür steht.

»Ich möchte, dass ihr beide glücklich seid«, sagt Valerie. »Das ist alles. Das wollen alle, denen ihr etwas bedeutet. Es war falsch, dass ich versucht habe, euch beide zusammenzubringen. Ich habe dabei nur an mein eigenes Glück gedacht. Man kann kein Glück im Leben anderer Menschen finden. Man muss tun, was für einen selbst richtig ist. Das haben dein Dad und ich getan, Lennie, und ich habe es keinen einzigen Moment lang bereut.« Ihre Augen füllen sich mit Tränen.

Lennie sieht wieder mich an. »Und was wirst du tun?«, fragt er mit einer Miene, als würde es ihm das Herz brechen.

»Ich bleibe hier«, antworte ich. »Ich werde Limonen züchten, denn niemand ist je …«

»… aus einem anderen Grund als der Liebe Zitronenbauer geworden«, und damit tritt Luca in den Raum.

»Du bist zurückgekommen!«, keuche ich.

»Ja.«

»Warum?«

»Ich möchte auch Zitronenbauer werden.« Ein strahlendes Lächeln breitet sich auf seinem Gesicht aus, als er auf mich zukommt.

»Aber … woher hast du es gewusst? Wie konntest du wissen …«

»Jemand hat mir gesteckt, wenn ich dich wirklich so sehr liebe, wie derjenige glaubte, solle ich auf der Stelle zurückkommen und dir das sagen.« Er wirft Valerie einen kurzen Blick zu. Plötzlich erinnere ich mich daran, dass sie ihr Handy mitgenommen hat, als sie für mich Klopapier aus dem Bad geholt hat.

»Ich hatte seine Nummer noch von dem Tag, als Sophia vermisst wurde.« Valerie wirkt durcheinander und besorgt, als wäre sie sich nicht sicher, ob sie das Richtige getan hat.

»Ich habe gedacht … und gehofft, dass ich dich vielleicht überzeugen kann«, meint Luca und mustert mit forschend. »Ich wollte dir sagen, dass ich dich liebe und die ganze Zeit an dich denke. Ich fühle mich vollständig, wenn ich mit dir zusammen bin. Und weil ich dich kenne, war mir klar, dass du das hier durchziehen würdest, um alle anderen glücklich zu machen.«

»Das Dorf … Giuseppe. Wir haben ihnen eine Hochzeit versprochen!«

»Du hast selbst gesagt, Zelda, dass man sich treu bleiben muss und dabei nicht an andere denken sollte. Es geht darum, was du willst.«

Ich sehe Lennie an. »Man kann es sich nicht aussuchen, in wen man sich verliebt«, sage ich traurig. »Ich wollte mich wirklich in dich verlieben.«

»Und ich mich in dich!« Er seufzt. »Das Leben hätte so einfach sein können!«

»Ich dachte, was ich tue, ist richtig und vernünftig. Ich wollte beweisen, dass ich erwachsen bin und wie alle anderen sein kann. Ich habe versucht, die impulsive Stimme zu ignorieren, die mich immer in Schwierigkeiten bringt. Sie hat gesagt: ›Tu es nicht, stimm nicht zu.‹ Doch ich kann dich nicht heiraten. Ich bin nicht in dich verliebt, aber ich liebe dich.«

»Und ich bin nicht in dich verliebt, aber ich liebe dich. Ich liebe dich, weil du mutig, furchtlos …«

»Ich bin nicht mutig! Ich habe ständig Angst. Ich war nur mutig, weil du an meiner Seite warst«, unterbreche ich ihn.

»Ich werde immer für dich da sein.«

»Und ich für dich. Wir haben großes Glück, dass wir einander haben. Freunde?«

»Beste Freunde für immer!« Und die Welt scheint wieder so zu sein, wie sie sein sollte.

Anschließend drehe ich mich zu Luca um, stumm und ohne einen Plan, was ich sagen soll. Doch es spielt keine Rolle, denn er greift nach meinen Händen und sieht mir in die Augen.

»Ich habe dich von dem Moment an geliebt, als du zum ersten Mal das Restaurant betreten hast, und ich weiß, dass es dir genauso ging. Ich bedauere den Kuss nicht …«

»Ihr habt euch geküsst?« Lennie wirkt einen Moment lang gekränkt, doch dann schüttelt er den Kopf und lächelt. Mir wird klar, dass Matteo und er auch keine Engel waren.

»Ich liebe alles an deinem Verhalten. Dass du so impulsiv, leidenschaftlich und spontan bist«, fährt Luca fort. »Ich liebe dich genau deshalb. Du agierst aus der Situation heraus. Wenn das nicht so wäre, wärst du nicht hier; du hättest meinem Vater nicht Paroli geboten und hättest dich nicht auf die Weise für das Dorf eingesetzt, wie du es getan hast. Du bist du, und dafür liebe ich dich. Ich will nicht, dass du dich jemals änderst.«

Ich schlucke, denn wenn ich täte, was ich jetzt wirklich tun will, würde ich gleichzeitig lachen und weinen. Ach, was soll's – ich tue es einfach!

»Niemand kann erklären, wie die Chemie zwischen zwei Menschen funktioniert«, sagt Luca. »Aber es gibt sie tatsächlich, die Liebe auf den ersten Blick!« Ich nicke mit Nachdruck. »Es ist nicht bloß ein Impuls, sondern etwas, was einen mitten ins Herz trifft.«

»Aber die Hochzeit!« Ich schaue plötzlich zur Tür. »Es muss eine Hochzeit geben. Sie muss stattfinden, alle warten darauf. Sogar der Ätna scheint allmählich ungeduldig zu werden.« Ich werfe einen Blick auf den Himmel, der sich zunehmend verdunkelt.

»Nun«, meint Luca, und sein Blick wandert von mir zu Lennie, »wenn es das ist, was du möchtest … wenn du immer noch ein Leben mit den Limonen willst, dann hast du wohl recht – die Hochzeit sollte stattfinden. Wenn es tatsächlich das ist, was du wirklich willst.« Und ich gerate schon wieder ins Trudeln.

53. Kapitel

Die Hochzeitsmusik spielt, als ich aus dem Büro trete. Lennie und Luca sind schon vorausgegangen, und nachdem Valerie sich vergewissert hat, dass ich mir ganz sicher bin, hat sie sich zu den anderen im Raum gegenüber gesellt. Ich bin ganz allein. Schließlich atme ich tief durch, hebe das Kinn und straffe die Schultern. In meinem Bauch tanzen Schmetterlinge, doch ich weiß, dass ich das Richtige tue. Ich handele nicht im Affekt, sondern folge meinen Instinkten und meinem Herzen – auch wenn ich nicht genau wissen kann, worauf ich mich einlasse.

Als ich den großen Raum betrete, drehen sich alle Anwesenden um und sehen mich an. Giuseppe steht würdevoll hinter einem großen Holzschreibtisch, und vor ihm sehe ich – angestrahlt von einem plötzlich aufblitzenden Sonnenstrahl – Lennie mit Luca an seiner Seite. Ich richte den Blick auf die beiden Männer, die ich am meisten auf der Welt liebe. Luca trägt ein Ansteckstäußchen aus Zitronenblüten, das er sich von Matteo geborgt hat. Ein Band ist darum gewunden, das dieselbe Farbe hat wie das Band an meinem Kleid: Verdello-Grün.

Jede Reise beginnt mit dem ersten Schritt, und so setze ich einen Fuß vor den anderen und schreite auf die Männer zu. Alle Menschen, die mir etwas bedeuten, sind hier: Sie sind meine Familie. Denn Familie ist das, was man dazu macht. Vorne steht Valerie und freut sich wie ein Schneekönig. Giuseppe nickt langsam, als wolle er sagen: *perfetto*.

Die beiden Männer lächeln sich zu und umarmen sich kurz, dann tritt Lennie zurück und stellt sich neben Matteo. Langsam dreht Luca sich um und sieht mich an. Ich habe das Gefühl, als würde die Welt gleich explodieren, als er die Hand ausstreckt, damit ich mit ihm vor Giuseppe trete ... um unser gemeinsames Leben auf der Zitronenfarm zu beginnen.

Denn niemand ist je aus einem anderen Grund als der Liebe Zitronenbauer geworden.

Epilog

Ein Jahr später

»Wie war deine Reise nach London?«, frage ich Sophia. »Hast du alle Sehenswürdigkeiten besucht?«

»Es war toll. Ich habe den Buckingham Palace, die Downing Street, die Pudding Lane und den Big Ben gesehen. Ich bin mit dem London Eye gefahren und habe das allergrößte Spielzeuggeschäft besucht! Aber …« Sie verstummt.

»Aber?«, hake ich nach, hebe Francesco aus der Wiege und reiche ihn seinem frischgebackenen Taufpaten Lennie; danach schnappe ich mir Amelia und übergebe sie ihrem Taufpaten, Matteo, der sie sichtlich stolz in seine starken Arme nimmt. Wir sitzen um den langen Tisch unter dem größten Baum im Zitronenhain von Il Limoneto.

»Pass auf, dass nichts an ihre Taufkleider kommt. Luca hat sie erst gestern Abend fertiggestellt«, sagt Valerie, die seit der Hochzeit nur einmal in England gewesen ist – um ihr Haus auszuräumen und zu verkaufen, bevor sie ganz nach Città d'Oro gezogen ist. Allerdings scheint sie mehr Zeit bei Giuseppe als in dem kleinen Haus zu verbringen, das Lennie und Matteo für sie renoviert haben.

Auf dem Tisch verteilt finden sich neben großen Krügen mit Wein und Wasser auch Marmeladengläser mit Zitronenblüten. Alle Gäste sind bereit für das Festessen, das sie den ganzen Vormittag lang vorbereitet haben. Sie haben in der Küche um die besten Plätze gerangelt und die Anweisungen von Luca und Matteo befolgt. Es ist eine große, lärmende Gruppe, genau wie nach unserer Hochzeit, als der ganze Ort uns beim Feiern geholfen hat. Sie brachten Schüsseln voller Salat, Töpfe mit Pasta und Tabletts mit grillfertigem Gemüse mit, die sie lachend und plaudernd aus dem Dorf nach Il Limoneto trugen.

»Woran schreibst du gerade?«, will Valerie argwöhnisch von Tabitha wissen.

»Um ehrlich zu sein, Valerie, ich habe es aufgegeben, Zeitungsartikel zu schreiben. Ich habe so viele Jahre damit verbracht, Dinge zu erfinden, die wie Fakten klingen sollten. Jetzt habe ich beschlossen, ein Buch zu schreiben. Einen Roman, der auf einer Zitronenfarm spielt.« Sie grinst. »Ich meine, so was könnte man einfach nicht erfinden!«

»Und sie ist meine neue Englischlehrerin!«, verkündet Sophia stolz.

Tabitha lächelt. Wenn sie nicht schreibt oder unterrichtet, hilft sie Ralph, der seine Galerie für den heutigen Tag geschlossen hat. Er bereitet für kommende Woche eine Ausstellung vor, zu der auch seine Kinder kommen werden, um mit ihm zu feiern. Seine Exfrau und er reden wieder miteinander, seit sie diesen Wohlfühl-Artikel von Tabitha gelesen hat; er handelte von einer Gruppe Menschen, die nach Sizilien zog und ein vom Aussterben bedrohtes Dorf wieder zum Leben erweckte.

Giuseppe reicht Gläser mit unserer jüngsten Charge Limoncello herum und bringt einen Toast aus. »Auf uns alle«, sagt er. »Auf die Heimat und die Familie.« Damit erhebt er sein Glas auf Luca und mich und anschließend auf unsere Kinder, Francesco und Amelia, benannt nach Lucas Großeltern, deren Initialen F + A auch den Eingang zum Zitronenhain zieren.

Il Nonno erhebt sich. »Und auf die Vergebung. Niemand von uns wäre heute hier, wenn wir nicht auf unserem Weg auch Fehler begangen hätten. Es musste erst eine rothaarige Frau aus England kommen, die mich zur Weißglut trieb, um mir das klarzumachen!«

»Bravo!«, ruft Barry laut.

Romano dreht sich um, hebt sein Glas und nickt Lucas Mutter zu, die inzwischen eines ihrer Enkelkinder auf dem Schoß hat und es herzt.

»Glaubst du immer noch, dass du vielleicht hier die Frau deiner Träume finden wirst?«, frage ich.

»Ach weißt du«, erwidert Barry nachdenklich, »ich glaube, ich bin ganz zufrieden damit, allein zu sein. Wenn man eine ganze Familie um sich herum hat, braucht man nicht unbedingt eine einzelne Person, oder?«

Wir nicken und lächeln zustimmend.

Eine Brise streift durch den Zitronenhain und lässt die Blätter rascheln. Hoch oben in dem Baum singt der Kanarienvogel, der sich nie weit von der Familie entfernt und jeden Abend in seinen Käfig mit der weit offen stehenden Tür zurückkehrt. Denn wenn man jemanden liebt, muss man ihn gehen lassen. Und wenn die Liebe erwidert wird, kommt der- oder diejenige zurück.

Wir haben alle irgendwann einmal daran gedacht zu gehen, aber am Ende sind wir geblieben. Matteo und Lennie restaurieren überall im Ort Häuser – dabei kommen Matteos gestalterisches Auge und Lennies handwerkliches Geschick zum Einsatz. Die beiden sind in das Haus mit dem Balkon gezogen, das ursprünglich für Lennie und mich bestimmt war. Es war immer schon ihr Haus, und jetzt ist es zudem ihr Zuhause. Sherise und Billy wohnen glücklich und zufrieden zusammen mit ihren

Hühnern in Lucas ehemaliger Wohnung im Zitronenhain am Ortsrand. Billy vergrößert die Hühnerschar, baut weitere Hühnerhäuser und kümmert sich natürlich um die Zitronen, die er an mich verkauft. Luca und ich sind in Il Limoneto geblieben. Giuseppe wollte, dass wieder eine Familie auf dem Hof wohnt – und so leben wir also mit unseren Kindern zwischen den Zitronenbäumen.

»Aber?«, frage ich Sophia noch einmal.

»Ich mag London«, antwortet sie, »aber es ist überhaupt nicht so, wie ich dachte. Es ist nicht wie Città d'Oro. Zu Hause ist es einfach am schönsten!«

Wir heben unsere Gläser auf Nonna und ihr Rezept und sind uns einig, dass man, wenn das Leben einem Limonen gibt, Limoncello daraus machen soll … denn niemand ist je aus einem anderen Grund als der Liebe Zitronenbauer geworden.

Während die Sonne als großer orangefarbener Ball untergeht, wacht der Ätna stolz und zufrieden über uns. Die Schwalben schießen im Sturzflug herunter, als wollten sie sich auf den Abschied bis zum kommenden Frühjahr vorbereiten. Wir sitzen um den großen Tisch und essen, denn eine Familie, die gemeinsam kocht und isst, bleibt zusammen.

Dank

Dieses Buch wäre ohne die Unterstützung der großartigen Sarah Kearney nicht möglich gewesen, die einen Reise-, Food- und Lifestyleblog über das Leben auf Sizilien betreibt. Sie hat mir so viele Fragen beantwortet und mir den Kontakt zu Personen auf Sizilien vermittelt, die sie persönlich kennt. Der Blog ist hier zu finden: whitealmond-privatesicily.blogspot.com

Einer der Kontakte waren Matteo und seine Familie auf dem Bauernhof Agriturismo il Giardino del Sole, nur fünfzehn Minuten vom Flughafen in Catania entfernt. Diese wunderbare Familie betreibt einen Biobauernhof, auf dem wir unsere erste Nacht verbracht haben. Es wird fantastisches, frisch gekochtes Essen angeboten, die Kinder konnten in den Orangen- und Zitronenhainen reiten, und wir haben an einem tollen Kochkurs teilgenommen, in dem wir lernten, auf sizilianische Art und Weise zu essen und zu trinken. Es war großartig!

Sarah hat ebenfalls den Kontakt zu Giuseppe hergestellt, dem Besitzer und Betreiber eines jahrhundertealten Zitrusfrüchte- und Olivenölhofs (www.aziendabrancati.it). Wir verbrachten einen wunderschönen Tag auf seinem Hof, besichtigten die Zitronenhaine, kosteten die selbst gezogenen Orangen und reisten schließlich mit den Armen voller Früchte und Olivenöl wieder ab. Ihr könnt ihm auf Twitter @AziendaBrancati und Facebook @biobrancati folgen. Ich habe noch nie zuvor so gute Clementinen gegessen!! Der wahre Geschmack Siziliens.

Und natürlich muss ich mich bei James Villa Holidays (www.jamesvillas.co.uk) für meinen fantastischen Aufenthalt in der wunderbaren Villa Viagrande in Trecastagni bedanken. Es war einfach umwerfend. Von diesem Aufenthalt werde ich zwei unglaubliche Dinge im Gedächtnis behalten. Erstens das Schwimmen in dem wunderschönen Pool mit Blick auf den Ätna. Und zweitens den Sonnenaufgang über Sizilien, den ich jeden Morgen betrachtete, während ich auf der Terrasse saß und Orangen aß. Wie gesagt, einfach umwerfend.

Mein Dank geht auch an Jen Doyle und das Team von Headline sowie an meine reizende Lektorin Celine Kelly. Und wie immer an meinen fantastischen Agenten David Headley.

Und schließlich möchte ich mich bei den wunderbaren und ausgesprochen großzügigen Menschen auf Sizilien bedanken, die dafür gesorgt haben, dass wir uns so wohlfühlten. Wir kommen wieder!

Willkommen in der Welt von Jo Thomas

Liebe Leserinnen und Leser,

ich hoffe, das Lesen der Geschichte von Zelda und Lennie hat euch genauso viel Freude bereitet wie mir die Recherche und das Schreiben!

Da meine Urgroßeltern aus Sizilien stammten, übte Sizilien von jeher eine gewisse Faszination auf mich aus. Ich wollte schon lange dorthin reisen und über die Insel schreiben. Und ich wurde nicht enttäuscht.

Wir haben nicht nur festgestellt, dass die Menschen auf Sizilien überaus großzügig sind, sondern auch, dass jeder, der die Insel kennt und liebt, bereitwillig weiterhilft und auch Zeit dafür investiert. Als ich mit meinen Recherchen über Sizilien begann, stieß ich auf einen Reise-, Food- und Lifestyleblog namens White Almond Private Sicily, der mir einen Vorgeschmack darauf gab, was mich erwartete. Als ich Kontakt zu Sarah aufnahm, die den Blog betreibt, teilte sie ihr Wissen ausgesprochen bereitwillig mit uns. Das war außerordentlich hilfreich. Und das steht sinnbildlich für Sizilien. Die Menschen, die Sizilien kennen, möchten ihre Liebe für diesen Ort weitergeben – ich brauchte nicht lange, um den Grund dafür herauszufinden.

Nach unserem Flug nach Catania verbrachten wir die erste Nacht auf Sizilien auf einem *agriturismo,* einem Bauernhof, auf dem auch Touristen Urlaub machen können. Das ist eine fantastische Möglichkeit, die Landschaft kennenzulernen und Einheimische zu treffen. Wir übernachteten auf *Agriturismo il Giardino del Sole,* einem wunderbaren Fleckchen Erde. Absolut inspirierend und hinreißend. Wir waren von Orangen- und Zitronenbäumen umgeben, und es gab Pferde und Esel. Die Kinder ritten auf Pferden vom Hof aus durch die Orangen- und Zitronenhaine. In der Luft lag der Duft der Zitrusblüten, und man konnte über die Insel bis aufs Meer blicken. Wir nahmen an einem Kochkurs auf dem Hof teil und kochten und aßen zusammen mit der außerordentlich gastfreundlichen Familie. Es ist eine meiner Lieblingserinnerungen, auf diese Weise gemeinsam zu kochen und zu essen.

Während der übrigen Zeit unseres Aufenthalts wohnten wir in einer wunderschönen Villa namens Villa Viagrande in Trecastagni mit Blick auf den Ätna. Das Anwesen war einfach traumhaft. Auch hier wuchsen Limonen im Garten. Wie an allen Orten auf Sizilien, die wir kennenlernten, waren unsere Gastgeber ebenfalls überaus großzügig und gastfreundlich. Bei unserer Ankunft erwartete uns ein Tisch, der sich unter wunderbaren selbst gebackenen Kuchen, frischen Orangen und süßen Leckereien bog. Die Sizilianer lieben ihre Süßigkeiten. Im Laufe unseres Aufenthalts organisierte Sarah von White Almond Private Sicily einen Besuch auf einem Bio-Zitrusbauernhof (www.agricolturasiciliana.com), wo wir den Hof besichtigten, plauderten und dabei eine große Schüssel der süßesten Clementinen aßen, die ich je gekostet habe.

Ich hatte alle Zutaten für meine sizilianische Story zusammen. Zitrusfrüchte sind das Herz dieser wunderschönen Insel und ihrer Speisen; große Bedeutung kommt auch der Familie zu. Großzügig und mit Freude werden andere Menschen mit einfachen, sonnengetränkten Zutaten verwöhnt. Wenn ihr genau wie ich von der sizilianischen Lebensart inspiriert seid, könnt ihr kochen wie die Sizilianer. Rachel Roddy, Autorin von *Two Kitchens, Family Recipes from Sicily and Rome,* hat ein paar Rezepte für euch beigesteuert. Trefft euch mit Freunden oder der Familie, geht in die Küche, und zaubert euch den Geschmack Siziliens auf die Teller. Ich hoffe, ihr liebt die Gerichte genauso sehr wie ich!

Bis zum nächsten Mal, ciao!

Jo xx

Drei Rezepte aus:

Family Recipes from Sicily and Rome

Rachel Roddy

Spaghetti mit Knoblauch, Öl und Zitrone
Tagliatelle mit Limone und Parmesan
Zitronentorte

Zitronen

Limonen sind wie so viele Dinge von den Arabern nach Sizilien gebracht worden. Der Anbau und die Bewässerungstechniken veränderten die Landschaft der Insel. In einer arabischen Abhandlung aus dem zehnten Jahrhundert finden Zitronenbäume als Teil von Ziergärten Erwähnung, und wahrscheinlich war das auf Sizilien ebenfalls der Fall. Im Laufe der Zeit wurden die Zitronenbäume jedoch zu einem wesentlichen Bestandteil der Landschaft in ganz Sizilien und seines Essens und prägten die Insel genauso sehr wie der Sonnenschein.

Zitronensaft findet in Getränken und Eiscreme Anwendung und wird bei der Zubereitung von Gemüse-, Fleisch- und Fischgerichten benutzt, um für Saftigkeit und Würze zu sorgen. Er wird auch eingesetzt, um die Süße anderer Früchte auszugleichen, oder man isst die Limonen einfach pur. Mein Partner, Lorenzo, hat die Fähigkeit seines Großvaters geerbt, eine ganze Limone zu essen – so wie du und ich einen Apfel essen würden, vielleicht geschält oder auch ungeschält. Das ist weniger erstaunlich, wenn man bedenkt, dass sizilianische Limonen speziell sind. Sie haben eine blassgelbe Schale über einer dicken, schwammartigen weißen Haut, die eher Auberginenfruchtfleisch ähnelt als den bitteren weißen Teilen einer Zitrone, die ich kannte. Die Limonen sind zwar sauer, doch auch fleischig und durchaus essbar, vor allem mit ein wenig Salz. Ich kann die Früchte allerdings nicht pur essen. Lorenzos Mutter Carmela schüttelt sich ebenfalls bei dem bloßen Gedanken. Sie wendet lieber die Methode ihres Großvaters an: Man nimmt eine Schale, gibt kleine Brotstücke hinein, schneidet sehr dünne Zitronenscheiben darüber, presst den Zitronensaft aus und gibt ihn dazu. Dann fügt man heißes Wasser, Salz und Pfeffer hinzu und wartet und wartet. Sie bereitet diese Brot-Zitronen-Suppe zu, wenn sie erschöpft ist und ihren Körper entschlacken und ihm etwas Gutes tun will.

Meine Großmutter Alice gab immer Zitronenviertel in die Gin Tonics, die sie in ihrem Pub servierte. Natürlich probierten wir die Limonen und verzogen das Gesicht. Alice legte sich auch leere Zitronenhälften auf die Ellbogen, um die Haut weicher zu machen und aufzuhellen. Mit acht Jahren verstand ich nicht im Geringsten, warum man so etwas tun sollte. Mit beinahe vierundvierzig kann ich es nachvollziehen.

Wie Sonnenschein in der Küche sind Limonen – ob sie nun direkt vom Baum gepflückt oder aus einem gelben Netz genommen werden – wunderschön, prachtvoll und auch äußerst nützlich. Sie finden Verwendung als Hauptzutat, als frischer Duft, als Gewürz oder als stiller Helfer im Hintergrund. Zitronensaft funktioniert ähnlich wie Salz und verstärkt die Aromen. Er ist das Äquivalent eines Tontechnikers, der die Balance regelt, die Töne abmischt, sie höher, tiefer, härter oder weicher macht und dafür sorgt, dass sie sich mehr wie sie selbst anhören. Wenn etwas in einem Schmorgericht, Eintopf, Fruchtpudding, einer Suppe oder einem Fruchtpüree fehlt, ist oft Zitronensaft die Antwort, die den letzten Schliff verleiht. Ein Gericht aus Linsen und hart gekochten Eiern beispielsweise wird durch einen kräftigen Spritzer Limone regelrecht verwandelt. Man würde die Limone nicht herausschmecken, doch man würde sie vermissen, wenn sie fehlte. Auch der Zitronenabrieb mit seinen ätherischen Ölen verstärkt die Würze und intensiviert das Aroma von Gerichten.

Man sollte unbehandelte Limonen mit leuchtender, glatter Schale auswählen; sie sollten sich in der Hand schwer anfühlen. Sie sind immer erhältlich, doch von Ende November bis März sind sie am besten. Das ist eine hervorragende Zeit, wenn man genauer darüber nachdenkt: Leuchtkraft und ewige Frische zu einer Jahreszeit, in der wir sie am meisten brauchen. Zum Reiben von Zitronenschale nehme ich am liebsten meine Kastenreibe. Zum Auspressen von Saft benutze ich eine alte zweiteilige Zitruspresse aus Kunststoff mit einem kegelförmigen Aufsatz über einem Auffangbehälter. Das Geheimnis besteht darin sicherzustellen, dass die Limone Raumtemperatur hat und man sie auf der Arbeitsplatte rollt, bevor man sie presst.

Spaghetti mit Knoblauch, Öl und Zitrone
Spaghetti aglio, olio al limone

für 4 Personen

2 große, unbehandelte Zitronen
eine große Handvoll glatte Petersilie
500 g Spaghetti
1 bis 2 Knoblauchzehen (je nach Geschmack)
1 kleine getrocknete Chilischote oder eine Prise Chiliflocken
6 Teelöffel Olivenöl

Zwei Kochtraditionen treffen in diesem großartigen römischen Dauerbrenner *spaghetti aglio, olio e peperoncino* (Spaghetti mit Knoblauch, Olivenöl und Chili) aufeinander, dem durch die Zugabe von etwas abgeriebener Zitronenschale eine sizilianische Note verliehen wird. Es handelt sich um ein Gericht, nach dem ich mich sehne, wenn ich es eine Weile nicht gegessen habe, vor allem in der dunklen Winterzeit, wenn die bodenständige, stärkehaltige Nahrung etwas Pepp gebrauchen kann. Es ist ein einfaches Gericht, das jedoch mit einem Geschmackserlebnis aufwarten kann; das klare, reine Öl, der kräftige Knoblauch, die den Rachen kitzelnde Schärfe des Chilis, die grasartige Petersilie (von der immer etwas zwischen den Zähnen hängen bleibt) und das flüchtige, aromatische Öl des Zitronenabriebs. Die Mengen der einzelnen Zutaten können natürlich je nach persönlichem Geschmack variiert werden; vielleicht beschließen Sie, den Chili wegzulassen oder die Knoblauchmenge zu verdoppeln.

Zitronenschale reiben und Petersilie sehr fein hacken, dann Zitronenschale mit Petersilie mischen und zur Seite tun. Einen großen Topf mit Salzwasser zum Kochen bringen und die Spaghetti al dente kochen.
In der Zwischenzeit Knoblauch und Chilischote sehr fein hacken. Das Olivenöl in einer großen Pfanne vorsichtig erhitzen, Knoblauch und Chili bei niedriger Hitze dünsten, bis sie zu duften beginnen. Die fertig gekochten Spaghetti in ein Sieb abgießen oder direkt mit einer Nudelzange in die Pfanne geben. Ein wenig Nudelwasser in die Pfanne gießen. Umrühren, die Zitronenschale, die Petersilie und eine Prise Salz hinzufügen und, falls gewünscht, ein wenig Zitronensaft. Wieder umrühren, auf die Teller geben und sofort genießen.

Tagliatelle mit Limone und Parmesan

Tagliatelle con limone e parmigiano

für 2 Personen

220 g getrocknete oder 350 g frische Tagliatelle oder Linguine
75 ml Olivenöl Extra Vergine
1 unbehandelte Zitrone
100 g geriebener Parmesan + zusätzlicher Parmesan zum Bestreuen

Verrührt man Zitronensaft mit jeder Menge Olivenöl und viel frisch geriebenem Parmesan, erhält man eine dicke, körnige, ausgesprochen aromatische Zitronen-Käse-Soße, in der man die heißen Nudeln schwenkt. Die Aromen harmonieren perfekt miteinander; die scharfe Säure der Limone wird durch den Parmesan abgemildert, und das Olivenöl verleiht der Soße eine seidige, glatte Konsistenz. Die Zutaten vereinen sich zu einer erstaunlichen Soße, die an jeder einzelnen Nudel haften bleibt und es schafft, gleichzeitig wohltuend und belebend zu sein.

Es ist wichtig, die Zutaten in einer vorgewärmten Schüssel miteinander zu vermischen, vor allem an kalten Tagen. Die Wärme sorgt dafür, dass die Zutaten sich verbinden. Die heißen Nudeln setzen den Prozess fort, den die warme Schüssel in Gang gesetzt hat, und heben den Wohlgeruch des Zitronensaftes und des Zitronenabriebs sowie die Süße des Parmesans hervor. Ich habe dem Gericht auch schon mal Rucola und Basilikum hinzugefügt, die ebenfalls beide gut harmonieren.

Einen großen Topf mit Salzwasser zum Kochen bringen. Wenn Sie getrocknete Nudeln verwenden, die eine Kochzeit von ungefähr 8 Minuten haben, geben Sie die Nudeln sofort ins Wasser. Wenn Sie frische Nudeln verwenden, die eine Garzeit von nur 2 bis 3 Minuten haben, beginnen Sie zuerst mit der Zubereitung der Soße.
Eine große Schüssel unter fließendem heißem Wasser vorwärmen, dann abtrocknen. Das Olivenöl, ein bisschen Zitronensaft und eine Prise Zitronenabrieb in die Schüssel geben und die Zutaten mit einem kleinen Schneebesen schlagen, bis die Zutaten sich verbinden. Nun den Parmesan hinzufügen, wieder schlagen, abschmecken und mehr Limone hinzugeben, falls gewünscht.
So lange weiterschlagen, bis man eine dicke, körnige Creme erhält. Wahrscheinlich ist wegen des Parmesans kein Salz erforderlich, doch je nach Geschmack können Sie welches hinzufügen. Sobald die Nudeln fertig sind, abgießen und rasch zu der Soße in die Schüssel geben. Die Nudeln auf zwei vorgewärmte Teller verteilen und, falls gewünscht, mit Parmesan bestreuen.

Zitronentorte

Sbriciolata alla crema di limoni

Ergibt 8 bis 12 Stücke

Für die Streusel
300 g Mehl
120 g feiner Zucker
8 bis 10 g Backpulver
eine Prise Salz
100 g kalte Butter, Butter zum Fetten der Form
1 großes Ei

Für die Creme
4 unbehandelte Zitronen
500 ml Vollmilch
6 Eigelb
150 g feiner Zucker
35 g Mehl
35 Kartoffelstärke oder Maismehl

Das ist das Rezept meiner Freundin Cinzia für *Sbriciolata alla crema di limoni*, was wörtlich übersetzt »Streusel rund um Zitronencreme« heißt – das ist tatsächlich die beste Beschreibung, da keine andere Möglichkeit so treffend ist. Die Zitronencreme ist typisch für Süditalien und wird daher mit ein bisschen Mehl angedickt, was ein altmodisches und hausgemachtes Gefühl hervorruft – vor allem, wenn man an elegantere, buttrige Zitronencreme gewöhnt ist.

Den Backofen auf 180 Grad (Umluft 160 Grad, Gas Stufe 4) vorheizen und eine flache Kuchen- oder Tarteform mit einem Durchmesser von 28 cm fetten und mehlen. Die Schalen von drei Limonen in Streifen schneiden, und die Limonen auspressen. Milch und Schalenstreifen in einem kleinen Topf erwärmen, eine Stunde ziehen lassen, dann die Zitronenschale herausnehmen.
In der Zwischenzeit werden die Streusel vorbereitet. Mehl, Zucker, Backpulver und Salz in einer großen Schüssel vermischen. Die Butter in Würfel schneiden und zusammen mit dem leicht geschlagenen Ei zu der Mehlmischung geben. Mit den Händen kneten, bis die Mischung zu Streuseln wird. Die Hälfte der Streusel in die vorbereitete Backform geben und den Boden gleichmäßig bedecken. Auf der unteren Einschubhöhe einige Minuten lang backen, bis die Streusel fest und blass goldgelb sind. Die Form aus dem Ofen nehmen und abkühlen lassen.
Eigelb und Zucker in einer anderen großen Schüssel schaumig schlagen, das Mehl und die Stärke darübersieben und unterheben, bis die Masse glatt ist. Ungefähr 150 ml Zitronensaft unterrühren. Die Milch leicht erwärmen und in einem dünnen Strahl unter ständigem Rühren zu der Eier-Mehl-Mischung hinzufügen. Dann die Masse in den Topf geben und bei niedriger Temperatur unter ständigem Rühren etwa 15 Minuten lang köcheln lassen, bis die Masse an der Löffelrückseite kleben bleibt. Die Schale der letzten Limone in die Creme reiben.
Nun die Creme über den Streuselboden geben und am Rand ca. 1 cm frei lassen. Die Creme mit dem Rest der Streusel bedecken. Ungefähr 25 Minuten lang backen, bis die Streusel fest und goldbraun sind. Der Kuchen muss vollkommen abgekühlt sein, bevor man ihn aus der Form nimmt und auf eine Platte stürzt. Danach auf eine andere Platte stürzen, damit die goldene Kruste oben ist. Die Torte schmeckt bei Raumtemperatur oder gekühlt.

Die Community für alle, die Bücher lieben

- In der Lesejury kannst du Bücher lesen und rezensieren, die noch nicht erschienen sind
- Gemeinsam mit anderen buchbegeisterten Menschen in Leserunden diskutieren
- Autoren persönlich kennenlernen
- An exklusiven Gewinnspielen und Aktionen teilnehmen
- Bonuspunkte sammeln und diese gegen tolle Prämien eintauschen

Jetzt kostenlos registrieren: www.lesejury.de

Folge uns auf Instagram & Facebook:
www.instagram.com/lesejury
www.facebook.com/lesejury